PUBLICACIONES DEL INSTITUTO CARO Y CUERVO

BIBLIOTECA DE PUBLICACIONES DEL INSTITUTO CARO Y CUERVO

I

R. J. Cuervo, *Obras inéditas.*

II

M. A. Caro, *La canción a las ruinas de Itálica del licenciado Rodrigo Caro.*

III

J. M. Rivas Sacconi, *El latín en Colombia.*

IV

R. J. Cuervo, *Disquisiciones sobre filología castellana.*

V

I. E. Arciniegas, *Las Odas de Horacio.*

VI

M. A. Caro, *Poesías latinas.*

VII

M. A. Caro, *Versiones latinas.*

VIII

L. Flórez, *La pronunciación del español en Bogotá.*

IX

J. de Cueto y Mena, *Obras.*

X

G. Jiménez de Quesada, *El antijovio.*

XI

A. Curcio Altamar, *La evolución de la novela en Colombia.*

GERHARD ROHLFS

MANUAL DE FILOLOGIA HISPANICA

Distribución exclusiva para Europa:
MAX NIEMEYER VERLAG, TÜBINGEN

PUBLICACIONES DEL INSTITUTO CARO Y CUERVO

XII

GERHARD ROHLFS

MANUAL
DE
FILOLOGIA HISPANICA

GUIA BIBLIOGRAFICA, CRITICA Y METODICA

TRADUCCION CASTELLANA DEL MANUSCRITO ALEMAN

POR

CARLOS PATIÑO ROSSELLI

BOGOTA

1957

IMPRESO EN COLOMBIA PRINTED IN COLOMBIA

TALLERES EDITORIALES DE LA LIBRERIA VOLUNTAD LIMITADA, BOGOTA.

PROLOGO

Este libro representa en cierto sentido una continuación a los dos tomos de la *Romanische Philologie,* publicados por el autor como 'Studienführer' en la editorial Carl Winter (Heidelberg 1950 y 1952). En el primero de ellos se ofrecía una introducción metódico-bibliográfica a la romanística general, lo mismo que a las filologías francesa y provenzal (con inclusión de la literatura). El segundo tomo trata de igual manera la filología italiana (junto con la respectiva literatura), ocupándose también de las lenguas sarda y retorromana.

No abarca este manual el campo de la literatura. Por esto nuestro libro tendrá su complemento en la *Introducción bibliográfica a la literatura española* de M. Muñoz Cortés (en prensa en Madrid) y esperamos obras semejantes para las literaturas catalana y portuguesa por Martín de Riquer y J. de Prado Coelho.

El principio empleado aquí es el mismo que guió los dos volúmenes precedentes: enlaza la introducción práctica a los diversos campos de la filología con la orientación bibliográfica crítica. Llenar esta última tarea de manera exhaustiva, es algo que en ningún momento me he propuesto. Sino que mi interés ha sido escoger, del laberinto de las publicaciones, aquello que puede aprovechar esencialmente al estudiante y que se presta para facilitarle el avance posterior.

Debido a la inmensa dispersión de las investigaciones hispanistas, no ha sido una labor fácil la que me impuse. Me he esforzado en prestar también la requerida atención a la actividad científica en Hispanoamérica, aunque no siempre es fácil en Europa seguir con seguridad los pasos del trabajo realizado en el Nuevo Mundo. En razón de haber surgido este manual de mi enseñanza en la Universidad de Munich, quiera el lector disculparle el que en algunos capítulos (p. e. en el relativo a las obras generales sobre España) se citen predominantemente libros de autores alemanes.

La tripartición adoptada aquí (filologías española, catalana y portuguesa) no ha sido seguida de manera absoluta. En algunos capítulos de la sección española la materia tratada se extiende a los tres idiomas de la Península (p. e. al hablar de los influjos árabes y germánicos, o del substrato prerromano). La métrica portuguesa está tratada en un apéndice a la española, la estilística portuguesa con la castellana, el argot catalán junto con el habla popular española y el folklore vasco dentro de la etnografía española.

Por informaciones bibliográficas se siente el autor en deuda particularmente con los siguientes colegas: Dámaso Alonso, R. Aramon i Serra, H. Bihler, T. Cremona, Jorge Dias, W. Giese, Heinz Kröll, L. Ph. Lindley Cintra, M. Muñoz Cortés, Manuel de Paiva Boléo, J. M. Piel, R. de Sá Nogueira, M. L. Wagner y A. Zamora Vicente. Por último, he de manifestar mi especial reconocimiento a mi alumno el Sr. Carlos Patiño por el sumo cuidado y la atención diligente que puso en la traducción del texto alemán.

Durante la corrección de las pruebas Carlos Clavería me prestó su generosa ayuda, enriqueciendo la obra con valiosas sugestiones. Otras sugerencias debo a la amabilidad del señor Fernando Antonio Martínez del Instituto Caro y Cuervo y a mi alumno D. Alberto Escobar.

La redacción de este libro fue concluída en el año 1955: publicaciones ulteriores pudieron ser consideradas sólo en casos aislados.

ABREVIATURAS

(Revistas, colecciones y libros)

AFA: Archivo de filología aragonesa. Zaragoza.

AFCh: Archivos de folklore chileno. Santiago de Chile.

AFFCh: Anales de la Facultad de Filosofía y Letras de la Univ. de Chile. Santiago de Chile.

AGI: Archivio glottologico italiano. Turín.

AIL: Anales del Instituto de Lingüística. Mendoza.

AJPh: American Journal of Philology. Baltimore.

Al-An: Al-Andalus. Madrid.

AOR: Anuari de l'Oficina Románica. Barcelona.

AR: Archivum Romanicum. Ginebra.

Archiv: Archiv für das Studium der neueren Sprachen. Braunschweig.

AUCh: Anales de la Universidad de Chile. Santiago de Chile.

BAE: Boletín de la R. Academia Española. Madrid.

BAH: Boletín de la Academia de la Historia. Madrid.

BDE: Boletín de dialectología española (Continuación del BDC). Barcelona.

BDC: Butlletí de dialectologia catalana. Barcelona.

BDLlC: Bolletí del Diccionari de la llengua catalana. Palma de Mallorca.

BDR: Bulletin de dialectologie romane. Bruselas.

BF: Boletim de filologia. Lisboa.

BFR: Boletim de filologia. Río de Janeiro.
BH: Bulletin hispanique. Burdeos.
Biblos: Biblos. Revista da faculdade de Letras da Universidade de Coimbra. Coimbra.
BICC: Boletín del Instituto Caro y Cuervo. Bogotá.
BIFC: Boletín del Instituto de Filología de la Universidad de Chile. Santiago de Chile.
CIL: Corpus inscriptionum Latinarum. Berlín.
CN: Cultura neolatina. Roma.
DKLV: Deutsche Kultur im Leben der Völker. Munich.
Emerita: Emerita: Boletín español de lingüística y filología clásicas. Madrid.
ER: Estudis Romànics. Barcelona.
Fil: Filología. Buenos Aires.
Hisp: Hispania (California).
HR: Hispanic Review. Filadelfia.
GEJ: Gernika. Eusko-Jakintza. Bayona.
Gr. Gr.: Gröbers Grundriss der romanischen Philologie. Estrasburgo.
GRM: Germanisch-romanische Monatsschrift. Heidelberg.
IAA: Iberoamerikanisches Archiv. Berlín.
IF: Indogermanische Forschungen. Estrasburgo.
KJb: Kritischer Jahresbericht über die Fortschritte der romanischen Philologie. Halle.
Lang: Language. Journal of the Linguistic Society of America. Baltimore.
Lbl: Literaturblatt für germanische und romanische Philologie. Leipzig.
LP: A língua portuguesa. Lisboa.
NMi: Neuphilologische Mitteilungen. Helsingfors.
Neoph: Neophilologus. Amsterdam.

NRFH: Nueva revista de filología hispánica. México.
NSp: Die neueren Sprachen. Marburgo.
PAPhA: Proceedings of the American Philological Association.
RABM: Revista de archivos, bibliotecas y museos. Madrid.
RBPhH: Revue belge de philologie et d'histoire. Bruselas.
RDiR: Revue de dialectologie romane. Bruselas.
REW: W. Meyer-Lübke, Romanisches etymologisches Wörterbuch. Heidelberg 1935.
RDTP: Revista de dialectología y tradiciones populares. Madrid.
RF: Romanische Forschungen. Erlangen.
RFE: Revista de filología española. Madrid.
RFH: Revista de filología hispánica. Buenos Aires.
RFL: Revista da Faculdade de Letras. Lisboa.
RH: Revue hispanique. París-Nueva York.
RIEB: Revue internationale des études basques. San Sebastián.
RIO: Revue internationale d'onomastique. París.
RJb: Romanistisches Jahrbuch. Hamburgo.
RL: Revista lusitana. Porto.
RLC: Revue de littérature comparée. París.
RLiR: Revue de linguistique romane. París.
RMAL: Revue du moyen âge latin. Lyón-Estrasburgo.
RNE: Revista nacional de educación. México.
Rom: Romania. París.
RPF: Revista portuguesa de filología. Coimbra.
RP: Revista de Portugal. Serie A: Língua portuguesa Lisboa.
RPh: Romance Philology. Berkeley.
RR: Romanic Review. Nueva York.

StR: Studi Romanzi. Roma.
VKR: Volkstum und Kultur der Romanen. Hamburgo.
VR: Vox Romanica. Zürich.
VWVS: Verhandlungen des deutschen wissenschaftlichen Vereins in Santiago de Chile.
WS: Wörter und Sachen. Heidelberg.
UCPL: University of California Publications in Linguistics.
WZUB: Wissenschaftliche Zeitschrift der Humboldt-Universität zu Berlin.
ZCPh: Zeitschrift für celtische Philologie. Halle a. S.
ZNF: Zeitschrift für Namenforschung. Munich.
ZOF: Zeitschrift für Ortsnamenforschung. Munich.
ZNU: Zeitschrift für neusprachlichen Unterricht. Berlín.
ZRPh: Zeitschrift für romanische Philologie. Halle.

A. FILOLOGIA IBERORROMANICA

(GENERALIDADES)

BIBLIOTECAS E INSTITUTOS

La utilización de las bibliotecas en la Península Ibérica es, generalmente, más difícil y dispendiosa de lo que es corriente en Alemania, Inglaterra y Francia.

Muy buenas posibilidades de trabajo ofrece al estudioso la Biblioteca Central del Consejo Superior de Investigaciones Científicas, en Madrid (Serrano 121), que está ricamente equipada con todos los libros de consulta de carácter general. Para investigación más especial sobre cualquier problema de la filología hispánica habrá de preferirse el Instituto Miguel de Cervantes del mencionado Consejo (Medinaceli 4). A la biblioteca principal del Consejo está anexa la antigua biblioteca particular de Rodríguez Marín, que constituye un instrumento de trabajo muy rico para investigaciones de carácter literario y folklórico. Fondos de gran cuantía y valor poseen la Biblioteca Nacional y la de la Real Academia Española[1]. Muy bien organizada y especialmente dotada para la época moderna está la biblioteca del Ateneo en Madrid (Calle del Prado 21).

En Barcelona se deberá consultar, ante todo, la Biblioteca Central (antiguamente Biblioteca de Catalunya), que está admirablemente dispuesta y que cuenta con una sección cervantina extraordinariamente rica. Quien se ocupe con Lope halla una biblioteca especial dedicada a

---

1 Util guía: J. Tudela de la Orden, *Los manuscritos españoles en las bibliotecas de España* (Madrid, 1954).

este autor en la Casa Lope de Vega en Madrid (Calle Lope de Vega).

De otras provincias mencionaremos: la Biblioteca Menéndez y Pelayo y la Biblioteca Municipal en Santander, la Biblioteca Colombina en Sevilla, la Biblioteca Provincial en Bilbao, la Biblioteca Municipal de San Sebastián, las bibliotecas de las Facultades de Filosofía y Letras de Oviedo, Santiago, Salamanca, Zaragoza y Granada. Buenas bibliotecas de seminario (Seminario de filología románica) se hallan en las Universidades de Salamanca, Madrid y La Laguna de Tenerife. El mejor gabinete de trabajo para estudios vascos lo constituye la Biblioteca de la Diputación de Güipúzcoa en San Sebastián, que ha sido enriquecida con la biblioteca particular de Julio de Urquijo. Los estudios gallegos tienen su centro en el Instituto del Padre Sarmiento en Santiago.

En Portugal, las mejores posibilidades de trabajo se hallan en el Centro de Estudos Filológicos (Lisboa, Travessa do Arco a Jesus 13). En Porto es digna de recomendación la muy rica Biblioteca Municipal. A la biblioteca de la Facultad de Filosofía y Letras de Coimbra está anexa la antigua biblioteca particular de Carolina Michaëlis. En una sala especial de la Biblioteca da Faculdade de Letras de Lisboa está instalada la que fue de Leite de Vasconcelos. Ambas son muy ricas en revistas y obras generales de filología románica [1a]. Sobre otras bibliotecas importantes orienta el *Manual de filologia portuguêsa* de S. SILVA NETO (Río de J. 1952), págs. 80-86.

En Suramérica merecen mención el Instituto Caro y Cuervo, de Bogotá, el Instituto Andrés Bello de Caracas, y las bibliotecas de los Institutos de Filología en las Uni-

---

[1a] Son importantes por sus fondos de manuscritos medievales la Biblioteca Nacional de Lisboa y la Biblioteca General de la Universidad de Coimbra.

versidades de Chile, Buenos Aires y Mendoza. En los Estados Unidos se deberá mencionar, ante todo, la riquísima sección hispánica e hispano-americana de la Biblioteca del Congreso de Washington. Otros centros de trabajo excelentemente provistos son la biblioteca de la Hispanic Society (Nueva York) y las universitarias de Berkeley, Chicago, New Haven (Yale) y Urbana.

La antigua biblioteca del hispanista francés Morel Fatio ha pasado a ser propiedad de la biblioteca municipal de Versalles [1b].

En Alemania habrá de mencionarse primeramente la Lateinamerikanische Bibliothek, en Berlín-Lankwitz, que en el año 1952 comprendía 220.000 volúmenes. Muy rica es la sección española en la Biblioteca Nacional de Munich y en las universitarias de Hamburgo, Bonn, Gotinga, Marburgo y Tubinga. Entre los institutos universitarios sobresalen los seminarios de filología románica de Hamburgo y Colonia por sus ricos fondos. La que fue biblioteca privada de Ludwig Pfandl puede ser utilizada en el seminario románico de la Universidad de Munich.

Para investigaciones científicas yacen tesoros inexplotados en los archivos españoles, especialmente en Simancas (el centro primordial de actas y documentos oficiales de los siglos XVI y XVII), Madrid (Archivo Histórico Nacional), Alcalá de Henares, Barcelona (Archivo de la Corona de Aragón), Sevilla (Archivo de Indias) y Valencia.

[1b] El catálogo del Fonds Morel Fatio está publicado en BH, XLIV, 44 sigs.

LENGUA Y CULTURA DE LOS PUEBLOS IBERORROMANICOS

(GENERALIDADES)

Entre los idiomas hablados en la Península Ibérica, dos se pueden juntar en un grupo lingüístico más compacto: el español ("castellano") y el portugués. El catalán tiene ciertos puntos de contacto con el español, pero gravita más hacia el provenzal. Es una lengua más galorrománica que iberorrománica (ver pág. 240). Semejanzas comunes sólo al portugués, al español y al catalán y que excluyan, por ejemplo, al provenzal, son escasas. Damos algunos ejemplos del léxico:

irmão	*hermano*	*germà*
garra	*garra*	*garra*
meia	*media*	*mitja*
tarde	*tarde*	*tarda*
bodas	*bodas*	*bodes*
formoso	*hermoso*	*formos*
amargo	*amargo*	*amarc*
ter	*tener = poseer*	*tenir*

Otras semejanzas se revelan, sin duda, en oposición con el provenzal, pero incluyen en esta unidad al gascón:

vagar	*vagar*	*vagar*	*bagá*
bruxa	*bruja*	*bruixa*	*broucha*
cova	*cueva*	*cova*	*coba*

deixar	*dejar*	*deixar*	*dechá*
farto	*harto*	*fart*	*hart*
fez	*hez*	*feu*	*hets*
nogueira	*noguera*	*noguera*	*nouguèra*
perna	*pierna*	*perna*	*pèrna*
sol	*sol*	*sol*	*sou*

Mucho mayor es el número de las correspondencias entre el español y el portugués que no son aplicables al catalán. Compárese: *amarillo* (*amarello*), *aquí* (*aquí*), *arrimar* (*arrimar*), *atar* (*atar*), *buscar* (*buscar*), *cabeza* (*cabeça*), *centeno* (*centeio*), *comer* (*comer*), *hallar* (*achar*), *hablar* (*falar*), *hervir* (*ferver*), *hombro* (*hombro*), *llegar* (*chegar*), *mañana* (*manhã*), *manzana* (*maçã*), *mear* (*mijar*), *miedo* (*medo*), *pardo* (*pardo*), *preguntar* (*perguntar*), *primo* (*primo*), *quedar* (*quedar*), *querer* (*querer*), *queso* (*queijo*), *salir* (*sahir*), *sobaco* (*sobaco*), *tío* (*tio*), *trigo* (*trigo*), *trillar* (*trilhar*), *vacío* (*vazio*), etc.

Un hecho importante, que enlaza al castellano con el portugués, es la desaparición de la conjugación *-ĕre* en beneficio de la terminada en *-ēre,* mientras que el catalán, de acuerdo con la Galorromania, la ha conservado:

bebér	*beber*	*beure*
cabér	*caber*	*càbre*
cozér	*cocer*	*coure*
corrér	*correr*	*còrrer*
fazér	*hacer*	*fer*
movér	*mover*	*moure*
chovér	*llover*	*ploure*

Notable es el acuerdo entre español y portugués en la conservación del lat. CUM (*con, com*), frente al catalán *ab* (*amb*).También la partícula afirmativa *sí* une al español y al portugués, al paso que el catalán antiguo se postula, con *oc*, como miembro de la lengua *d'oc*. Hoy día, sin embargo, *sí* se ha impuesto también en Cataluña, lo cual se puede tomar como ejemplo de una progresiva incorporación del catalán a la familia de lenguas iberorrománicas, fenómeno que se ha hecho patente en los últimos siglos.

En el terreno de la fonética histórica, compárese la palatalización de *l* preconsonántica: MULTU > *muito* (port.) > *mucho* (esp.), frente al cat. *molt* con *l* velar. Considérese el mantenimiento del nexo *nd* en español y portugués (*mandar*), frente al cat. *manar;* piénsese en la palatalización del nexo *cl* en las mismas lenguas (esp. *llave,* port. *chave*), frente a la conservación de *cl* por parte del catalán (*clau*), y asimismo en la evolución totalmente diferente de la *v* que presentan el catalán y el español-portugués en la palabra que acabamos de mencionar.

Lo que asemeja o separa a las tres lenguas romances habladas en la Península, no es solamente el material lingüístico latino, sino también el contingente árabe (ver pág. 101).

El cuarto idioma hablado en la Península, el vascuence, es la forma contemporánea de una vieja lengua autóctona, que sobrevivió al proceso de romanización, si bien no dejó de ser afectada por ésta (ver pág. 83).

El libro de WILLIAM J. ENTWISTLE, *The Spanish Language together with Portuguese, Catalan and Basque* (Londres 1936), proporciona un sugestivo cuadro de la evolución lingüística de toda la Península, en forma de resumen sintético (aunque todo distribuído por capítulos).

El primer intento serio de describir, sobre base científica, el estado etnográfico de la Península en la época prerromana, fue emprendido por AD. SCHULTEN con su obra *Numantia,* I, Munich, 1914, págs. 15-111. Aquí se estableció claramente, por vez primera, la prioridad de los celtas en el Occidente de la Península y en la meseta central (antes de la expansión de los iberos) [2]. Posteriormente P. BOSCH-GIMPERA, basado en opiniones más modernas, trazó un cuadro más preciso de la situación prehistórica en su *Etnología de la Península Ibérica* (Barcelona 1932). El estado actual de las investigaciones se halla resumido en la obra de JULIO MARTÍNEZ SANTA OLALLA, *Esquema paletnológico de la Península Ibérica* (Madrid, 1946).

Sobre las nociones geográficas ofrece excelente orientación, en conciso resumen, H. LAUTENSACH, *Spanien und Portugal* (en el *Handbuch der geogr. Wissenschaft,* Potsdam, 1934, págs. 426-537). Las distintas regiones son presentadas monográficamente por M. SORRE, *La péninsule ibérique* (en la *Géographie Universelle,* VII, Paris, 1934, págs. 69-228). En el trabajo de G. CARACI, *La penisola iberica* (en la *Geografia Universale Illustrata,* I, 1940, págs. 601-838) tiene sitio preferente la historia de la cultura.

En el libro *Por tierras de Portugal y de España* (Buenos Aires 1941), reunió MIGUEL DE UNAMUNO sus impresiones de viaje de los años 1907-1909; es ésta una amena lectura en la que el autor, con fina sensibilidad, pinta las diferencias existentes entre las distintas regiones en cuanto a carácter y a espiritualidad. También MARIE QUILLARDET, en su obra *Espagnols et Portugais chez eux* (Paris 1905), destaca las diferencias entre la idiosincrasia española y la portuguesa.

HEINRICH MORF, en su obra *Die romanischen Literaturen* (en: *Die Kultur der Gegenwart,* Berlín 1909, 2ª ed. 1925) sintetiza a grandes rasgos la evolución literaria de los romances español y portugués a través de sus creaciones más significativas y en conexión con el resto de la

---

2 Véase abajo pág. 31.

Romania. WILHELM GIESE ha reunido las literaturas de los tres romances peninsulares en su manual *Geschichte der spanischen und portugiesischen Literatur* (Bonn 1949), destinado a los novicios.

La *Anthologie der geistigen Kultur auf der Pyrenäenhalbinsel* (Hamburgo-Berlín 1927), hecha por WILHELM GIESE, trae trozos escogidos de autores españoles, catalanes y portugueses de los siglos v a xv (incluyendo también textos latinos, árabes y vascos), guiada por el deseo de ilustrar toda la historia de la cultura (con inclusión de filosofía, historia, ciencias naturales, medicina, teología). En el *Handbuch der Kulturgeschichte* (Potsdam 1939) publicado por Heinz Kindermann, los países ibero-románicos están representados, en el tomo *Kultur der romanischen Völker,* por el estudio de WILHEM GIESE (págs. 271-346), que arranca desde la época prehistórica, poniendo especial énfasis en la cultura social y la arquitectura [3].

En la obra de MARCEL DIEULAFOY, *Espagne et Portugal* (París 1913) tenemos un valioso manual de la historia artística (con 745 figuras) de los dos países.

[3] Una obra de consulta indispensable para todas las cuestiones culturales referentes a la Península Ibérica es la *Enciclopedia Espasa* (70 volúmenes); ver pág. 65.

REVISTAS [4]

Damos aquí una ojeada a las revistas que se ocupan de manera especial con los idiomas y las letras de la Península y de América Latina [5].

A Águia. Apareció en Porto de 1912 a 1927 al servicio de la renovación literaria (Renascença) que tuvo su centro en el Norte de Portugal. Contiene también artículos que tratan cuestiones dialectales y etnográficas.

Anales del Instituto de Lingüística. Editada en Mendoza (Argentina) desde 1941, se ocupa preferentemente de la lingüística española e hispano-americana y contiene, a partir del volumen IV (1950), una vasta sección de crítica bibliográfica.

Arbor. Publicada en Madrid desde 1944. Abarca ciencia y cultura en el sentido más amplio de la palabra, sin limitarse a la Península Ibérica. Al servicio de una regeneración católico-social, guiada por la conciencia de una solidaridad europea.

Archivo histórico portuguez. Lisboa 1903-1916. Contiene, entre otros materiales, valiosos textos antiguos satisfactoriamente editados.

---

4 Un repertorio muy completo de todas las revistas y obras periódicas del mundo se encuentra en el catálogo de W. Gregory, *Union list of serials in libraries of the United States and Canada* (Nueva York, 1943); con Supplement 1941-1943 (Nueva York, 1945) de Gabrielle Malikoff.

5 Sobre revistas al servicio de los estudios vascos, véase pág. 88; sobre el órgano central de la investigación árabe (*Al-Andalus*), ver pág. 104.

Arquivo histórico de Portugal. Lisboa 1932 sigs. Especie de continuación del Arch. hist. port. suspendido en 1916, con predominio de los estudios históricos.

Bibliografía hispánica. Publicada en Madrid desde 1942. Con repertorio bibliográfico clasificado por materias. Continúa la anterior *Bibliografía general española e hispano-americana* (1923-1942).

Biblos. Revista da Faculdade de Letras da Universidade de Coimbra, desde 1925. Abarca todos los campos de tal facultad, reservando también considerable espacio a la historia de la lengua y a la literatura portuguesas.

Boletim de filologia. Organo del Centro de Estudos Filológicos de Lisboa, desde 1932. Al servicio de la filología y lingüística portuguesas; en 1949 amplió su programa, abriéndolo a los demás romances.

Boletim de filologia. En Río de Janeiro desde 1946. Organo central de la filología románica en el Brasil.

Boletín de la Academia de Buenas Letras de Barcelona, a partir de 1901.

Boletín de la Biblioteca Menéndez y Pelayo. Santander, desde 1919. Trata temas literarios: se ocupa especialmente del Siglo de Oro.

Boletín de la Real Academia Española. Madrid, desde 1914. Contiene valiosas investigaciones sobre prehistoria, historia, estudios árabes, literatura y lingüística. Para los volúmenes I a XXV existe un registro, publicado en Madrid en 1947, con índice de autores y de materias (págs. 9-155) y vocabulario de las palabras estudiadas (págs. 159-184).

Boletín del Instituto Caro y Cuervo. Bogotá, a partir de 1945. Orientado hacia la filología y la lingüística, lleva desde 1951 el nombre de *Thesaurus,* Boletín del Instituto Caro y Cuervo.

Boletín del Instituto de Filología de la Universidad de Chile. Santiago de Chile, desde 1944. A partir del año 1947 llámase *Boletín de Filología.* Se ocupa predominantemente de problemas de filología hispano-americana.

Brasilia. Editada desde 1942 por el Instituto de Estudos Brasileiros de la Facultad de Letras de la Universidad de Coimbra, fomenta las relaciones culturales brasileño-portuguesas.

Brotéria. Lisboa, a partir de 1925. Sirve los intereses de la historia general de la cultura; publica igualmente artículos de interés para el investigador de la literatura.

Bulletin des études portugaises. Organo del Institut Français au Portugal. Lisboa, a partir de 1931.

Bulletin Hispanique. Publicado desde 1898 por la Facultad de Letras de la Universidad de Burdeos. Es el órgano de los hispanistas franceses. Examina cuestiones de la historia de la cultura y de la literatura en España (y, parcialmente, en Portugal). Orienta sobre todas las publicaciones hispánicas recientes. En el tomo XXXIV (1932), págs. 365-416, ha sido publicado un "sommaire" del contenido de los tomos I a XXXIV.

Bulletin of Spanish Studies. Liverpool, a partir de 1923. Se ocupa ante todo de historia de la literatura.

Butlletí de dialectología catalana. Publicado en Barcelona desde 1913 (hasta 1933). Organo principal de la lingüística catalana[6].

Clavileño. Madrid, a partir de 1950. Organo de la Association Internationale d'Hispanisme, concede atención especial a la literatura y a la historia espiritual españolas.

Cuadernos Americanos. México, desde 1942.

Cuadernos de estudios gallegos. Organo del Instituto Padre Sarmiento. Aparece desde 1945 en Santiago de Compostela. Trata de historia, prehistoria, toponimia y del dialecto gallego.

Cuadernos de literatura. Madrid, desde 1947. Literatura española y extranjera. Continúa los *Cuadernos de Literatura Contemporánea* (1942-1945); desde 1952 se llama *Revista de Literatura*.

Emérita, Boletín de lingüística y filología. Madrid, desde 1933. Además de cuestiones de la antigüedad clásica, trata también temas de la prehistoria lingüística de la Península.

Escorial, Madrid, desde 1940. Revista del falangismo intelectual.

Filología. Publicada en Buenos Aires, a partir de 1949. Es el órgano de la Sección Románica del Instituto de Filología de la Facultad de Filosofía y Letras. Contiene lingüística española, con atención especial a Latino-América.

Hispania. Stanford (California), desde 1917. Organo de la American Association of Teachers of Spanish and Portuguese.

---

[6] Sobre otras revistas que se ocupan del catalán, véase pág. 238.

Hispanic Review. Editada desde 1933 por la Universidad de Pensilvania. Se ocupa especialmente de historia literaria.

Ibérica. Véase *Spanien.*

Investigación y progreso. Madrid 1927-1945. Importante por el intercambio científico con Alemania. Reseñas de libros, informes sobre conferencias.

A Língua portuguesa. Lisboa, 1923-1939. Orientada hacia la lingüística, contiene importantes contribuciones a la dialectología portuguesa.

Língua portuguesa. Véase *Revista de Portugal.*

Lusitania. Lisboa, 1924-1927. Publica artículos sobre literatura, arqueología, arte, etc.

Nueva revista de filología hispánica. Publicada por el Colegio de Méjico y la Universidad de Harvard, desde 1947. Continuadora, con igual programa, de la *Revista de Filología Hispánica.* Con riquísima sección bibliográfica.

Pirineos. Zaragoza, desde 1945. Fuera de geografía, geología y botánica, se ocupa también de temas de filología e historia de la cultura.

Portucale. Revista ilustrada de cultura literaria, científica e artística. Lisboa, a partir de 1928. Da especial relieve a la historia espiritual.

Revista Brasileira de Filología. Río de Janeiro, a partir de 1955. Se ocupa especialmente del portugués del Brasil.

Revista da Faculdade de Letras. Lisboa, a partir de 1934.

Revista da Universidade de Coimbra. 1912-1934. Su amplio campo de interés abarca literatura, historia, medicina, antropología, etc.

Revista de Archivos, Bibliotecas y Museos. Madrid, desde 1871. Fomenta especialmente los estudios históricos.

Revista de Bibliografía Nacional. Madrid, desde 1940. De orientación bibliográfica, histórica y literario-histórica. Desde hace poco se llama *Revista de información bibliográfica y documental*.

Revista de dialectología y tradiciones populares. Madrid, a partir de 1944. Organo central del folklore español, trae materiales para la investigación dialectal y toponímica, así como buena sección bibliográfica.

Revista de filología española. Madrid, desde 1914. Principal órgano de la lingüística española, proporciona apreciable orientación bibliográfica, incluyendo la filología portuguesa.

Revista de filología hispánica. Buenos Aires, 1939-1946. Notable revista cuyo interés se concentraba en la investigación literaria y la lingüística general.

Revista de filología portuguesa. São Paulo, 1924-1925. Trata problemas gramaticales y de historia de la lengua.

Revista de Historia. Organo de la Facultad de Filosofía y Letras de la Universidad de La Laguna (Tenerife), desde 1924. Trata cuestiones lingüísticas e históricas que atañen a las Islas Canarias.

Revista de la Biblioteca, Archivo y Museo. Editada por el Ayuntamiento de Madrid, desde 1924. Intereses históricos, con particular atención a la ciudad de Madrid.

Revista de las Españas. Editada por la Unión Ibero-americana de Madrid, de 1926 a 1936. Fomentaba las relaciones culturales entre España e Hispano-América.

Revista de libros. Madrid 1913-1920. Fue importante en el pasado debido a sus notas bibliográficas.

Revista de língua Portuguesa. Río de Janeiro, desde 1919. Se ocupa de cuestiones filológicas, gramaticales y ortográficas.

Revista de Occidente. Madrid, 1923-1936, editada por Ortega y Gasset. Abrió a los españoles el mundo espiritual extranjero. Se cuenta entre las publicaciones europeas de mayor rango.

Revista de Guimarães. Oporto, desde 1884. Campo de trabajo: además de historia y arqueología, temas literarios, filológicos y folklóricos.

Revista de philologia e de historia. Río de Janeiro, desde 1931. Orientación análoga a la de la *Rev. de ling. port.*, que es más antigua, pero cuyo nivel es inferior.

Revista hispánica moderna. Editada a partir de 1934 por el Hispanic Institute de la Universidad de Columbia en Nueva York. Trata primordialmente aspectos de historia literaria y de Latino-América. Trae una bibliografía hispano-americana.

Revista lusitana. Porto, 1887-1943. Fuė en el pasado (bajo la dirección de J. Leite de Vasconcelos) la revista de más peso en el terreno de la filología portuguesa. Contiene notables aportes al folklore, a la etnografía, a la historia de la lengua y a la dialectología. En el Centro de Estudos Filológicos de Lisboa se encuentra, en manuscrito, un índice general de los primeros 25 tomos de esta publicación (con un registro completo de palabras), preparado por Ismael Simões Reis.

Revista portuguesa de filologia. Coimbra, desde 1947. Excelente publicación, fundada por M. de Paiva Boléo, predominantemente al servicio de la lingüística portuguesa, sin que deje de tratar temas de otros romances. Publica valiosa crítica bibliográfica.

Revista de Portugal. Serie A: Língua Portuguesa. Lisboa, a partir de 1942. Publicación para trabajos de alguna extensión y para ediciones de antiguos textos portugueses.

Revue hispanique. Paris, 1894-1933. A partir de 1905 fué el vocero científico de la Hispanic Society of America, fundada y dirigida por R. Foulché-Delbosc. Se la consideró en el pasado como la publicación hispanista más reputada. Trajo en no pocos casos extensas monografías y publicó valiosos textos antiguos. "Table des tomes 1-50 (1894-1920)" en el suplemento al año 1920.

Spanien. Hamburgo, 1919-1921. Revista de estudios extranjeros. Continuada de 1924 a 1927 bajo el nombre de *Ibérica,* servía las relaciones económico-culturales y estaba destinada a un público más amplio. Anexo a *Ibérica* aparecía el suplemento *Spanische Philologie und Spanischer Unterricht,* de orientación pedagógica.

Thesaurus. Véase *Bol. del Inst. Caro y Cuervo.*

A las anteriores se agregan otras publicaciones que cultivan los estudios hispánicos dentro de un programa románico general:

Archiv für das Studium der neueren Sprachen. Braunschweig, desde 1846.

Revue des langues romanes. Montpellier, desde 1870.

Romania. Paris, a partir de 1872.

Zeitschrift für romanische Philologie. Halle, a partir de 1877.

Romanische Forschungen. Erlangen, desde 1883.

Kritischer Jahresbericht über die Fortschritte der romanischen Philologie. Erlangen, 1892-1914.

Modern Language Review. Cambridge, desde 1905.

Romanic Review. Nueva York, desde 1910.

Neophilologus. Groningen, a partir de 1916.

Archivum Romanicum. Ginebra, 1917-1941.

Revue de linguistique romane. Paris, desde 1925.

Volkstum und Kultur der Romanen. Hamburgo, 1925-1944.

Vox Romanica. Zürich, desde 1936.

PMLA = Publications of the Modern Language Association of America. Menasha (Wisc.), a partir de 1936.

Cultura Neolatina. Roma, desde 1941.

Romance Philology. Berkeley, a partir de 1947.

Estudis Romànics. Barcelona, a partir de 1947.

Les Lettres Romanes. Louvain, desde 1947.

Romanistisches Jahrbuch. Hamburgo, desde 1949.

Las revistas científicas españolas dedicadas a las investigaciones históricas (historia, bibliotecas, academias, arqueología, religión, filología, literatura) han sido registradas por José Vives en el informe *Revistas españolas de ciencias históricas,* publicado en *Gesammelte Aufsätze zur Kulturgeschichte Spaniens* (editados por H. Finke), VI, 1937, págs. 1-29.

MISCELANEAS Y HOMENAJES

Importantes instrumentos de trabajo, que encierran valiosa labor investigativa, son las grandes misceláneas publicadas con carácter de Homenaje.

Damos a continuación los títulos de los principales Homenajes que revisten importancia para la filología hispánica:

Miscelánea filológica, dedicada a D. Antonio María Alcover. Palma de Mallorca, 1932.

Homenaje a Amado Alonso. NRFH, VII, 1953.

Homenaje a D. Miguel Artigas. Tomos I, II. Santander 1931-1932.

Homenaje a D. Andrés Bello (Anales de la Univ. de Chile, tomo 93). 1935.

Estudios eruditos in memoriam de Adolfo Bonilla y San Martín. Tomos I, II. Madrid 1927-1930.

Miscelânea de filologia, literatura e história cultural à memória de Fr. Adolfo Coelho. Tomos I, II. Lisboa 1949-1950.

Miscelánea filológica dedicada a Mons. A. Griera. 2 tomos. Barcelona 1955.

Estudios hispánicos. Homenaje a Archer Milton Huntington. Wellesley (Mass.) 1952.

Homenaje a Fritz Krüger. Mendoza (Arg.), 1952 y ss.

Homenaje ofrecido a Menéndez Pidal. Tomos I, II, III. Madrid 1925.

Estudios dedicados a Menéndez Pidal. Tomos I, II, III, IV, V, VI. Madrid 1950 y ss.

Homenaje a D. Marcelino Menéndez y Pelayo. Tomos I, II. Madrid 1899.

Miscelânea de estudos em honra de D. Carolina Michaëlis de Vasconcellos. Coimbra 1933.

Miscelânea de estudos em honra de Antenor Nascentes. Río de Janeiro 1941.

Homenaje a Rodolfo Oroz. Boletín de Filología, Universidad de Chile, VIII, 1954-1955.

Portugal. Festschrift der Universität Köln. Colonia 1940.

Estudios de filología e historia literaria. Homenaje al R. P. Félix Restrepo, BICC, V, 1949.

Homenatge a Antoni Rubió i Lluch. Tomos I, II, III. Barcelona 1936.

Miscelânea de estudos em honra de Manuel Said Ali. Río de Janeiro 1938.

En otros homenajes dedicados a Appel, Ascoli, Brunot, Chabaneau, Gamillscheg, Gauchat, Hämel, Jeanroy, Jud, Mussafia, Paris, Roques, Thomas, Todd, Voretzsch y Vossler no faltan tampoco los temas hispánicos. Sobre esto remitimos al lector al *Index of mediaeval studies published in Festschriften, with special reference to Romanic material* (Berkeley-Los Angeles, 1951) compilado por HARRY F. WILLIAMS; este trabajo registra las contribuciones hispanistas en las págs. 18-21 (catalán), 101-102 (portugués), y 115-122 (español).

SOBRE LA PREHISTORIA DE LA PENINSULA IBERICA

La denominación de "lenguas ibero-románicas", naturalizada desde hace largo tiempo en la Filología Románica, parte de la concepción algo unilateral de que la Península tiene como base un substrato IBÉRICO homogéneo. Las investigaciones de los últimos decenios, sin embargo, nos han hecho reconocer que los cimientos étnicos de la antigua Hispania eran esencialmente más variados y, en su heterogénea ensambladura, no muy diferentes de los de la península itálica.

Fue GUILLERMO DE HUMBOLDT quien dió a la teoría de la unidad ibérica su fundamento decisivo y científico. Considerando al vascuence actual como último vástago de la vieja lengua ibérica, creyó poder explicar con su ayuda muchos antiguos nombres geográficos de la Península entera [6a]. Todavía a principios de nuestro siglo, un lingüista tan eminente como HUGO SCHUCHARDT no dudó de la certeza de tal punto de vista [7]. La fácil explicación del

---

[6a] *Prüfung der Untersuchungen über die Urbewohner Hispaniens vermittelst der baskischen Sprache* (Berlín, 1821). Ya antes sabios peninsulares, como Baltasar de Echave (1607), habían llamado la atención sobre notables puntos de contacto con el vascuence.

[7] Comp. la monografía *¿Baskisch = Iberisch oder = Ligurisch?* (*Mitteil. der Anthrop. Gesellschaft in Wien*, XLV, 1915, págs. 109-124). Pero también en la misma España se ha sostenido largo tiempo esta opinión. Así por ejemplo en los trabajos de M. GÓMEZ MORENO, quien en un ensayo *Sobre los Iberos y su lengua* (*Homenaje ofr. a Menéndez Pidal*, III, 1925, págs. 475-499) buscaba correspondencias entre nombres de persona ibéricos y el vascuence, ampliando demasiado el concepto de lo ibérico.

viejo nombre de ciudad *Iliberris* o *Eliberris* (Andalucía, Aquitania, Rosellón) partiendo de las palabras vascas *iri* (*ili*) "ciudad" y *berri* "nuevo" parecía dar razón a esta teoría. Entre tanto una nueva doctrina se opuso al "iberismo", representada por el historiador francés ARBOIS DE JUBAINVILLE. Partiendo de ciertas coincidencias en los nombres geográficos de Italia del Norte, Francia y España, trató de demostrar que los ligures eran el pueblo nativo más antiguo de la Europa occidental [8]. Entre los modernos arqueólogos ha sido especialmente SCHULTEN quien ha adoptado esta tesis y tratado de apoyar, con propias investigaciones, la idea de que se debe considerar a los ligures como los primeros habitantes de España [9]. En España esta teoría fue acogida en un principio con gran escepticismo [10]. También investigadores franceses se pronunciaron en contra de la teoría de los ligures [11]. Recientemente, sin embargo, han sido aducidos argumentos de diverso género, que parecen hablar en pro de una extensión o inmigración de tribus ligures (= ilirios del Oeste?) hacia la Península hispánica [12]. El conocimiento de las relaciones primigenias se dificulta por el hecho de haber

---

8 *Les premiers habitants de l'Europe* (París, 1893).

9 Véase el artículo *Hispania*, escrito por SCHULTEN, en la *Realencyclopädie der Classischen Altertumswissenschaft*, VIII, pág. 2.044, de PAULY-WISSOWA; también en *Numantia*, I (1914), pág. 5 sigs.

10 P. BOSCH-GIMPERA, *Etnología de la Península Ibérica* (Barcelona, 1932), pág. 631 sigs.

11 A. BERTHELOT, *Les ligures*. En *Revue Archéologique*, II, 1933, págs. 72-120, 245-303.

12 Véase al respecto R. MENÉNDEZ PIDAL, *Sobre el substrato mediterráneo occidental*, ZRPh, LIX, 1939, págs. 189-206; J. POKORNY, *Zur Urgeschichte der Kelten und Illyrier*, ZCPh, XXI, 1938, pág. 148; O. MENGHIN, *Migrationes mediterraneae*, *Runa*, I, 1949, págs. 143-168; V. BERTOLDI, *Colonizzazioni nell'antico Mediterraneo alla luce degli aspetti linguistici* (Nápoles, 1950).

sido originariamente los ligures un pueblo mediterráneo y preindoeuropeo, que en época posterior fuè indoeuropeizado (por los ilirios?). A esto se suma que los ligures no nos han dejado inscripciones.

En lo tocante a los iberos, la creencia en su vasta extensión geográfica se apoyaba en la amplia propagación de las llamadas "inscripciones ibéricas". Hoy sabemos que tales inscripciones sólo tienen de común la escritura ibérica y que debemos contar con idiomas diferentes[13]. Tras detenida verificación, algunas de estas inscripciones resultaron ser celtas.

El punto de vista actual sobre la población de la Hispania[14] prerromana se puede resumir como sigue: los

---

[13] Los caracteres ibéricos pertenecen, con su carácter silábico (signos especiales, por ejemplo, para *ba, be, bi, bo, bu*), a un sistema mediterráneo muy antiguo. Mérito especial en el desciframiento de la escritura ibérica corresponde a M. GÓMEZ MORENO; véase el artículo *La escritura ibérica*, BAH, CXII, 1943, págs. 251-278, vuelto a imprimir en las Misceláneas, pág. 257 sigs. Una ojeada sobre las letras cuyo significado ha sido descifrado da A. TOVAR en la revista sueca *Eranos*, XLV, 1947, pág. 83. Importantes contribuciones a la prehistoria hispánica contienen las *Misceláneas. Historia, arte, arqueología*, de M. GÓMEZ MORENO (Tomo I, Madrid, 1949). Un léxicón (provisional) de las inscripciones ibéricas da A. TOVAR en *Est. ded. a Menéndez Pidal*, II, 1951, págs. 273-323. Señalamos aquí también el nuevo libro de J. CARO BAROJA, *La escritura ibérica en la España prerromana* (Madrid, 1954).

[14] La información más fidedigna acerca de la situación prehistórica la debemos a las investigaciones de BOSCH-GIMPERA. Están consignadas en la obra *Etnología de la Península Ibérica* (Barcelona, 1932); en forma abreviada, en *Prähistorische Zeitschrift*, XV, 1924, pág. 81 sigs.; más tarde en *El poblamiento de la Península Ibérica* (Méjico, 1950), corregidas en muchos detalles. Un resumen excelente y moderno da L. PERICOT en *Grandeza y miseria de la prehistoria* (Barcelona, 1948). Sobre el estado actual de la interpretación de las viejas inscripciones y la prehistoria lingüística de la Península Ibérica, véase ahora J. CARO BAROJA, *La escritura en la España prerromana* (epigrafía y numismática), en: *Hist. de España, dir. por R. Menéndez Pidal*, t. I, 3, págs. 679-812. Véase también de BOSCH-GIMPERA el sustancial resumen de su 'Etnologia' en EBERT, *Reallexikon der Vorgeschichte*, tomo X, págs. 336-391.

iberos tenían sus asientos en la costa oriental[15]. Eran probablemente de origen camítico y emigraron de Africa a España. Su lengua no tenía ninguna relación con la de los pueblos del interior de la Península. Allí vivía una "población hispánica aborigen", cuyo último resto debemos ver en los vascos, en la antigüedad *vascones*[16]. — Muy discutida es la cuestión de si, anteriormente a la invasión celta, una afluencia indoeuropea más antigua (siglos IX a VIII a. C.) había inundado ya la Península. Algunos investigadores[17] tienden a identificar esta primera ola indoeuropea con los ligures (Menéndez Pidal) o con los ilirios (Pokorny). Parece indicado incluir a los astures, los cántabros y los carpetanos dentro de este primer substrato indoeuropeo[17a].

Una segunda inmigración indoeuropea (alrededor del siglo VI a. C.) condujo al establecimiento de tribus celtas. De su mezcla con iberos, que habían penetrado en el interior desde las costas orientales, surgió una población celtibérica mixta[18]. Esta estaba sometida a los iberos; su

---

[15] Discutida es la cuestión del parentesco entre los iberos y los tartesios (más tarde 'turdetanos'), que habitaban al Sur. SCHULTEN preferiría más bien relacionarlos con los etruscos (en: *Klio*, XXIII, 1930, págs. 365-420). Problemático es también si los lusitanos pertenecieron o no a la familia de pueblos ibéricos. Véase A. SCHULTEN, *Tartessos* (Hamburgo, 1950).

[16] Sobre la separación del vascuence respecto al grupo de lenguas ibéricas, véase J. CARO BAROJA, *Observaciones sobre la hipótesis del vascoiberismo, Emérita,* X, 1942, págs. 236-286; XI, págs. 1-59. Comp. también pág. 79.

[17] Véanse los trabajos mencionados en pág. 29, nota 12. Ya E. PHILIPON, *Les Ibères* (París, 1909) había defendido la teoría de la existencia de un substrato de pueblos indoeuropeos precélticos en la Península.

[17a] A. TOVAR, *Estudios sobre las primitivas lenguas hispánicas* (Buenos Aires, 1949), pág. 196.

[18] Comp. al respecto A. TOVAR, *Über das Keltiberische und die anderen alten Sprachen Spaniens* (*Eranos,* XLV, pág. 81 sigs.); también en *Estudios* (ver nota 17[a]), pág. 119 sigs. De la geografía y nacionalidad de los iberos trata ampliamente A. SCHULTEN, *Numantia,* I (1914), págs. 112-260.

idioma era predominantemente celta, su escritura ibérica. Las diversas capas de la indoeuropeización son difíciles de separar [19]. También el vascuence se mezcló con elementos ibéricos y celtas; posteriormente efectuó también en gran escala préstamos al latín [20].

---

19 Un buen mapa de conjunto sobre la probable repartición de los distintos pueblos trae M. Gómez Moreno en el *Homenaje a Menéndez Pidal,* III, 1925, pág. 495, reproducido en sus 'Misceláneas', pág. 237.

20 Sobre la relación entre el vascuence y los viejos idiomas peninsulares léase el erudito trabajo de G. Bähr, *Baskisch und Iberisch,* en *Eusko-Jakintza, Rev. de Estudios Vascos,* II, 1948, pág. 3 sigs.

LATINIDAD HISPANICA

El carácter especial de los romances ibéricos plantea la cuestión de si la colonización romana llevó a Hispania una forma particular de latinidad. Tal hecho podría tener quizá como causa temporal la época de la conquista (comienzos de 218 a. C.), que fué temprana en comparación con la de Galia (desde 125 a. C.). Pero también circunstancias de otra índole pueden señalarse aquí como responsables; por ejemplo, ciertos centros de gravedad de la colonización (piénsese en la Bética, que gravitaba hacia Africa), una determinada composición social de los colonos o también origen regional de los mismos (oscos?). Todas estas tesis han sido sustentadas y algunas de ellas juegan hoy todavía un papel en la discusión científica. Llamamos la atención, al respecto, sobre las siguientes obras y monografías: R. MENÉNDEZ PIDAL, *Orígenes del español* (Madrid 1950); A. GRIERA, *Afro-romànic o ibero-romànic?* (BDC, X, 1922, págs. 34-53); W. MEYER-LÜBKE, *Das Katalanische* (Heidelberg 1925); H. MEIER, *Beiträge zur sprachlichen Gliederung der Pyrenäenhalbinsel und ihrer historischen Begründung* (Hamburgo 1930); H. MEIER, *Die Entstehung der romanischen Sprachen und Nationen* (Frankfurt 1941); H. KUEN, *Die sprachlichen Verhältnisse auf der Pyrenäenhalbinsel* (ZRPh, LXVI, 1950, págs. 95-125); G. ROHLFS, *Die lexikalische Differenzierung der romanischen Sprachen* (Munich 1954).

El material de las inscripciones latinas provenientes de los primeros siglos de la época imperial, permite sólo en pequeña escala reconocer la evolución especial que se estaba preparando [21]. Allí encontramos, p. e.: la forma plural femenina, con función de nominativo, terminada en *-as*: *filias matri posuerunt* (CIL, II, 38), *socra* en lugar de *socrus* (ib. 530 y otros), *alis* en lugar de *alius* (ib. 2633) [22], *serori* en vez de *sorori* (ib. 5342) [23], *Ispumosus* (ib. 5129), *Iscolasticus* (ib. 5129), *domnus* (ib. 4442), *imudavit*= *immutavit* (ib. 462). La confusión de *v* y *b* está atestiguada por formas como *octabo, noba*, *fobea*, *Savinus*. En el léxico es notable la temprana aparición de *caballus* en la misma inscripción en que figura *equa* (CIL, II, 5181), de *barca* (ib. 13), y de *locellus* "ataúd" (*Bol. de la R. Acad. de Hist.*, XVI, 320) [24]. En una inscripción lusitana aparece, como "hapax legomenon", *lausiæ lapides* (CIL, II, 5181), forma en la que se ha reconocido la más antigua base (prerromana) del esp. *losa*, cat. *llosa*, port. *lousa*. En una inscripción de León (siglo II) se encuentran dos voces de una lengua prelatina: *paramus (páramo)* y *disex* (de significado desconocido).

El bético Columela (siglo I) menciona por primera vez la PRUNA CEREOLA (esp. *ciruela*). El mismo escritor llama LIGO a la azada, palabra ésta que ha sido conservada sólo en la Península Ibérica (esp. *legón*). Los hispanos Columela y Séneca usan VENTUS VULTURNUS por primera vez con la significación que corresponde al esp. *bochorno* y al cat. *botorn*. El hispanismo GURDUS (*gordo*) aparece

---

[21] Sobre las tendencias en la evolución del latín censuradas por los gramáticos, véase el estudio de H. MIHAESCU, *O barbarismo segundo os gramáticos latinos*, 'traduzido por M. de Paiva Boléo e V. Buescu' (Coimbra, 1950).

[22] Comp. *al* 'otra cosa' en la lengua castellana antigua.

[23] Comp. esp. ant. *seror*, esp. mod. *redondo* en vez de *rodondo, hermoso* en vez de *hormoso*.

[24] Comp. esp. *locillo* 'ataúd'.

por vez primera en las obras de Quintiliano, *scriptor Calagurritanus.* Un poco más ofrece la obra etimológica del obispo español Isidoro (*Etymologiæ,* alrededor del año 600), escrita al final de la Antigüedad, quien dedica a los vulgarismos españoles especial atención. Aquí encontramos mencionados por vez primera vocablos como, p. e., *antenatus* (esp. *alnado,* port. *enteado* "hijastro"), *cama, capanna* (esp. *cabaña*), *catenatum* (esp. *candado,* port. *cadeiado*), *cattare* (=*captare*) "ver" (*catar*), *formacium* "pared de adobe" (comp. esp. *hormaza*), *fossoria* "azada" (comp. ast. *fosoria, fesoira*), *tius* "tío" [25].

Otros elementos de la latinidad hispánica pueden ser deducidos con alguna seguridad de los actuales idiomas peninsulares; p. e. *NEPTUS (esp. *nieto,* port. *neto*), *CŎVA en lugar de CAVA (esp. *cueva,* port. *cova*), *PĬCA o *PECA (esp. dial. *pega,* port. *pega*) en lugar de PĪCA (fr. *pie,* prov. *piga*), SŎRUM en vez de SĔRUM (esp. *suero,* port. *soro*), *NŪDUS en vez de NŌDUS (esp. *nudo,* port. *nú,* cat. *nus*), *OCTŪBER en lugar de OCTŌBER (esp. *octubre,* port. *outubro,* cat. *octubre*), CĔRCIUS en vez de CIRCIUS (esp. *cierzo,* cat. *cers*). En una glosa (Corp. gloss. lat., III, 536) está atestiguado EDUCU como producto de cruce entre el lat. EBULUS y el celt. ODECOS: se trata del antecesor del esp. *yezgo* (port. *engo*). Un rasgo particular de la latinidad hispánica es el inusitado vocalismo de *nieve* (port. *neve*) y *nuez* (port. *noz*) [25a]. Se lo debe comprender quizá también como un producto de cruce; en el primer caso, con el lat. GĔLU o el lat. NEBULA y, en el segundo, con el celt. KNŎVA "cáscara de la nuez" (ver pág. 113).

---

[25] Ver sobre esto JOHANN SOFER, *Lateinisches und Romanisches aus den Etymologiae des Isidorus von Sevilla* (Gotinga, 1930). Fuentes importantes para la baja Latinidad son los *Glosarios latino-españoles de la Edad Media* (Madrid, 1936), publicados por AMÉRICO CASTRO.

[25a] La base *NĔVIS se continúa también en dialectos de Toscana y de Francia meridional.

Muy controvertida es la cuestión de si en la Península se arraigaron fonetismos itálicos o tendencias dialectales del latín. Este punto lo contestan muy afirmativamente algunos investigadores, p. e. Menéndez Pidal (ver abajo pág. 138) y H. Meier, y lo niegan otros con no menor energía [26]. Una prueba estricta de la primera teoría no ha sido presentada aún.

La teoría del catalanista Antoni Griera [27], tendiente a postular un estrecho parentesco entre los romances ibéricos y la vieja latinidad africana, y a contraponer este grupo lingüístico (románico meridional) a la Galorromania, se apoya sobre puntos de vista demasiado dudosos para que pueda ser convincente; véase al respecto la opinión crítica y rechazadora de Meyer-Lübke, en ZRPh, XLVI, 1926, págs. 116-128 [28]. Respecto a otras teorías que suponen, por ejemplo, una diferenciación social del latín en las distintas provincias, véase H. Meier, *Beiträge zur sprachlichen Gliederung der Pyrenäenhalbinsel* (Hamburgo 1930), págs. 92 sigs., como también *Die Entstehung der romanischen Sprachen und Nationen* (Frankfurt 1941), págs. 42 sigs.

Sobre todas estas teorías consúltese el examen crítico de Kurt Baldinger, *Die sprachliche Gliederung der Pyrenäenhalbinsel und ihre historische Begründung* en WZUB, IV, 1955, pág. 5-34 (ed. aumentada en la versión española en preparación).

La diferenciación decisiva entre el iberorrománico y el galorrománico pudo difícilmente haberse realizado an-

---

26 Comp. Meyer-Lübke, *Archiv*, CLIX, pág. 309; Wartburg, ZRPh, XLVIII, 1928, pág. 460; G. Rohlfs, GRM, XVIII, 1930, pág. 46.

27 *¿Afro-romànic o ibero-romànic?*, BDC, X, 1922, pág. 34-53.

28 Sobre las últimas huellas de la Latinidad africana trata M. L. Wagner, *Restos de Latinidad en el Norte de Africa*. En: *Cursos e Conferencias da Bibl. da Universidade de Coimbra*, VI (1936).

tes del siglo VI. Tal diferenciación está condicionada en no escasa medida por el hecho de que los idiomas de la Península conservaron un viejo patrimonio lingüístico que en Galorromania (parcialmente también en Italia) fue substituído por innovaciones. En este sentido señalaremos la supervivencia de CENTENUM, CRAS (esp. ant. *cras*), CUIUS, CUM, LAMBERE (esp. *lamer*, port. *lamber*), HUMERUS, CASEUS, FOETERE, INTROITUS "entrada" > "carnaval" (esp. ant. *entroido*, port. *entrudo*), IRE, METUS, SOL, COMEDERE. Una fase lingüística más vieja señala también el pronombre *este* frente a las formas compuestas en francés (*ce*, fr. ant. *cest*) y en italiano (*questo*) [29]. Otros elementos, que hoy día diferencian a los idiomas ibero-románicos del francés, eran en la Edad Media aún comunes a ambos (p. e. DIES, EQUA, OVICULA) o bien perduran hoy todavía en amplios sectores del dominio provenzal, p. e. COGNATUS, NORA (en lugar de NURUS), GALLUS, ABSCONDERE, el tipo *DAXARE (en vez de LAXARE). Más notables son ciertas concordancias con el rumano, p. e. *rogar* (rum. *ruga*), *hermoso* (rum. *frumos*), *más hermoso* (rum. *mai frumos*) y el género femenino de MEL, FEL, y SAL. Muy dignas de atención son aquellas correspondencias que, a través de Cerdeña y el Sur de Italia, se pueden rastrear hasta Rumania. Ejemplos característicos de ellas son:

1. AFFLARE: port. *achar*, esp. *hallar*, it. del S. *aχχare*, rum. *afla*.
2. PETERE: port. *pedir*, esp. *pedir*, sard. *pètere* (y *pedire*), it. del S. *petí*, rum, *peți*.
3. FERVERE: port. *ferver*, esp. *hervir*, it. del S. *fèrvere*, rum. *fierbe*.

---

[29] Un estado arcaico conserva el esp. ant. en la flexión *vo, vas, va, imos, ides, van*, de acuerdo con port. dial. *vou, vas, va, imos, ides, vâo* e it. merid. *vaiu, vai, va, imu, iti, vannu*. Las formas *voy, vas, va, vamos, vais, van* representan una innovación española.

APPLICARE con significado de 'llegar' abarca desde Portugal hasta Dalmacia, pasando por la Italia del Sur: port. (*a*)*chegar*, esp. (*a*)*llegar*, it. del S. *agghjicari*, dalm. ant. *aplicare*. Más numerosas son las correspondencias que se extienden, pasando por Cerdeña, hasta la Italia meridional [30]. Compárese:

1. CRAS: port. ant. *cras*, esp. ant. *cras*, sard. *cras*, it. del s. *crai* "mañana".
2. SARTAGINE: port. *sartã*, esp. *sartén*, sard. *sartáina*, it. del s. *sartánia*.
3. TENERE en el sentido del fr. 'avoir': port. *ter*, esp. *tener*, sard. *tènnere*, it. del s. *tènere*.
4. *PIKKUINNUS: port. *pequeno*, esp. *pequeño*, sard. *pizzinnu* (sard. ant. también *pikinnu*), it. del s. *piccinnu*.
5. *DAXARE en vez de LAXARE: port. *deixar*, esp. *dejar*, sard. *dassare*, it. del s. *dassari*.
6. Introducción del complemento de persona con la preposición AD: port. *amo a Deus*, esp. *busco a Juan*, cat. *tu ames a mi*, sard. *chircu a Deus*, sic. *amu a Diu*.
7. Alargamiento de la *r-* inicial: port. *o rramo*, esp. *el rramo*, cat. *el rram*, sard. *s'arramu*, it. del s. *arramu;* comp. vasc. *errege* "rey", *errota* "rueda" [31].

---

30 Véase G. ROHLFS, en ZRPh, XLVI, 1927, pág. 163; S. SILVA NETO en su *História da língua portuguêsa* (Río de Janeiro, 1952), págs. 259-263. Notables son también algunas coincidencias que se refieren al genio de la lengua. Contrariamente al francés (*il est trop petit*) y al italiano (*è troppo piccolo*), hace falta a los romances del Sur una forma popular de expresión para el adverbio aumentativo 'demasiado' ('nimis'). Comp. port. *vens tarde*, fr. 'tu viens trop tard'; esp. *es chico*, fr. 'il est trop petit'; sard. *est caru*, fr. 'c'est trop cher'; it. del Sur, *è pocu*, fr. 'c'est trop peu'. Esp. *demasiado*, port. *demasiado* corresponden más bien al fr. 'excessivement'.

31 Véase pág. 137.

Estos y muchos otros fenómenos comprueban la pertenencia de los romances ibéricos a un grupo lingüístico románico meridional que, gracias a elementos arcaicos o a desarrollos característicos, se presenta en clara oposición a la Romania del Norte, dominada por las influencias galo-románicas.

El carácter particular de los romances ibéricos, sin embargo, no obedece sólo a su mayor arcaísmo, sino también, y en igual grado, a ciertas tendencias fonéticas de tiempos menos remotos, como p. e. la sonorización (¿ocurrida bajo influencia gala?) de *c, p* y *t* intervocálicas (*fuego, saber, vida,* frente a it. *fuoco, sapere, vita*). Más interesantes son aún aquellas innovaciones realizadas por la Península en contraposición a la Galorromania. Una de ellas es el grecismo de moda THIUS, al paso que las inscripciones de la época imperial conocen sólo *aunculus* (comp. CARNOY, pág 122). También así debe interpretarse el reemplazo de VOLERE por QUÆRERE (esp. *querer,* port. *querér*), TACERE por *CALLARE (esp. *callar,* port. *calar*), PORTARE por LEVARE (esp. *llevar,* port. *levar*), INTERROGARE por PERCONTARE (esp. *preguntar,* port. *perguntar*), FALLERE (MANCARE) por FALLITARE (esp. *faltar,* port. *faltar*), MULGERE por *ORDINIARE (esp. *ordeñar,* port. *ordenhar*). En otros casos obedeció la diferenciación a influjos germánicos y árabes, p. e., en el reemplazo de CŎLUS (o COLUCULA) "rueca" por el germ. RUKKA (> RŎCCA) o de GLANS "bellota" por el árabe BALLÛTA.

Dentro de la evolución general del latín las tendencias que conducen al lenguaje vulgar están caracterizadas en los libros de G. DEVOTO, *Storia della lingua di Roma* (Bologna 1944) y L. R. PALMER, *The Latin language* (London 1954). Es siempre muy útil la *Introduction à la chronologie du latin vulgaire* de G. MOHL (París 1899). Una buena introducción general se puede encontrar en el primer capítulo de los *Eléments de linguistique romane* de E. BOURCIEZ (París 1946).

Sobre las características generales del latín vulgar da orientación la obra de C. H. GRANDGENT, *Introducción al latín vulgar* (Madrid 1952)[32]. Una rica bibliografía se encuentra en el *Avviamento allo studio del latino volgare* por CARLO BATTISTI (Bari 1949). El valor del libro de KARL VOSSLER, *Einführung ins Vulgärlatein* (editado y arreglado por H. Schmeck, München 1955), estriba en el sugestivo examen histórico-cultural de los fenómenos lingüísticos. Utiles indicaciones respecto a la latinidad hispana da W. J. ENTWISTLE en el capítulo "The Latin of Spain" de su obra *The Spanish Language* (Londres 1936), págs. 46-81. La latinidad de las inscripciones ha sido estudiada por A. CARNOY, *Le latin d'Espagne d'après les inscriptions* (Bruselas 1906): sin embargo, ella ofrece pocos elementos que señalen la peculiar evolución románica de los siglos posteriores[33]. En el libro *Fontes do latim vulgar: O Appendix Probi* (Río de Janeiro 1946), trata de dar S. SILVA NETO una caracterización del latín vulgar, estudia sus fuentes y ofrece un detenido comentario del *Appendix Probi*. La opinión referente a una 'koiné' compuesta de elementos regionales itálicos, emitida aquí por el autor, debería ser expuesta con más prudencia. Las modificaciones más importantes del latín vulgar en los campos de la fonética y de la morfología se encuentran registradas de modo muy concienzudo y con riquísimas referencias bibliográficas por S. SILVA NETO en la *História da língua portuguesa* (Río de Janeiro 1952), págs. 163-

---

[32] La edición española contiene diversas mejoras frente a la inglesa y a la italiana: traducción y notas de Fr. de B. Moll.

[33] De interés lingüístico carecen las *Inscripciones cristianas de la España romana y visigoda* (Barcelona, 1942), publicadas por JOSÉ VIVES. Utiles materiales para los siglos medievales trae NORMAN P. SACKS, *The latinity of dated documents in the Portuguese territory* (Philadelphia, tesis, 1941).

257. El autor presenta una lista muy interesante de palabras típicas del léxico latino hispánico en la misma obra, págs. 263-270. Muy elemental es el libro de V. BLANCO GARCÍA, *Latín medieval: Introducción a su estudio y Antología* (Madrid 1944). Para la baja latinidad (180-600) es hoy día ALEXANDER SOUTER, *A Glossary of later Latin* (Londres 1949), la obra de consulta más rica en el terreno de la lexicografía. El viejo glosario de DU CANGE trae poco material que provenga de documentos antiguos de la Península. Para la sintaxis: H. MARTIN, *Notes on the syntax of the Latin inscriptions found in Spain* (Baltimore 1909).

La *História do latim vulgar* de SERAFIM DA SILVA NETO (Río de Janeiro 1957), además de presentar los problemas específicos que se refieren al latín vulgar o provincial, es, sobre todo, una historia de los resultados obtenidos en la investigación científica hasta el día de hoy.

Antologías de textos de latín vulgar: MANUEL C. DÍAZ Y DÍAZ, *Antología del latín vulgar* (Madrid 1950); G. ROHLFS, *Sermo vulgaris Latinus: Vulgärlateinisches Lesebuch* (Halle 1951, nueva ed. Tuebingen 1956).

INSTRUMENTOS GENERALES DE INVESTIGACION LINGUISTICA Y FILOLOGICA.

La Filología Hispánica es una sección de la Filología Románica. Puesto que los idiomas de la Península Ibérica arrancan del gran tronco común de la latinidad, es lógico que muchos de sus problemas no pueden resolverse satisfactoriamente sino teniendo en cuenta ciertas relaciones con los demás romances.

Las condiciones que rigen la diptongación y los procesos metafónicos aparecen con más claridad a la luz de la comparación con lo que presentan las otras lenguas romances. Ciertos desarrollos particulares, como p. e. el diptongo *ua* (*fuante, muarto*), las mutaciones *f*>*h, mb*>*m* tienen sus paralelos en las transformaciones de dialectos italianos y franceses del Sur. El alargamiento (redoblamiento) de *r* inicial (*rueda, rana, río*) se comprende mejor si se tiene en cuenta que en gascón *r-* pasa a *arr-* (*arròda, arríu*) y que en Cerdeña este fenómeno, en formas análogas, está muy extendido: *arrana, arroda* u *orroda, erríu, arríere* o *erríere* "reír". La evolución de las consonantes iniciales seguidas de *l* (*llave*: *chave, llegar*: *chegar*) supone una etapa anterior *ḳl, pl* que se puede reconocer aún con más claridad en italiano (*chiave, piegare*). La formación de los presentes en *-ngo, -lgo,* y *-rgo* (*vengo, pongo, salgo, valgo, fiergo*) no se puede aislar de it. *vengo, pongo, salgo, valgo, accorgo* ni de fr. ant. *tienc, ponge, alge, muerge*. Quien indague las raíces del acusativo de persona (*quiero a María*), no podrá pasar por alto el empleo de una preposición (AD, PER) en otros romances: sicil. *chiamu a Petru* "llamo a Pedro", rum. *pe cine ai vazut* "¿a quién has visto?".

También los métodos de la investigación científica pueden sacar notorio provecho del mayor progreso que, dentro de ciertos dominios de trabajo, ha sido alcanzado en otras lenguas neolatinas. Tal progreso se sitúa particularmente en la sintaxis, la semántica, la geografía lingüística, la toponimia y el estudio de los substratos. Pero tampoco se debería trabajar en los campos de la estilística, la métrica y la crítica de textos sin tener presentes los estímulos que pueden hallarse en otros romances.

Mencionaremos a continuación algunas obras que pueden prestar valiosos servicios para una orientación más amplia:

V. GARCÍA DE DIEGO, *Lingüística general y española.* Madrid 1951. [Introducción a los conceptos y problemas de la lingüística general].

W. VON WARTBURG, *Problemas y métodos de la lingüística.* Traducción de Dámaso Alonso y Eusebio Lorenzo. Anotada para lectores hispánicos. Madrid 1951. [El texto alemán ha sido muy enriquecido por Dámaso Alonso con ejemplos españoles].

D. CATALÁN MENÉNDEZ PIDAL, *La escuela lingüística española y su concepción del lenguaje,* 1955. [Es una introducción a la lingüística general a base del español, en la que el autor hace resaltar el proceso del cambio, las fuerzas del sustrato y la diferenciación espacial].

W. MEYER-LÜBKE, *Introducción a la lingüística románica,* traducción del alemán (última edición, Heidelberg 1920) por Américo Castro. Madrid 1926. [Discute una plétora de problemas y puntos de controversia sacados de todos los romances].

E. BOURCIEZ, *Eléments de linguistique romane*. París 1946. [Insiste en las diferencias que se han desarrollado entre los distintos idiomas neolatinos].

CARLO TAGLIAVINI, *Le origini delle lingue neolatine*. Bolonia 1952. [Orienta sobre todas las cuestiones fundamentales de la filología neolatina, en forma sugestiva y accesible al principiante. Muy rica bibliografía].

ANGELO MONTEVERDI, *Manuale di avviamento agli studi romanzi. Le lingue romanze*. Milán 1952 [Excelente introducción a todas las cuestiones esenciales ligadas a la formación de los romances y a su evolución regional. Además, una antología comentada de los más viejos textos provenientes de todas las lenguas neolatinas].

GERHARD ROHLFS, *Romanische Philologie. Band* I: *Allgemeine Romanistik, Französische und Provenzalische Philologie*. Heidelberg 1950. *Band* II: *Italienische Philologie, Die sardische und rätoromanische Sprache*. Heidelberg 1952. [Guía destinada a los estudiantes, que reúne introducción metódica y bibliográfica crítica].

B. E. VIDOS, *Handboek tot de Romaanse taalkunde*. Nimwegen 1956 [Cuadro sinóptico de la historia de la lingüística románica en los siglos XIX y XX. Genealogía y problemas de las lenguas románicas].

W. VON WARTBURG, *Die Entstehung der romanischen Völker*. Halle 1939. [Aclara el proceso de la creciente diferenciación].

HARRI MEIER, *Die Entstehung der romanischen Sprachen und Nationen*. Frankfurt s. e. Main 1941. [Concede gran importancia a los influjos étnicos en la acuñación de las diferencias].

W. von Wartburg, *Die Ausgliederung der romanischen Sprachräume.* Berna 1950. Traducción española: *La fragmentación lingüística de la Romania.* Madrid 1952. [Subraya la significación del substrato celta y del superstrato germánico para la diferenciación fonética].

J. Jordan, *An introduction to Romance linguistics: Its schools and scholars. Revised, translated and in part recast by John Orr.* Londres 1937. [Da una excelente ojeada sobre las diversas direcciones de la investigación y sus representantes de más relieve en los primeros tres decenios de este siglo].

H. Lausberg, *Romanische Sprachwissenschaft* (Sammlung Göschen 128-128ª y 250). Berlín 1956 (Introducción muy substancial, en base a criterios modernos y originales. Abarca vocalismo y consonantismo de todos los romances).

J. Marouzeau, *Lexique de la terminologie linguistique: Français, allemand, anglais, italien.* París 1951.

F. Lázaro Carreter, *Diccionario de términos filológicos.* Madrid 1953.

Mario A. Pei and Frank Gaynor, *A dictionary of linguistics.* New York 1954.

B. FILOLOGIA ESPAÑOLA

INSTRUMENTOS BIBLIOGRAFICOS

Mencionaremos en primer lugar el indispensable *Manuel de l'hispanisant* de R. Foulché-Delbosc y L. Barrau-Dihigo (Nueva York 1920, 1925). De esta obra, planeada como gran enciclopedia de la bibliografía española, han aparecido sólo dos tomos. El primero es un repertorio de todas las bibliografías, compilaciones críticas y bibliográficas, catálogos de biblioteca, biografías y registros bibliográficos referentes a la Península Ibérica, ordenados por materias, regiones y escritores. El segundo tomo allega todas las obras colectivas y colecciones, en orden cronológico (1579-1923) y con un registro alfabético de todos los autores y escritores mencionados. Una extensa lista alfabética de obras bibliográficas importantes de todos los sectores culturales se encuentra en el volumen "España" de la *Enciclopedia Espasa* (Barcelona 1925), pág. 1500-1504. De O. Quelle tenemos un *Verzeichnis wissenschaftlicher Einrichtungen, Zeitschriften und Bibliographien der ibero-amerikanischen Kulturwelt* (Berlín-Stuttgart 1916).

Una serie de bibliografías muy útiles publica el Hispanic Institute de la Universidad de Columbia (Nueva York), bajo el título general de *Bibliografía hispánica*. Comprende las obras de personalidades representativas, p. e. Unamuno, Valle-Inclán, García Lorca, Menéndez Pidal, etc.

El más completo catálogo de todos los libros impresos en España y América latina (ordenado alfabéticamente por autores) lo constituye el *Manual del librero hispano-americano, Bibliografía general española e hispano-ame-*

ricana, de ANTONIO PALAU Y DULCET (1ª ed. Barcelona 1923-27; 2ª ed. Barcelona 1948 sigs., aún inconclusa). Contiene a la vez todas las revistas, informes anuales, colecciones de textos y publicaciones por entregas; además, los libros publicados en el extranjero en español o catalán, referentes a España o Hispano-América [34]. Buenos servicios como libro de consulta puede prestar la obra *Who's who in Latin America,* 1ª ed. 1935, a cargo de PERCY ALVIN MARTIN. La 3ª ed. contenía cerca de 8.000 biografías. La nueva ed. de 1946, en 7 volúmenes (a cargo de Ronald Hilton), está dividida por países.

Por lo que toca a la Literatura Española, tenemos de J. FITZMAURICE-KELLY una *Spanish Bibliography* (Oxford 1925) [35], surgida como ampliación del apéndice bibliográfico que acompañaba originariamente a su *Historia de la literatura.* Muchas adiciones y rectificaciones al respecto trae H. SERÍS en RFE, XVIII, 1931, págs. 66-73. Las literaturas española, catalana y vasca han sido compendiadas, en todos sus aspectos, por JOSÉ SIMÓN DÍAZ en su gran *Bibliografía de la Literatura Hispánica* (Madrid, en publicación desde 1950). El primer tomo contiene las historias de la literatura, colecciones de textos, antologías, colecciones folklóricas, monografías generales y especiales, todo dividido en literaturas castellana, catalana, gallega y vasca. El segundo trae las bibliografías, repertorios, catálogos bibliográficos, biografías, índices periódicos, etc. El tomo tercero está dedicado a la literatura castellana medieval (hasta el siglo XV): ordenadas por siglos trae ediciones de textos, antologías, monografías, como también todos los trabajos pertinentes. El valor particular de este tomo

[34] En la *Bibliografía hispánica* (Madrid, desde 1942), que publica mensualmente el Instituto Nacional del Librero, se registran las novedades del mercado bibliográfico español.

[35] Más adecuado es el título que llevaba la vieja edición francesa, *Bibliographie de l'histoire de la littérature espagnole* (París, 1913).

consiste en el análisis completo y preciso del contenido de 42 cancioneros (nos. 2214-2330) y de todas las colecciones de romances conocidas (nos. 2339-2774). Para cada obra registra el autor las notas críticas correspondientes y las bibliotecas españolas que la poseen. Más modesto es el alcance que se ha propuesto HOMERO SERÍS en su *Manual de Bibliografía de la Literatura Española* (Siracusa 1948 sigs.), el cual quiere ofrecer en suma una 'bibliografía selecta' que comprenda 'lo más esencial y más valioso'. De esta obra han aparecido hasta ahora sólo los dos primeros fascículos. Estos comprenden obras generales, biografías, bibliografías, catálogos de bibliotecas, bio-bibliografías, los géneros literarios, las historias de la literatura, academias y universidades, literatura y arte, aspectos de literatura (romances, simbolismo, mitología, metáforas, imágenes, etc.). Adiciones a los dos fascículos trae A. MILLARES CARLO en NRFH, V, 1951, págs. 440-445 y X, 1956, págs. 54-61. Muy útiles son también las obras bibliográficas de R. L. GRISMER, *A bibliography of articles on Spanish Literature* (Minneapolis 1933) y *A new bibliography of the literatures of Spain and Spanish America* (Minneapolis 1941 sigs.).

Un útil instrumento de trabajo en el campo de la lingüística hispánica es la obra de H. C. WOODBRIDGE y P. R. OLSON, *A tentative bibliography of Hispanic linguistics* (Urbana 1952), que, sin ser exhaustiva, trae mucho material (1879 títulos). Examina latín vulgar, lingüística románica, substratos, catalán, español, dialectos españoles, textos antiguos y portugués. Para cada trabajo se dan las reseñas críticas conocidas por los autores. La obra dispone de un índice de autores (cerca de 900 nombres) y de otro de palabras (cerca de 2000) [36]. Un instrumento bibliográfi-

[36] No estoy enterado del valor de P. COOK, *A bibliography of Spanish linguistics: Articles in serial publications*, 1887-1947 (Iowa, tesis, 1949).

co de trabajo para estudios léxicos y etimológicos aspira a ser el *Registro de Lexicografía Hispánica* de MIGUEL ROMERA NAVARRO (Madrid 1951). Sirviéndose de un material sacado de 200 revistas, monografías y otras fuentes, recopila los vocablos españoles (más de 50.000) estudiados científicamente y comentados en éstas. Desgraciadamente la elaboración carece de método, es defectuosa e incompleta, de modo que la obra se debe utilizar siempre con gran crítica y precaución.

Una eficaz ayuda para toda ocupación seria con la literatura hispano-americana constituyen las bibliografías publicadas por la Universidad de Harvard (Cambridge, Mass.). De 1931 a 1935 aparecieron, en sendos volúmenes, las de todos los países de Centro y Suramérica, Méjico y los Estados Unidos. Damos aquí su lista completa:

A. COESTER, *Bibliography of Uruguayan Literature*. 1931.

S. M. WAXMAN, *A Bibliography of the Belles-Lettres of Santo Domingo*. 1931.

G. RIVERA, *A Tentative Bibliography of the Belles-Lettres of Porto Rico*. 1931.

J. D. M. FORD, A. F. WHITTEM y M. I. RAPHAEL, *A Tentative Bibliography of Brazilian Belles-Lettres*. 1931.

S. E. LEAVITT, *Hispano-American Literature in the United States*. 1932.

S. E. LEAVITT, *A Tentative Bibliography of Peruvian Literature*. 1932.

A. TORRES RIOSECO, *Bibliografía de la novela mejicana*. 1933.

J. D. M. FORD y M. I. RAPHAEL, *A Bibliography of Cuban Belles-Lettres*. 1933.

S. E. LEAVITT, *A Tentative Bibliography of Bolivian Literature*. 1933.

A. Coester, *A Tentative Bibliography of the Belles-Lettres of the Argentine Republic.* 1933.

A. Torres Rioseco, y R. E. Warner, *Bibliografía de la poesía mejicana.* 1934.

G. Rivera, *A Tentative Bibliography of the Belles-Lettres of Ecuador.* 1934.

S. E. Leavitt y C. García Prada, *A Tentative Bibliography of Colombian Literature.* 1934.

H. G. Doyle, *A Tentative Bibliography of the Belles-Lettres of Panamá.* 1934.

M. I. Raphael y J. D. M. Ford, *A Tentative Bibliography of Paraguayan Literature.* 1934.

H. G. Doyle, *A Bibliography of Rubén Darío.* 1935.

S. M. Waxman, *A Bibliography of the Belles-Lettres of Venezuela.* 1935.

A. Torres Rioseco y R. Silva Castro, *Ensayo de bibliografía de la literatura chilena.* 1935.

H. G. Doyle, *A Tentative Bibliography of the Belles-Lettres of the Republics of Central America.* 1935.

Util guía, que reúne en resúmenes anuales las novedades de la ciencia ibero-americana, es el *Handbook of Latin American Studies* fundado por Lewis Hanke y que aparece desde 1936 en Cambridge (Mass.). Aquí junto a historia, geografía, economía, antropología, folklore, etc., se presta también atención a la lengua y a la literatura. Sobre los estudios hispánicos en América tenemos los trabajos bibliográficos de Gonzalo de Reparaz Ruiz, *Les études hispaniques aux Etats-Unis jusqu' en 1933,* en BH, XLVII y XLVIII (1945-46), y de H. Hatzfeld, *Hispanic Philology in Latin America,* en *The Americas,* III, Washington 1947, págs. 347-362.

La mencionada bibliografía de Woodbrige-Olson se completa, en relación con la lingüística latino-americana, con la *Bibliographical guide to materials on American Spanish* de M. W. NICHOLS (Cambridge, Mass. 1941). Un compendio bibliográfico de las tesis doctorales y otros escritos académicos publicados hasta 1949 en universidades americanas proporcionan, sin pretender dar juicios críticos ni ser exhaustivos, L. J. DELK y J. NEAL GREER, *Spanish Language and literature in the publications of American Universities* (Austin, Texas 1952); ver al respecto la reseña de V. R. B. Oelschläger, RPh, VII, 1953, págs. 201 sigs.

Indispensables son las ojeadas bibliográficas de las revistas pertinentes, en particular de la *Revista de Filología Española,* de la *Revista Hispánica Moderna* y de la *Nueva Revista de Filología Hispánica.* Para la época anterior a 1914 no se deben olvidar los informes sobre la investigación literaria y lingüística en los dominios español, portugués y catalán, que contiene el *Kritischer Jahresbericht über die Fortschritte der romanischen Philologie* (13 tomos, 1890-1914). Para los años 1875-1913 y 1926-1950 deben consultarse los anejos bibliográficos de la *Zeitschrift für romanische Philologie*[36a]. Su importancia radica en que registran, además de los títulos de las novedades, las reseñas críticas del año de informe. Valiosos instrumentos de trabajos son los registros anexos a la *Zeitschrift für romanische Philologie* (para los tomos I-XXX, Halle 1910; para los tomos XXXI-L, Halle 1932): dan, con palabras-guías, una rápida orientación sobre todos los temas tratados en los 50 tomos de la revista, así como también los vocablos, formas léxicas y fenómenos fonéticos estudiados filológicamente.

[36a] Son particularmente importantes los tomos 47-66, que abarcan los años 1927-1950, elaborados con admirable cuidado por A. KUHN.

Un resumen crítico de la labor filológica y lingüística en el dominio español durante el decenio 1914-1924 da AMADO ALONSO, *Crónica de los estudios de filología española,* en RLiR, I, págs. 171-180, 329-347 [37]. Para los años 1939-1946 tenemos una *Bibliografía de estudios lingüísticos publicados en España* (en CN, VI, 1946, págs. 231-254) de A. TOVAR y M. GARCÍA BLANCO, que registra, además de los estudios románicos, la historia lingüística general, los estudios indogermánicos y la prehistoria española, dando, además del título, un análisis del trabajo correspondiente [38]. Para América citamos MIGUEL ROMERA NAVARRO, *El hispanismo en Norte América* (Madrid 1917). Para Alemania: HERMANN TIEMANN, *Das spanische Schrifttum in Deutschland* (Hamburg 1936).

Muy útiles informes sobre los progresos científicos en el decenio 1939-1948 contiene el importante suplemento bibliográfico de la *Revista Portuguesa de Filología, Os estudos de linguística românica na Europa e na América* (Coimbra 1951), organizado por MANUEL DE PAIVA BOLÉO. Las contribuciones allí contenidas se limitan a un país determinado, o bien a un círculo de problemas amplio. Mencionaremos especialmente de esta obra: 'Bibliografía lingüística argentina', por A. M. BARRENECHEA y M. BRUZZI COSTAS, 'Bibliografía lingüística española', por A. ZAMORA VICENTE, 'La philologie romane dans les pays catalans', por R. ARAMON I SERRA, 'A filologia portuguesa no Brasil', por S. SILVA NETO, 'Crónica bibliográfica hispano-americana', por M. L. WAGNER. Otros trabajos informan sobre la investigación en Suecia (L. WIBERG), en Inglaterra (W. D. ELCOCK), en Suiza (H. SCHMID), en

---

[37] Sobre los años alrededor de 1900 orientan los informes de GOTTFRIED BAIST en KJb, IV, V, VI, VIII.

[38] Un apéndice a esta obra apareció en CN, VIII, 1948, págs. 165-170.

Francia (G. GOUGENHEIM), en los Estados Unidos (E. B. WILLIAMS), en Alemania (A. KUHN), etc.

Un sugestivo cuadro de la evolución y progresos de la lingüística ibero-románica es el esbozado por ALWIN KUHN en su extensa y estimulante obra *Romanische Philologie* (1ª parte: 'Die romanischen Sprachen'), Berna 1951, págs. 342-455. El valor del libro radica menos en su aspecto bibliográfico que en su intención de destacar los problemas esenciales y los derroteros de la investigación. La materia de estudio está dividida en las secciones: español (e iberorrománico en general), catalán y portugués.

Las contribuciones referentes a la investigación de la Edad Media, que están dispersas en misceláneas de homenaje (al. Festschriften, fr. Mélanges, ingl. Homage Volumes), han sido ahora reunidas cómodamente (con índices completos de autores y de materias) por H. F. WILLIAMS, *An index of Medieval studies published in Festschriften* 1865-1946, *with special reference to Romanic Material,* Berkeley y Los Angeles 1951.

Un inventario muy rico de fuentes documentales de España, Portugal y Cataluña (cartularios, colecciones diplomáticas, documentos) publica J. HUBSCHMID en BF, XII, 1951, págs. 117-123.

Sobre bibliografías de los grandes hispanistas R. J. Cuervo, Menéndez Pelayo, Menéndez Pidal, Amado Alonso, Karl Vossler y M. L. Wagner, cfr. las notas 42, 44ª, 45, 46, 50 y 160ª, respectivamente.

Obras bibliográficas más generales: H. BOHATTA y F. HODES, *Internationale Bibliographie der Bibliographien* (Frankfurt 1950), THEODORE BESTERMANN, *A world bibliography of bibliographies* (London 1950), y C. M. WINCHELL, *Guide to reference books* (Chicago 1951). Indispensables instrumentos de trabajo son el *Catálogo general de la librería española e hispanoamericana:* contiene el registro de 30 años de producción editorial española (1901-1930) y noticias de 926.770 libros y de 8.325 autores; véase también el *Anuario Español e Hispanoamericano del Libro y de las Artes Gráficas* (llega en 1954 hasta los años 1950-51). También muy útil: L. N. MALCLÈS, *Les sources du travail bibliographique,* 2 tomos (Genève-Lille 1950); es un repertorio de bibliografías generales y especializadas.

HISTORIA DE LA FILOLOGIA ESPAÑOLA

1. Hasta el año 1890

En el umbral de la filología española encontramos el nombre de ANTONIO DE NEBRIJA. Su *Gramática castellana,* publicada en 1492, descansa aún totalmente sobre las teorías de los gramáticos latinos, pero contiene excelentes observaciones de detalle sobre la estructura diferente del romance español, como también una acertada concepción de las bases históricas: "no es otra cosa la lengua castellana sino latín corrompido" [39]. Otras apreciaciones sobre el problema de la evolución del español a partir de la lengua madre están unidas a los nombres de Juan de Valdés, B. Aldrete, G. Mayáns y Siscar (véase págs. 123-124).

Una importante etapa en el afianzamiento del ideal lingüístico clásico representa la fundación de la Real Academia Española (1713). El Diccionario editado por ésta (1726 sigs.), asumió significación para el cultivo purista de la buena lengua (véase pág. 107) [40]. Sobre la Gramática de la Academia véase pág. 124.

---

[39] Ver abajo pág. 123. Con motivo de cumplirse 500 años de su nacimiento, ha sido dedicado a la memoria del gran humanista un volumen de homenaje compuesto de numerosos estudios sobre Nebrija: *Miscelánea Nebrija* (RFE, XXIX, 1945).

[40] Sobre las opiniones de los críticos de la lengua en tal época, véase FERNANDO LÁZARO CARRETER, *Las ideas lingüísticas en España durante el siglo XVIII* (Madrid, 1949).

Sólo en el siglo XIX se llegó a un progreso decisivo en el estudio del español, después de que las obras de Raynouard y de Federico Diez hubieron propagado conocimientos más substanciales sobre la génesis de los romances. Pero fueron eruditos extranjeros los primeros en sacar de la nueva ciencia fructíferos estímulos [40a]. El venezolano ANDRÉS BELLO (desde 1845) elevó por primera vez el estudio de la gramática española a una base científica [41]. La investigación del español americano recibió sus primeros impulsos del colombiano R. J. CUERVO (1867) [42]. En Alemania, el artículo de H. SCHUCHARDT, *Die Cantes flamencos* (ZRPh, V, 1881, págs. 249-322) tuvo gran importancia para la investigación del español meridional. En el terreno de la edición científica de textos debe mencionarse honoríficamente la actividad del romanista alemán G. BAIST (*El libro de la caza* de Juan Manuel, 1880) [43]. Al mismo erudito debemos el primer bosquejo de una gramática histórica (en Gr. Gr., I, 1888, págs. 689-714).

También el sector de la investigación literaria recibe, durante el siglo XIX, estímulos decisivos provenientes del

---

40a De España se podría citar la *Gramática de la lengua española* (París, 1830) y el *Diccionario de la lengua castellana* (París, 1847) de VICENTE SALVÁ.

41 Su obra ha sido encomiada por E. ORREGO VICUÑA en el *Homenaje a Don Andrés Bello* (*Anales de la Universidad de Chile,* XCIII, 1935). Véase también PEDRO GRASES, *Andrés Bello: el primer humanista de América* (Buenos Aires, 1946).

42 Véase la *Bibliografía de Rufino José Cuervo* por R. TORRES QUINTERO, Bogotá, Instituto Caro y Cuervo, 1951. Publicada nuevamente con notables adiciones en la edición definitiva de R. J. CUERVO, *Obras,* II, págs. 1.741-1.817. Esta edición, que recoge todos los escritos de Cuervo, excepto el *Diccionario de construcción y régimen,* apareció en dos volúmenes en Bogotá, Instituto Caro y Cuervo, 1954.

43 Ya antes se habían distinguido, en la publicación de poesías antiguas (romances y teatro), Jacobo Grimm (1815), B. Depping (1825), J. Böhl de Faber (1832), Hartzenbusch (1839, 1853) y Ferd. Wolf (1856).

extranjero. El primer intento extenso y orientador de una historia de la literatura española fuė publicado por el alemán FEDERICO BOUTERWEK (1804, traducción española en 1828). Su obra fue completada por la *History of Spanish Literature* del norteamericano C. TICKNOR (1849, traducción española en 1851-56). Etapas relevantes marcan también la *Geschichte der dramatischen Literatur und Kunst in Spanien* por A. F. SCHACK (1845, traducción española en 1885-88), el *Handbuch der spanischen Literatur* por L. LEMCKE (1855 sigs.) y los *Studien zur Geschichte der Spanischen und portugiesischen Nationalliteratur* (1859) por el austríaco F. WOLF [43a].

2. DESPUÉS DE 1890

Por el año de 1890 comienza la investigación hispanista a tomar un notable impulso. En los años 1886-1893 entrega R. J. CUERVO a la publicación su *Diccionario de construcción y régimen* (véase pág. 110). En el lapso de 1892 a 1893 publica R. LENZ sus *Chilenische Studien*. Desde 1894 inicia en Chile FEDERICO HANSSEN la serie de sus fructíferas publicaciones. En el año de 1894 funda el francés FOULCHÉ-DELBOSC [44] la *Revue Hispanique,* que había de tener tanta importancia para el hispanismo.

A partir de 1890 vuelve MARCELINO MENÉNDEZ Y PELAYO (1836-1912) su atención, de los estudios filosóficos y humanísticos, a la investigación de la literatura española.

43a Véase KARL VORETZSCH, *Die spanische Sprache und Literatur in der deutschen Romanistik der Frühzeit,* en: *Estudios eruditos in memoriam de Adolfo Bonilla* (Madrid, 1930), págs. 319-358.

44 Sobre este eminente hispanista, véase el encomio suyo hecho por L. PFANDL en VKR, IV, 1931, págs. 45-64 y RH, LXXXI, 1933, págs. 193-201, como también por B. P. BOURLAND en RH, LXXXI, págs. 3-69.

En una concepción admirablemente amplia de la historia espiritual hispánica afinó los métodos de la crítica literaria, señalando nuevos caminos para la apreciación de la obra de arte poética: *Antología de poetas hispano-americanos* (1893) [44a]. Eruditos pertenecientes a su escuela han trasladado sus métodos a otros campos de la literatura española, presentando a la ciencia nuevos temas de investigación: R. Menéndez Pidal, A. Bonilla y San Martín, F. Rodríguez Marín, E. Cotarelo y Mori, M. Asín Palacios, J. Cejador y Frauca, y Miguel Artigas.

Del año 1896 data la memorable edición de *Los Infantes de Lara* hecha por MENÉNDEZ PIDAL. Partiendo de la prosificación que traen las viejas crónicas, se reconstruye aquí en su presunta forma, con gran verosimilitud, el perdido poema en verso. El mismo investigador llama la atención con otras obras importantes: una edición de la *Primera Crónica General* (1906), una monografía sobre el dialecto leonés (1906), el *Manual de Gramática Histórica Española* (1904) y la edición del *Cantar de Mio Cid* (1908-1911). En torno suyo se constituye un círculo de discípulos con excelente formación científica. En 1910 fue creado en el Centro de Estudios Históricos de entonces, por iniciativa de Menéndez Pidal, un organismo especializado para la investigación hispanista (Sección de Filología). En 1914 tiene lugar la fundación de la *Revista de Filología Española,* bajo la dirección de Menéndez Pidal, la cual es hoy día el órgano central de los estudios hispánicos. Desde entonces, el círculo de discípulos (Am. Alonso, Am. Castro, Dám. Alonso, Navarro Tomás, F. de Onís, A. García Solalinde, Lapesa, Corominas, etc.), junto con su Maestro, han enriquecido en múltiple forma

[44a] Véase D. ALONSO, *Menéndez y Pelayo crítico literario* (Madrid, 1956). Reseña cronológica de sus trabajos en M. ARTIGAS, *La vida y la obra de M. Pelayo* (Zaragoza, 1939), págs. 173-198.

tales estudios [45]. La miscelánea en 3 tomos (*Homenaje a Menéndez Pidal*), ofrecida en 1925 al Maestro por numerosos eruditos del mundo entero, fuė el termómetro que midió la estimación de que goza el investigador, quien tenía entonces 55 años de edad [46]. En el año 1926 coronó éste su obra con los fundamentales *Orígenes del español* ('obra cumbre de la filología española').

Desde comienzos del siglo surgió en los Estados Unidos un segundo foco de hispanismo. Allí fuė fundada en 1904 la Hispanic Society of America. Los estudios hispanistas pasaron a ser en muchas universidades asignatura de relieve. Especial renombre han alcanzado por sus investigaciones lingüísticas A. M. Espinosa (padre), P. Henríquez Ureña, Ch. Caroll Marden y K. Pietsch; por sus ediciones de viejos textos Marden, Keniston y Armstrong. Los estudios literarios fueron fomentados por H. R. Lang, R. Schevill, J. Wickersham Crawford, Griswold Morley y H. A. Rennert [47]. De la nueva generación habrán de mencionarse honoríficamente los nombres de H. Hatzfeld, C. E. Kany, H. Keniston y Y. Malkiel. Otros centros de activa labor hispánica se constituyen en Chile (F. Hanssen, R. Lenz, R. Oroz), Colombia (F. Restrepo, J. M. Rivas Sacconi), Argentina (E. Tiscornia, P. Henrí-

---

[45] Una bibliografía completa de los trabajos científicos de Amado Alonso († 1952) se encuentra en NRFH, VII, 1953, págs. 3-15.

[46] Un segundo Homenaje fue dedicado al Maestro, con motivo de cumplir 80 años, de 1950 a 1956: *Estudios dedicados a Menéndez Pidal* (hasta ahora 6 tomos). Una bibliografía de los trabajos científicos de Menéndez Pidal se halla en el Homenaje de 1925 (III, págs. 655-674), continuada hasta el año de 1938 por H. Serís y G. Arteta (Nueva York, 1938); comp. R. Aramón i Serra, ZRPh, LXII, págs. 139 sigs. Un retrato biográfico del sabio esboza A. Kuhn, *Archiv*, CLXXXVII, págs. 53-65.

[47] Comp. G. de Reparaz Ruiz, *Les études hispaniques aux Etats-Unis jusqu'en 1939* (BH, XLVII-XLVIII, 1945-46).

quez Ureña), Méjico (Alfonso Reyes) y Venezuela (A. Rosenblat) [48].

En Francia, 1899, funda MOREL-FATIO el *Bulletin Hispanique.* FOULCHÉ-DELBOSC publica en 1920, en Nueva York, el indispensable *Manuel de l'hispanisant* (véase pág. 49). En Inglaterra aparecen la historia literaria de J. FITZMAURICE-KELLY (1898, traducción española, 8ª ed., Madrid s. a.) y *The Spanish language together with Portuguese, Catalan and Basque* de WILLIAM J. ENTWISTLE (1936). El suizo W. MEYER-LÜBKE escribe su *Grammatik der Romanischen Sprachen* (Leipzig 1890-99), en la cual ocupa el español sitio importante. Del austríaco A. ZAUNER tenemos el *Altspanisches Elementarbuch* (Heidelberg 1907).

En Alemania aparece también la *Spanische Grammatik* 'auf historischer Grundlage' de F. HANSSEN (Halle 1910). En el Kr. Jb. da G. Baist sus reseñas críticas sobre lingüística española. A Baist debemos igualmente la presentación de la antigua literatura española en el *Grundriss der romanischen Philologie,* II, 2, 1897, de Gröber. En el año 1909 nos proporciona H. MORF una sugestiva historia de la literatura española [49]. Desde 1914, con FRITZ KRÜGER, se profundiza científicamente la investigación de los dialectos españoles. RUDOLF GROSSMANN ha desarrollado una meritoria labor en el terreno de la lexicografía; M. L. WAGNER ha dedicado al judeo-español y al español de América valiosos estudios. Desde 1915 entra en liza LUDWIG PFANDL, interesado por múltiples

---

[48] Sobre el desarrollo de la filología española y de sus temas de investigación, con atención particular al nuevo auge en los países americanos, véase el trabajo de Y. MALKIEL, *Old and new trends in Spanish linguistics,* en *Studies in Philolgy,* IL, 1952, págs. 437-458.

[49] En la obra colectiva *Die romanischen Literaturen und Sprachen* (*Kultur der Gegenwart,* ed. por P. Hinneberg).

problemas, cuya *Spanische Nationalliteratur* (1929; traducción española, Barcelona 1933) conquistó renombre mundial. A partir de 1926 K. VOSSLER traslada el centro de gravedad de su labor a las obras de poetas españoles (Lope de Vega, Luis de León y otros) [50]. Ultimamente ARNALD STEIGER, en Suiza, y G. TILANDER, en Suecia, han hecho notables aportes al hispanismo.

---

[50] Un resumen de la actividad de los hispanistas alemanes desde el siglo XVIII hasta el año 1930 trae J. J. A. BERTRAND en BH, XXXVII, 1935, págs. 220-235. La contribución hispanista en la obra de Karl Vossler se halla en la *Bibliographie der Schriften Karl Vossler* por THEODOR OSTERMANN, con un artículo necrológico sobre el mismo filólogo por HANS RHEINFELDER (Munich, 1951).

OBRAS GENERALES SOBRE ESPAÑA

Nuestros conocimientos sobre la cultura y la idiosincrasia españolas se han aclarado de manera notable en los últimos decenios. Los siguientes libros sirven eficazmente como introducción general:

E. ALLISON PEERS, *Spain: A companion to Spanish studies.* Londres 1929. [Trata el país y su gente, lengua y literatura, pintura y música, historia, arte y la España actual].

PAUL HARTIG y WILHELM SCHELLBERG, *Handbuch der Spanienkunde.* Frankfurt 1932. [Contiene útiles resúmenes, de diversos autores, sobre geografía, Estado, sociedad, economía política, Derecho español, idioma, literatura, arte, música, religión y filosofía. El valor de las distintas contribuciones es bastante desigual; comp. los juicios críticos de H. Meier, Archiv., 162, págs. 141-148, y R. Ruppert y Ujaravi, Lbl. 1933, págs 255-265].

Muy rica documentación sobre todas las cuestiones referentes a España trae la *Enciclopedia universal ilustrada europeo-americana* de la editorial Espasa, en 70 tomos, Barcelona (1906-1930), con 10 volúmenes suplementarios publicados entre 1930-1933 y 4 más entre 1934-1939. Medio muy útil de consulta son también el *Diccionario enciclopédico abreviado,* en siete tomos, de la editorial Espasa-Calpe (Madrid 1955) y el *Diccionario enciclopédico Salvat,* en doce tomos, con un conjunto de más de 200.000 voces.

Rápida información sobre todo lo tocante al país, las costumbres e instituciones, el comercio, la industria, el Estado y la Iglesia se halla en los 'Langenscheidts Handbücher für Auslandskunde', *Land und Leute in Spanien* por GERTRUD RICHERT (Berlín 1928).

En los últimos tiempos se han hecho reiteradas tentativas de determinar, en el sentido de una teoría de la esencia ('Wesenskunde'), el carácter del hombre español y la peculiaridad de su cultura. Tales objetivos se propuso, por ejemplo, el ya mencionado *Handbuch der Spanienkunde* (ver pág. 65). Pero las opiniones sustentadas por los diversos colaboradores de esta obra son muy generales y problemáticas, poco típicas y, en varios puntos, claramente contradictorias. Basta recordar cómo se fundieron entre sí, en muy desigual medida, las influencias ibéricas, celtas, romanas, judías, germánicas y árabes en las diversas regiones de la Península, para darse cuenta de que los esfuerzos por fijar analíticamente un tipo unitario seguirán siendo ilusorios. En efecto, quien conoce adecuadamente a España sabe que entre andaluces y aragoneses o entre catalanes y gallegos existen diferencias de carácter muy apreciables.

No carece de atractivo, sin embargo, el buscar, sobre esta materia, una solución interpretativa.

Ya J. G. Herder trató de explicar ciertas particularidades del carácter nacional español a partir de los diversos elementos étnicos, atribuyendo la tendencia a lo extraordinario, al orgullo, al ingenio y a la intolerancia, al substrato celtíbero, el espíritu caballeresco a la inmigración germánica, la pasión y el sentimiento poético a los componentes árabes [51].

---

[51] Véase al respecto W. KAYSER, *Die iberische Welt im Denken J. G. Herders* (Hamburgo, 1945).

Un notable intento de determinar rasgos esenciales del carácter nacional español y de la literatura española ha sido hecho por R. MENÉNDEZ PIDAL en su introducción a la *Hist. gen. de las lit. hispánicas* (tomo I), publ. bajo la dir. de G. Díaz Plaja (Barcelona 1949; tomo II, 1951; tomo III, 1953). En la obra *Gedächtnisschrift für A. Hämel* (Würzburg 1953) discute E. SCHRAMM ('Über einige neuere Bemühungen um eine Gesamtcharakteristik der spanischen Literatur') algunas teorías que se ocupan de los distintivos primordiales de las letras españolas. Un profundo análisis del carácter español nos suministra V. S. PRITCHETT, *The Spanish temper* (London 1954).

El libro de WERNER BEINHAUER, *Der spanische Nationalcharakter* (Paderborn 1937), se limita a reunir aquellos rasgos que, con alguna seguridad, pueden ser adjudicables al tipo medio de todas las regiones: orgullo, pasión, aprecio de lo exterior, liberalidad, escasa relación con la naturaleza [52]. Rica en certeras observaciones es la caracterización del español, frente a otras naciones europeas, que emprende SALVADOR DE MADARIAGA en el libro *Ingleses, Franceses, Españoles* (Madrid 1929). Sobre el concepto español del honor, léanse las interesantes apreciaciones de A. CASTRO en RFE, III, 1916, págs. 1-50, 357-385.

Un interesante libro, que recomendamos calurosamente a quienes visitan por primera vez a España, es *Tu viens en Espagne* de FÉLIX DE GRAND'COMBE (París 1953). Reúne acertados juicios sobre el hombre y la vida españoles, con valiosos consejos de orden práctico y general, todo presentado en un tono de charla gracioso y chispeante.

---

52 Prudentes consideraciones sobre el carácter popular español se hallan en un pequeño artículo de MARTA RESCH, NSp., XXXIV, 1926, págs. 450-456.

Entre las muchas exposiciones de la historia española, destacaremos la *Histoire d'Espagne* de ALBERT MOUSSET (París 1947) por su utilidad para una orientación rápida, la corta *Spanische Geschichte* de GUSTAV DIERCKS (Colección Göschen 266), la extensa *Geschichte des spanischen und portugiesischen Volkes* de R. KONETZKE (Leipzig 1939) y el libro de W. C. ATKINSON, *Spain: A brief history* (Londres 1934). Un trabajo de contenido muy personal es la *Histoire d'Espagne* de LOUIS BERTRAND (París 1932). — Quien quiera profundizar en esta materia obtendrá el máximo provecho utilizando la obra en 9 tomos de A. BALLESTEROS Y BERETTA: *Historia de España y su influencia en la historia universal* (Barcelona 1918-41); o la *Historia de España* de L. PERICOT GARCÍA, en 5 tomos (Barcelona 1942 sigs.). De Ballesteros tenemos una exposición resumida, *Síntesis de historia de España* (Barcelona 1945). Menos comprimida que en este manual está la materia en la obra de 2 tomos ricamente ilustrados *Compendio de historia de España,* por P. AGUADO BLEYE (Madrid 1933), con buena bibliografía. A un público más amplio está destinada la monumental *Historia de España* dirigida por R. MENÉNDEZ PIDAL, obra de lujo en muchos tomos (aún inconclusa), ricamente adornada con reproducciones y mapas. Su primer tomo trata la España prehistórica, el tomo II la España romana, el tomo III la España goda, el tomo IV (por E. LÉVI-PROVENÇAL) la España musulmana hasta el año 1031, el tomo VI la España cristiana (a. 711-1038), etc. — Muy recomendables son también la *Historia de España* (Madrid 1952 y sigs.) de F. DE SOLDEVILA y la *Historia de España* (Madrid 1953 y sigs.) de L. G. DE VALDEAVELLANO.

Para los últimos decenios de la historia de España citaremos GERALD BRENAN, *The Spanish Labyrinth: An account of the social and political background of the Civil War* (Cambridge, 2ª ed. 1950) y el célebre libro de

SALVADOR DE MADARIAGA *España, Ensayo de historia contemporánea* (Madrid, 1931).

Un nítido cuadro de la situación histórica en la época del gran héroe nacional Rodrigo Díaz dibuja R. MENÉNDEZ PIDAL en *La España del Cid* (Madrid 1929); en traducción alemana, basada sobre una refundición de la obra, *Das Spanien des Cid* (Munich 1936-37). Afortunada síntesis de una época brillante constituye el libro de R. TREVOR DAVIES, *Spaniens goldene Zeit (1501-1621)*, traducido al alemán por J. F. Klein (Munich 1939). A la cumbre de los destinos españoles en el mundo nos conduce el retrato de *Felipe II* (Munich 1938, traducción española, 2ª ed., Madrid 1942) delineado con maestría psicológica por L. PFANDL, quien trata aquí de desterrar, a modo de apología, muchos viejos prejuicios[53]. En el tomo *España* de la Enciclopedia Espasa, págs. 1046-1060, se halla una bibliografía muy detallada de la prehistoria e historia españolas. De B. SÁNCHEZ ALONSO tenemos una bibliografía de las fuentes publicadas e inéditas de la historia española: *Fuentes de la Historia Española e Hispano-americana* (Madrid 1927). De J. V. VIVES, una monografía sobre la actividad de la historiografía española en los años 1939-1949, publicada en la revista *Saeculum,* III, 1952, págs. 477-508. A cargo del mismo autor (JAIME VICENS VIVES) ha comenzado a publicarse un boletín bibliográfico, *Indice histórico español*: *Bibliografía histórica de España e Hispanoamérica,* Vol. I, 1953-1954 (Barcelona, desde 1953), con breve resumen y juicio crítico de la obra reseñada.

En el libro de J. CARO BAROJA, *Los pueblos de España* (Barcelona 1946), se acentúa especialmente la relación entre prehistoria y folklore: el autor presenta las regio-

---

[53] En versión española: Madrid, 1942.

nes españolas en su peculiaridad etnológica e histórico-cultural, dividiendo la exposición en épocas prehistórica, antigua y moderna.

Más bien la historia interna del pueblo español trata RAFAEL ALTAMIRA Y CREVEA, *Historia de España y de la civilización española* (Barcelona 1928)[54]. Buenas ideas para un análisis de la mentalidad española y sobre la crisis espiritual del cambio de siglo contiene la *Psicología del pueblo español* (Madrid 1902) del mismo ALTAMIRA Y CREVEA. En forma de meditación sociológico-intelectual describe el filósofo ORTEGA Y GASSET, en el jugoso y perspicaz estudio *España invertebrada* (1922), el proceso de disgregación política que comienza a fines del siglo XVI, atribuyendo la 'enfermedad' española a la falta de una tradición política de responsabilidad[55]. El discípulo de Ortega E. GIMÉNEZ CABALLERO se propone en *Genio de España* (Madrid 1932) una interpretación crítica de la historia española, yendo al fondo de las cosas de manera más consecuente y penetrante que su propio maestro en la obra citada. La actitud espiritual y cultural típica de España, en los lados positivos de su 'tradicionalismo' (frente a otra valoración decididamente negativa), es el tema que analiza KARL VOSSLER en *Spanien und Europa* (Munich 1952); en español *España y Europa* (Madrid 1951).

Sobre la cuestión de 'las dos Españas' se hallan consideraciones interesantes en el prólogo[56] de MENÉNDEZ PI-

---

[54] También en versión francesa: *Histoire d'Espagne* (París, 1931).

[55] El pensamiento de Ortega (en conexión con el ambiente espiritual europeo) está claramente expuesto por E. R. CURTIUS en la *Neue Rundschau* (dic. 1924); el artículo fue publicado de nuevo en *Kritische Essays zur europäischen Literatur* (Berna, 1951), págs. 247-268.

[56] Este prólogo y la introducción a la *Historia general de las literaturas hispánicas* (véase pág. 67) han formado el libro *Los españoles en la historia y la literatura* (Buenos Aires, 1951); versión inglesa: *The Spaniards in their history* (Londres, 1950).

DAL a la *Historia de España,* I, 1947, cap. 5, págs. LXXI y sigs., y en el artículo de FRANZ NIEDERMAYER, *Zwei Spanien?* aparecido en la revista *Saeculum,* III, 1952, págs. 444-476.

Un intento muy original de interpretación del hombre español y de su esencia constituye el extenso libro de AMÉRICO CASTRO, *España en su historia* (Buenos Aires 1948, 709 págs.). En una visión general de la historia, la literatura y la lengua, enfocada desde un punto de vista cultural-histórico y filosófico, muestra el autor la gran significación que tuvieron los núcleos de población mora y judía para la evolución de la mentalidad, religión, arte, formación espiritual y cultura literaria de los españoles. La obra contiene juicios algo personales e ideas muy paradójicas, que incitan a la duda, pero que actúan, sin embargo, de manera muy sugestiva [57]. En el trabajo *El enfoque histórico y la no hispanidad de los visigodos* (NRFH, III, 1949, págs. 217-263) destaca A. CASTRO la diferencia de estructura entre el Norte godo y la Hispanidad ibero-romana.

Sobre la dominación musulmana, su obra cultural y sus personalidades representativas tenemos una visión de conjunto de C. SÁNCHEZ ALBORNOZ, *La España musulmana* (Buenos Aires 1946); comp. también el ya mencionado (pág. 68) tomo *España musulmana* de E. LÉVI-PROVENÇAL, traducción española del original francés publicado en 1938 en el Cairo [58].

---

[57] Comp. los comentarios críticos de ALBERTO SÁNCHEZ en RFE, XXXVI, págs. 322 sigs.; MARCEL BATAILLON, BHi., LII, 1950, págs. 5-26; R. LAPESA en NRFH, III, 1949, págs. 294-307. — Nueva edición del libro: *La realidad histórica de España* (Méjico, 1953) con muchas adiciones y correcciones; versión italiana: *La Spagna nella sua realtà storica* (Florencia, 1955). — En el nuevo libro *The structure of Spanish history* (Princeton, 1954) el autor ha precisado aún más sus ideas.

[58] Véase también, del mismo autor, *La péninsule ibérique au moyen âge d'après Ibn Abd al-Munim al-Himyari* (Leiden, 1938).

Sobre la propagación del cristianismo existe la obra fundamental de B. P. Gams, *Die Kirchengeschichte von Spanien* (Regensburgo 1862-79); modernamente, la *Historia eclesiástica de España* (Madrid 1929) de Z. García Villada, que imparcialmente da también cabida a 'doctrinas contrarias' [59]. La importancia de Erasmo para la acuñación del cristianismo español del siglo xvi, en conexión con la vida espiritual de la época, ha sido señalada por Marcel Bataillon en la admirable obra *Erasme et l'Espagne* (París 1937), trad. esp. *Erasmo y España* (Méjico 1950); comp. al respecto A. Castro, *Lo hispánico y el erasmismo,* RFH, II, 1940, págs. 1-34; ahora en el libro *Aspectos del vivir hispánico,* Santiago 1949. Para el erasmismo, téngase asímismo en cuenta la *Historia de los heterodoxos españoles* (1881) de Menéndez y Pelayo, que muestra, a pesar de la posición nacional-católica del autor, cómo han sido de fuertes, hasta en nuestros días, las corrientes de espíritu heterodoxo [60].

Una obra que tiene la ventaja de presentar, de manera nítida y viva, el curso de la evolución histórica e histórico-cultural es el *Atlas histórico español* (Barcelona 1941) de Gonzalo Menéndez Pidal. En 42 mapas provistos de textos explicativos desfila aquí la historia de toda la Península desde el siglo vi a. C. hasta la época actual. Además de los acontecimientos históricos exteriores, este método cartográfico comprende también fenómenos literarios y culturales de importancia, como el itinerario del Cid, las 'Tierras épicas' (difusión de las viejas sagas), el

---

[59] Una muy importante obra de fuentes para la historia de la Iglesia en España constituyen los 52 tomos de la *España Sagrada* (Madrid, 1754-1918); poseen un registro hecho por A. González Palencia, *Indice de la España sagrada* (Madrid, 1918).

[60] Comp. E. Schramm, ZNU, XXXIX, 1940, pág. 195.

tema poético de Don Juan, los viajes de Carlos V, las influencias culturales musulmanas, la colonización del Nuevo Mundo y la propagación del castellano. Del mismo autor tenemos el valioso libro *Los caminos en la historia de España* (Madrid 1951): ilustra la importancia de las rutas de tráfico para la historia de la cultura y la investigación literaria.

Orientación fidedigna sobre geografía de la Península se halla en los libros de THEOBALD FISCHER, *Mittelmeerbilder* (Leipzig 1908), FRITZ REGEL, *Landeskunde der iberischen Halbinsel* (Leipzig 1905) y A. PHILIPPSON, *Mittelmeergebiet* (Leipzig 1907). También el Baedeker *Spanien und Portugal* (Leipzig 1929) y la 'Guide bleu' *Espagne* por M. MONMARCHÉ (1952) [61] son fuentes de información ricas y seguras. Más completa es la exposición en la obra en 3 tomos de L. MARTÍN ECHEVERRÍA, *Geografía de España* (Barcelona 1928), ricamente ilustrada. Una excelente (más corta) ojeada a las nociones más importantes da H. LAUTENSACH, *Spanien und Portugal* en el *Handbuch der geographischen Wissenschaft* (Potsdam 1934), págs. 426-537. Valioso es el informe bibliográfico de W. PANZER sobre las investigaciones llevadas a cabo durante los años 1915-1930 en todos los sectores de la geografía de España, publicado en el *Geographisches Jahrbuch,* XLV, 1930, págs. 133-177. Sobre otros instrumentos de trabajo véase pág. 15.

Comparable con las impresiones italianas de Goethe es la poética descripción que nos dejó el barón CHARLES DAVILLIER de su viaje por España, emprendido en 1862 en compañía de Gustave Doré (ed. francesa 1874, ed. espa-

61 Comp. además E. A. PEERS, *A companion to Spanish travel* (Londres, 1930); O. AUBRY, *L'Espagne: Les provinces du Sud de Séville à Cordoue* (1930); id., *Les provinces du Nord de Tolède à Burgos* (1931).

ñola Madrid 1949)[61a]. Sobre la anterior literatura de viajes informan la *Bibliographie des voyages en Espagne et en Portugal* de FOULCHÉ-DELBOSC (en RH, III y IV, 1896-97; como libro París 1896) y los libros de A. FARINELLI, *Divagaciones bibliográficas: Viajes por España y Portugal* (Madrid 1921) y *Viajes por España y Portugal. Suplemento* (Madrid 1930). Ambas obras constituyen un rico filón para todas las cuestiones de la historia de la cultura española. En cuanto a obras que proporcionan, en un plan general, conocimientos útiles sobre España, nombraremos las siguientes:

G. DIERCKS, *Das moderne Spanien*. Berlín 1908. [Consideraciones sobre la historia de la cultura].

KURT HIELSCHER, *Das unbekannte Spanien*. Berlín 1922. [Extensa obra de ilustraciones, cuyas espléndidas fotografías brindan valiosos estímulos a los amantes del arte, a los etnólogos y a los historiadores de la cultura].

DORÉ OGRIZEK, *Spanien*. Saarbrüken 1951. [Trae sugestivas impresiones de todas las provincias españolas, con artísticas ilustraciones. Un fructífero compañero de viaje].

WALDO D. FRANK, *Virgin Spain*. New York 1942. [Estudio muy interesante. Uno de los mejores libros sobre España].

V. SACHEVERELL SITWELL, *Spain*. London 1950. [Turismo intelectual y artístico].

A. T' SERSTEVENS, *Le nouvel itinéraire espagnol*. Paris 1953. [Impresiones muy variadas de un gran artista].

[61a] Véase también el libro clásico de TH. GAUTIER, *Voyage en Espagne* (París, 1845).

RICHARD PATTEE, *This is Spain.* Milwaukee 1951. En traducción alemana, con muchas adiciones: R. Pattee y A. M. Rothbauer, *Spanien; Mythos und Wirklichkeit,* Graz, 1954. [Trata las culturas regionales, las fuerzas políticas, el problema social, la posición de la Iglesia, las minorías religiosas, prensa, economía, sistema escolar, universidades, investigación —todo con atención especial a la guerra civil y a los dos últimos decenios].

MARTÍN HÜRLIMANN, *España: Paisajes, monumentos, tradiciones.* Barcelona-Madrid 1955. [Presenta en 265 ilustraciones tanto la España conocida como la desconocida].

J. ORTIZ ECHAGÜE, *España: Pueblos y paisajes.* Madrid 1952. [Con 288 láminas. El valor del libro estriba en la divulgación de pintorescos lugares poco conocidos].

CARLOS SOLDEVILA, *Belleza de España. Arte y paisaje.* Barcelona 1952. [Valiosas ilustraciones].

F. CHRISTIANSEN, *Spanien in Bildern.* Berlín 1928.

F. CHRISTIANSEN, *Festliches Spanien.* Leipzig 1935.

F. CHRISTIANSEN, *Das spanische Volk.* Leipzig 1937. [Los tres libros de Christiansen muestran la diversidad de la vida popular española en rica ilustración y excelentes descripciones].

SALVADOR DE MADARIAGA, *Spanien.* Wesen und Wandlung. Stuttgart 1955, primera ed. 1930. [Profundo estudio de psicología nacional dedicado al desarrollo político, espiritual y económico de España en los últimos decenios. Muy imparcial en sus juicios, aunque concentrado en las fuerzas democráticas y liberales del país. - Edición inglesa: London 1942; ed. esp. Madrid 1934].

J. ORTEGA Y GASSET, *Stern und Unstern. Gedanken über Spaniens Landschaft und Geschichte.* Stuttgart 1937. [Bosquejos escogidos de 5 libros del autor; la parte central es la *España invertebrada*].

C. KÜHN DE LA ESCOSURA, *Spanien und 5 Reiserouten durch Spanien.* Berlín 1927.

JOHANNES MAYRHOFER, *Spanien.* Friburgo d. Br. 1915. [Descripción de viaje].

MANFRED SCHNEIDER, *Wanderfahrten durch Spanien.* 1926.

A. KRAUSE, *España y la cultura española.* Chicago 1929.

Muy adecuadas para la preparación espiritual a un viaje a España son las poéticas impresiones de AZORÍN, *España: Hombres y paisajes* (1909) y *Castilla* (1912).

LUDWIG PFANDL, en *Spanische Kultur und Sitte des 16. und 17. Jahrhunderts* (Kempten 1924; versión española, Barcelona 1942), presenta sugestivamente aspectos importantes de una historia de la cultura española, ilustrando todos los aspectos de la vida social y diaria con interesantes documentos, aunque algo demasiado al servicio de una apología de Felipe II. Ciertas tendencias de la actitud espiritual de los españoles analiza J. F. PASTOR en el pequeño trabajo *Weltanschauung und geistiges Leben in Spanien* (Breslau 1931); por ejemplo, el tradicionalismo católico, el ideal pan-ibérico, el individualismo aristocrático.

Un registro enciclopédico de todos nuestros conocimientos sobre lengua y literatura españolas constituye la *Historia de la lengua y literatura castellana* (comprendidos los autores hispano-americanos) de JULIO CEJADOR Y FRAUCA, en 14 tomos (Madrid 1915-1922). El valor científico de la obra es, sin embargo, modesto, pues defiende algunas teorías muy discutibles y concede poca atención a los modernos progresos de la investigación; véase el comentario de F. A. DE ICAZA en RFE, IV, págs. 65 sigs.[62].

En la serie de trabajos publicados por HEINRICH FINKE, *Gesammelte Aufsätze zur Kulturgeschichte Spaniens* (Spanische Forschungen der Görresgesellschaft), Münster 1928 sigs., se hallan valiosas investigaciones sobre todos los campos de la historia cultural.

---

62 Véase asimismo la aniquiladora crítica a la 'pretendida doctrina lingüística' del autor en RFE, XV, 1928, págs. 190-191.

EL VASCUENCE

Por largo tiempo se consideró al vascuence (vasc.: *Euzkera*) como el último vástago de la familia de lenguas ibéricas. Esta opinión está hoy día rebatida.

Seguro es sólo "que los vascos actuales son, en lo esencial, los descendientes directos de los vascones, tanto en sentido racial como lingüístico" (G. Bähr). Historiadores romanos localizan sus asientos en Navarra y en el Oeste aragonés (al Oeste del río Gallego). Al comienzo de nuestra era los vascones trasladaron sus sedes hacia el Noroeste, extendiéndose hasta el golfo de Vizcaya[63]. Este cambio de residencia parece obedecer, en una primera época, al avance de los iberos, y en un período posterior, a la expansión romana[64]. Parece que, en el siglo VI, algunas tribus vasconas hayan atravesado los Pirineos, irrumpiendo en el Norte y llevando su idioma a las tierras meridionales de la Aquitania, que recibe entonces el nuevo nombre de *Vasconia* > *Gascogne, Gascuña*[65].

---

[63] Según E. GAMILLSCHEG, los vascos habrían surgido de la fusión de los vascones, fuertemente romanizados, y las tribus cantábricas, casi vírgenes de influencia latina, las cuales cuenta Gamillscheg entre el grupo lingüístico ligur. Esta teoría se funda en deducciones hechas sobre fenómenos fonéticos (*Romanen und Basken*, Wiesbaden, 1950, pág. 30 sigs.).

[64] Comp. M. GÓMEZ MORENO, *Hom. Menéndez Pidal*, II, págs. 475 y siguientes.

[65] *Vasconiae saltus* es usado ya en el siglo IV d. d. C., por el escritor bordelés Paulinus, como nombre de los Pirineos. La expansión de los vascones hacia el Norte está atestiguada por Gregorio de Tours. El desarrollo fonético de *Vasconia* a *Gascogne* parece estar condicionado por la pronun-

El problema del parentesco lingüístico del vascuence sigue sin haber hallado aclaración definitiva. Refutada está hoy la antigua identificación del vascuence con el ibérico [66]. Tampoco la relación con la lengua de los ligures, defendida por SCHULTEN (*Numantia,* I, 1914, págs. 60-78), ha hallado hasta ahora confirmación efectiva. En una conexión con Africa pensó G. VON DER GABELENTZ, *Die Verwandtschaft des Baskischen mit den Berbersprachen Nordafrikas* (Braunschweig 1894). Posteriormente H. SCHUCHARDT, en la monografía *Baskisch-hamitische Wortvergleichungen* (RIEB, VII, 1913, págs. 289-339), trató de prestar más verosimilitud a la teoría africana, basándose en supuestos paralelos léxicos con las lenguas nubiense, bereber, cóptica y semítica. Sin embargo, todas sus contribuciones sobre este punto, como también las de posteriores investigadores, son altamente dudosas [67]. El

---

ciación germánica de la *v* (> *w* > *gu,* comp. it. *Guascogna*), así como el nombre de río *Vardo* se tranformó en *Gard.* En efecto, la forma *Wasco* (como nombre de persona) aparece en documentos francos del siglo IX (*Monum. Germ. Dipl. Carol.,* I, pág. 289). Sin resolver está la cuestión de si estos vascones, que avanzaban hacia el Norte, penetraron en un territorio totalmente romanizado, o si encontraron allí descendientes aún no latinizados de los aquitanos —que eran parientes de los vascones—, con los cuales se mezclaron. Indicios toponomásticos favorecen la segunda alternativa; véase G. ROHLFS, *Le gascón,* Halle, 1935, pág. 10 sigs., y el mismo autor, *Couches de colonisation romaine et préromaine en Gascogne et en Aragon,* RIO, VII, 1955, pág. 1 y sigs. (también en *Studien zur romanischen Namenforschung,* Munich, 1956, págs. 103-113).

[66] Ver arriba págs. 28 y 31. Aquí es esencial que el ibérico pertenece a un tipo lingüístico de estructura absolutamente diferente. Ciertas coincidencias se pueden explicar por contactos o influencias recíprocas. Los vínculos existentes —o cuya existencia es afirmada— entre el vascuence y el ibérico han sido objeto de un último examen crítico por parte de A. TOVAR, *Sobre el planteamiento del problema vasco-ibérico*, en: *Miscel. Amado Alonso, Archivum,* tomo IV (Oviedo), págs. 220-231.

[67] Comp. la toma de posición crítica del africanista E. ZYHLARZ en la *Prähistorische Zeitschrift,* XXIII, 1932, págs. 69-77.

hecho de que el vascuence posee una estructura lingüística distinta a la de los idiomas camitas es aquí decisivo.

La posibilidad de interdependencias vasco-caucásicas fué expuesta por primera vez por A. TROMBETTI en *L'unità d'origine del linguaggio* (Bolonia 1905); posteriormente, de modo más completo, en *Le origini della lingua basca* (Bolonia 1925). Otros eruditos desarrollaron esta idea de manera más sistemática [68]. En los últimos años el parentesco vasco-caucásico ha hallado nuevos y enérgicos defensores en R. LAFON y K. BOUDA [69]. Pero casi todos los paralelos afirmados hasta ahora siguen siendo extremadamente vagos y poco seguros. Sólo muy pocos se aproximan a una identificación convincente. Con razón insiste P. LAFITTE (en el *Homenaje a J. de Urquijo*, I, 1949, págs. 212 sigs.) en que tales 'coincidencias' son observables en todas las lenguas de la tierra [70]. Mientras la teoría caucásica no esté cimentada de manera más sólida, habrá que contentarse con ver en el vascuence un idioma aislado. Entre tanto, parece seguro que el vasco, en general, se pueda identificar con la antigua lengua de los aquitanos; véase por esto LUIS MICHELENA, *De onomastica aquitana* (en *Pirineos,* año X, 1954, págs. 409-455).

---

[68] Así, p. e. H. WINKLER en *Das Baskische und der vorderasiatische mittelländische Kulturkreis* (Breslau, 1909). Las teorías de Winkler fueron rechazadas por GAVEL, RIEB, III, pág. 520 sigs., y UHLENBECK, *ib.*, XI, pág. 62 sigs.

[69] R. LAFON, *Basque et langues kartvèles,* RIEB, XXIV, 1933, págs. 156-172; R. LAFON, *Études basques et caucasiques* (Salamanca, 1952); K. BOUDA, *Baskisch-kaukasische Etymologien* (Heidelberg, 1949). Para el trabajo de Bouda, comp. la postura crítica de J. HUBSCHMID en VR, X, págs. 309 sigs.

[70] UHLENBECK ha revisado últimamente, en un sentido más positivo, su actitud escéptica frente a las conexiones vasco-caucásicas; ver *Anthropos,* XXXVII-XL, 1942-45, págs. 385 sigs. y GEJ, I, 1947, págs. 171 sigs.

Otras teorías sobre el origen del vascuence merecen difícilmente una mención seria. Completamente diletante es el intento hecho por N. Esandi en el libro *Vascuence y etrusco* (Buenos Aires 1946) de ligar al vascuence con el etrusco[70a]. En la monografía *El origen de la lengua vasca* (BDE, XXV, 1941, págs. 62-78) creyó A. Griera poder interpretar el vascuence como una lengua románica desarrollada a partir del latín. De serias insuficiencias metódicas sufre el trabajo de P. Fouché, *A propos de l'origine du basque* (Madrid 1943), que anota paralelos muy inciertos con las lenguas altaicas; comp. la nota crítica de V. Cocco en RPF, II, 1948, págs. 313 sigs.

Dignas de atención son algunas correspondencias léxicas observadas por M. L. Wagner y V. Bertoldi entre el vascuence y algunas reliquias del sardo; p. e. vasc. *gastigar* 'arce' y sard. *ḳostiḳe* id., vasc. *gorosti* 'acebo' y sard. *golostru* id., vasc. *agin* 'tejo' y sard. *eni* id. Estos elementos, sin embargo, parecen indicar más bien la inmigración de una tribu ibérica a Cerdeña, que no un substrato común ibero (vasco)-sardo; comp., en último lugar, M. L. Wagner, *La lingua sarda* (Berna 1951), págs. 274 sigs.

No es éste el lugar apropiado para emprender una caracterización de la lengua vasca. Sólo será necesario señalar algunos rasgos esenciales. De éstos hacen parte la inmensa riqueza en formas flexionales propia del sistema verbal y la predilección por elementos morfológicos sufijales para determinar las funciones. Con la misma raíz léxica pueden expresarse una multitud de funciones y relaciones, mediante acumulación de tales sufijos. De este modo el vascuence se sitúa dentro del grupo de lenguas aglutinantes. Damos un pequeño ejemplo:

[70a] Muy fantástico es también el libro de F. Castro Guisasola, *El enigma del vascuence* (Madrid, 1944), que intenta demostrar que el vascuence es idioma hermano del indoeuropeo.

Izaḳi guztiaḳ dira Jaungoiḳoaḳ gizonarentzat eginaḳ
cosa(s) todas son Dios -(por) hombre-el-para hechas.

En el sistema fónico sorprende la falta de la *f*, que es reemplazada por *p* ó *b* en palabras extranjeras: *pago*<FAGUS, *besta*<FESTA. Al comienzo de palabra no puede haber *r-* sino *err-*, comp. las voces foráneas *errege*<REGEM, *erramu*<RAMUM, *Erroma*. Notable es la existencia, en vascuence antiguo, de una *h* que hoy día se ha conservado sólo al Norte de los Pirineos, p. e. *harri* 'piedra' (= *arri* en España). Asimismo, las oclusivas aspiradas *ph, th, ḳh,* ya no existen hoy día sino en el vascuence francés, p. e. *phiḳo* (en España *piḳo*) 'higo', *theḳa* (en España *teḳa*) 'vaina de legumbre', *aḳherr* (en España *aḳerr*) 'macho cabrío'. Hay en vascuence sólo un género gramatical. El artículo determinado (*a*) se pospone al sustantivo: *gizon-a* 'el hombre', *eme-a* 'la mujer'; lo mismo el artículo indeterminado *(bat): haur bat* 'un niño'.

La gran independencia lingüística del vascuence se refleja con mayor evidencia en el vocabulario. Damos algunos ejemplos sacados de diversas categorías léxicas:

Adjetivos numerales (1 á 5): *bat, bi, irur, laur, bost.*

Nombres de parentesco: *osaba* 'tío', *izeba* 'tía', *illoba* (*billoba*) 'nieto' y 'sobrino', *giñarreba* 'suegro', *sui* 'yerno', *erraiñ* 'nuera' [71].

Cielo y tiempo: *ortze* 'cielo', *eguzḳi* 'sol', *argizagi* 'luna', *izarra* 'la estrella', *odei* 'nube', *tximista* 'relámpago', *elurra* 'la nieve', *euri* 'lluvia'.

Arboles: *aritz* 'roble', *lizarr* 'fresno', *zumarr* 'olmo', *asḳarr* 'arce', *izai* 'abeto'.

---

[71] G. BÄHR, *Los nombres de parentesco en vascuence* (Gaubeka, 1953), trata de dar una explicación histórico-cultural y etimológica de estos nombres.

La importancia del vascuence para la filología románica consiste, ante todo, en que este antiguo y conservador idioma ha guardado muchos préstamos hechos al latín, atestiguando así su existencia en la remota latinidad hispánica aun en aquellos casos en que tales voces latinas no existen ya en español ni en portugués, como p. e. *goru* 'rueca' (COLUS), *kima* 'ramo' (CIMA), *estakuru* 'pretexto' (OBSTACULUM), *atxeter* 'médico' (ARCHIATER), *entelegatu* 'entender' (INTELLIGERE), *barkatu* 'perdonar' (PARCERE). El vasc. *iskilinba* (*išpilinga*) 'alfiler' nos demuestra que el lat. SPINGULA (>*isplinga*>*isclimba*) era también usual antiguamente en la Península, antes de que viniese a predominar la voz árabe (esp. *alfiler*, port. *alfinete*). Notable es el mantenimiento de fonetismos muy antiguos, como p. e. *bake* 'paz' (PACEM), *lege* 'ley' (LEGEM), *merke* 'barato' (MERCEM), *kipula* 'cebolla' (CÆPULLA), *kirru* 'estopilla' (CIRRUS), *apezpiko* 'obispo' (EPISCOPUS), *sartagin* 'sartén' (SARTAGINEM) [72]. Los préstamos latinos son importantes para el conocimiento de viejas modificaciones fonéticas del vascuence [73], p. e. *l* intervocálica > *r*: *gura* 'gana' (GULA), *paro* 'palo', *goru* 'rueca' (COLUS), *aingeru* 'ángel';

n intervocálica desaparece: *are*(*a*) < ARENA, *kate*(*a*) < CATENA, *khoroa* < CORONA, *diru* 'dinero', *domeka* 'domingo' < DOMINICA, *doari* 'regalo' < DONARIUM;

r inicial pasa a *err-*: véase arriba (pág. 82).

Las consonantes sordas se vuelven sonoras al comienzo de palabra: *gela* 'habitación' (CELLA), *dembora* 'tiempo'

---

[72] Muy arcaico es también el vocalismo de los préstamos latinos, *ĭ* y *ŭ* no habiéndose confundido aún con *ē* y *ō*, p. e. *bike* 'pez' (PICEM), *kikirista* 'cresta' (CRISTA), *mutil* 'mozo' (MUTILU); comp. H. GAVEL, *Eléments de phonétique basque* (París, 1920), pág. 502.

[73] Comp. G. BÄHR en la revista *Eusko-Jakintza*, II, 1948, págs. 174-177.

(TEMPORA), *borta* 'puerta' (PORTA), *gertu* 'cierto' (CERTUM), *gaztelu* 'castillo' (CASTELLUM) [74].

También para la etimología y la historia léxica puede suministrar la lengua vasca valiosos datos. El vasc. *mutil* 'criado' ('mozo rapado') aporta el lazo de unión entre el esp. *mocho, muchacho* y el lat. MUTILUS. La derivación del esp. *esguín* 'cría del salmón' a partir del lat. ESOX (ESOCINUS) está justificada por el vasc. *izokin* 'salmón'. La singular evolución de significado del lat. FORMA al esp. *horma* 'pared' tiene su paralelo semántico en el vasc. *borma* 'pared de piedras sueltas'.

Buena orientación general sobre los principales problemas que se relacionan con el idioma vasco se halla en la monografía de W. MEYER-LÜBKE, *Das Baskische,* GRM, XII, 1924, págs. 171-189 [75]. La obra de H. SCHUCHARDT, *Primitiæ linguæ Vasconum* (Halle 1923; versión española, Salamanca 1947), elaborada con excelente método, proporciona una introducción práctica en la estructura y peculiaridad del vascuence, tomando como base la parábola del Hijo Pródigo (en la traducción del Nuevo Testamento hecha por Leizarraga en 1571); comp. la nota crítica de G. Bähr en ZRPh, XLVIII, págs. 461 sigs. [76]. Una buena síntesis del estado actual de las investigaciones históricas y lingüísticas da G. BÄHR, *Baskisch und Iberisch,* en EJ, II, 1948. El trabajo de KARL BOUDA, *Land, Kultur, Sprache und Literatur der Basken* (Er-

---

[74] Un resumen de la evolución fonética de los préstamos latinos en vascuence da V. GARCÍA DE DIEGO, *Manual de dialectología española* (Madrid, 1946), págs. 198-221.

[75] Comp. también los informes anteriores de JULIO DE URQUIJO, *Les études basques,* RIEB, V, 1911, págs. 560-580; de época más reciente, el artículo de P. LAFITTE, *La langue basque de 1939 à 1947,* GEJ, I, 1947, págs. 11-20.

[76] Una versión esp. del original alemán apareció en Salamanca en 1947.

langen 1949), puede servir de introducción a los estudios vascos.

A continuación indicamos algunos libros y trabajos para quien quiera ocuparse más a fondo con el pueblo y el idioma vascos[76a]:

Telésforo de Aranzadi, *Antropología y etnología del país vasco-navarro.* Barcelona 1911. [Trata fenómenos característicos de la cultura nacional vasca].

Rodney Gallop, *A book of the Basques.* Londres 1930. [Orientación folklórica].

Julio Caro Baroja, *Los vascos.* San Sebastián 1949. [Clara exposición de las características etnológicas del pueblo vasco, con particular atención a la estructura social, modo de establecerse, formas de economía, posición espiritual y tradiciones populares].

Philippe Veyrin, *Les Basques.* Bayona 1947. [Da un resumen muy orientador sobre geografía, historia, prehistoria y antropología del dominio vasco francés; además, consideraciones sociológicas y etnográficas].

Antonio Tovar, *La lengua vasca.* San Sebastián 1950, 2ª ed. 1954. [Concisa síntesis del estado actual de las investigaciones, como también sólida introducción al trabajo científico con el vascuence].

René Lafon, *L'état actuel du problème des origines de la langue basque.* En GEJ, I, 1947, págs. 37 sigs., 151 sigs. y 505 sigs. [Atribuye gran importancia a las conexiones con los idiomas del Cáucaso].

[76a] Ha de tenerse cuidado con el *Diccionario trilingüe del castellano, bascuence y latín* de N. Larramendi (San Sebastián, 1745, 2ª ed. 1853): 'libro audaz y confusionista, atestado de voces inexistentes, ideadas o deformadas por el autor para fundamentar sus fantásticas etimologías castellanas' (Corominas).

E. GAMILLSCHEG, *Romanen und Basken*. Wiesbaden 1950. [Aporta nuevos conocimientos para la valoración de las relaciones recíprocas vasco-románicas, sobre todo en materia fonética].

R. M. DE AZKUE, *Diccionario vasco-español-francés*. Bilbao 1905. [Diccionario muy rico, que abarca todo el dominio del vascuence].

R. M. DE AZKUE, *Diccionario de bolsillo vasco-español y español-vasco*. Bilbao 1918. [Atiende primordialmente al vascuence de Güipúzcoa. Puede también suplir la parte español-vasca del diccionario grande, la cual no apareció].

PIERRE LHANDE, *Dictionnaire basque-français*. París 1926-1938. [Es el léxico más importante de los dialectos vascos franceses].

I. LÓPEZ MENDIZÁBAL, *La lengua vasca*. Buenos Aires 1949. [Contiene gramática práctica, ejercicios de conversación y un pequeño diccionario vasco-castellano y castellano-vasco].

I. LÓPEZ MENDIZÁBAL, *Diccionario castellano-euzkera y euzkera-castellano*. Tolosa 1932. [Sirve más para fines prácticos. Util es la parte español-vasca].

I. W. J. VAN EYS, *Grammaire comparée des dialectes basques*. París 1879.

C. C. UHLENBECK, *Contribution à une phonétique comparative des dialectes basques*. En RIEB, III, 1909, págs. 465-503; IV, 1910, págs. 65-120. [La mejor orientación sobre las diferencias regionales].

H. GAVEL, *Eléments de phonétique basque*. En RIEB, XI, 1920; también como libro separado: París 1920. [Desde el punto de vista de la fonética descriptiva. Poco fructífero para la evolución histórica. No aclara las diferencias principales entre los dialectos vascos. Muchas cosas elementales].

Pierre Lafitte, *Grammaire basque*. Bayona 1944. [Trata 'le navarro-labourdin littéraire'].

R. M. de Azkue, *Morfología vasca*. Bilbao 1925. [Flexión y sufijos].

René Lafon, *Le système du verbe basque au XVIe siècle*. Burdeos 1943. [Muestra notorias concordancias con el sistema verbal de las lenguas caucásicas].

J. Caro Baroja, *Materiales para una historia de la lengua vasca en su relación con la latina*. Salamanca 1946. [Da nuevos datos sobre el éxito de la colonización latina en el dominio lingüístico vasco].

G. Rohlfs, *Baskische Kultur im Spiegel des lateinischen Lehnwortes*. En Festschrift für K. Voretzsch, Halle 1927, págs. 58-87. En traducción española: *La influencia latina en la lengua y cultura vascas*, RIEB, XXIV, 1933, págs. 323-348. [Registro de los elementos latinos, a la luz de consideraciones histórico-culturales].

C. C. Uhlenbeck, *Les couches anciennes du vocabulaire basque*. En GEJ, I, 1947, págs. 543-581. [Un intento de clasificar y analizar las raíces etimológicas y los elementos morfológicos más antiguos].

P. Bosch Gimpera, *Los celtas y el País Vasco*. En RIEB, XXIII, 1932, págs. 457-486. [Sobre contactos y fusiones con los pueblos célticos [77]].

K. Bouda, *Romanische syntaktische Einflüsse im Baskischen*. En IF, LIX, 1948, págs. 1-49, 186-204.

[77] Comp. también A. Tovar, *Sobre el vasco y el celta*, en: *Estudios sobre las primitivas lenguas hispánicas* (Buenos Aires, 1949), págs. 67-81.

Revistas que se proponen fomentar el estudio del vascuence:

Revue internationale des études basques. San Sebastián 1907-1935 (fundada y dirigida por Julio de Urquijo).

Boletín de la R. Soc. Vascongada de Amigos del País. San Sebastián, desde 1945.

Gernika. Eusko-Jakintza. Revue d'études basques. Bayona, desde 1947. A partir de 1948 lleva el título de 'Eusko-Jakintza' (Organe de la Société internationale d'études basques 'Gernika').

Ikuska. (Organe de l'Institut basque de recherches). Sare (Bajos Pirin.), desde 1946.

RELIQUIAS LINGUISTICAS PRERROMANAS

Relativamente pequeño es el número de los elementos prerromanos contenidos en los idiomas peninsulares, que existen también en vascuence o son explicables por éste. A tal categoría pertenecen: esp. (*mano*) *izquierda,* port. *esquerda,* cat. *esquerra* (vasc. *ezkerra*) [78], esp. *cerdo* (vasc. *txerri* id.), esp. y port. *chaparro* (vasc. *txaparr* 'arbusto'), esp. *narria* (vasc. *narr*), esp. y port. *sapo,* arag. *zapo* (vasc. *apo*), esp. *zamarra* (vasc. *zamarr*). En las hablas de aquellas regiones en donde el vascuence se bate en retirada, se han conservado más reliquias léxicas prerromanas, p. e. alav. *sirimiri* 'llovizna' < vasc. *sirimiri,* Rioja *anabia* 'arándano' < vasc. *ahabi* id., arag. *agüerro* (gasc. *agòr*) 'otoño' < vasc. *agorr* 'septiembre', *gabarda* 'fruto del escaramujo' (comp. gasc. *gabarro* 'aulaga') < vasc. *gaparra* 'zarzamora', *escarrón* 'clase de arce' < vasc. *askarra* 'el arce', esp. *alud,* arag. *una lurte* (en Gascuña *lurt* fem.) < vasc. *lurte* 'hundimiento de terreno', 'derrumbamiento de nieve'. Con la raíz del vasc. *ibai* 'río' parece estar en relación el arag. *ibón* (gasc. *ioû*) 'lago de montaña' [79].

---

[78] El vocablo es también propio de los dialectos gascón y languedociano: *ma esquèrro* 'mano izquierda'. Su extensión indica una base ibérica. El cambio entre *rr* y *rd* parece obedecer a una disimilación de la geminada vasco-ibérica *rr,* como sucede en *cerdo* (vasc. *txerri*), *barro* junto a arag. *bardo,* cat. *marrá* 'morueco' junto a *mardá,* arag. *mardano.*

[79] Un número considerable de tales vestigios vascos o prerromanos en los dialectos de ambos lados del Pirineo han sido identificados por G. ROHLFS, *Le gascon: Études de philologie pyrénéenne* (Halle, 1935), § 8-84. Sobre elementos vascos en las hablas de Alava, comp. F. BARÁIBAR, *Palabras alavesas,* RIEB, I, págs. 141 sigs. y 340 y sigs.

A esto se suman otros vocablos que provienen sin duda de una lengua prerromana, aunque el vascuence no proporcione para ello ningún punto de apoyo seguro. Nombramos los ejemplos siguientes: esp. *pizarra,* esp. y port. *barro,* arag. *bardo* 'barro' (sur-fr. *bart*), esp. y port. *zorra,* esp. *becerra,* port. *bezerra,* esp. y port. *carrasca,* esp. *guijarro,* esp. *mierra,* arag. *sarrio* (también *chizardo*) 'gamuza de los Pirineos', al cual corresponde *isart* o *sarri* en los Pirineos franceses. A las voces aquí enumeradas es común la presencia de la *rr,* que produce una impresión 'ibérica'. A éllas se añaden otros vocablos que podrían provenir igualmente de un substrato prerromano: esp. *vega,* port. *veiga,* esp. *balsa,* cat. *bassa* 'charco', port. *balsa* 'maleza', esp. *bruja,* port. *bruxa,* cat. *bruixa* id., esp. *arto* 'planta espinosa', port. *arda,* esp. *arda* (*ardilla*), esp. *tojo,* arag. *toxa,* ast. y gall. *toxo,* port. *tojo* 'aulaga' (en Gascuña *touyo*), arag. *chordón,* cat. *jordó* 'frambuesa' (gasc. *yourdoû*), arag. *mardano,* cat. *marrá* y *mardá* 'carnero' (gasc. *márrou, marrá*), esp. *arándano,* ast. *miruéndanu* 'fresa silvestre'.

Hay también palabras que parecen pertenecer a un substrato prerromano que comprendía las penínsulas tanto ibérica como italiana, p. e. ast. *arna* 'corteza de árbol', cat. *arna* 'vaso de colmena', it. *arna* o *arnia* id., esp. *gamuza,* it. *camoscio* (fr. *chamois*) id., esp. *arroyo,* norte-it. *rogia* 'canal de molino'. Tales parentescos fueron señalados por vez primera por J. Jud, *Dalla storia delle parole lombardo-ladine,* BDR, III, 1911, págs. 1-18, 63-86. Véase también V. Bertoldi, *Problèmes de substrat,* en el *Bull. de la Société de Linguistique,* XXXII, 1931, y *La Iberia en el sustrato étnico-lingüístico del Mediterráneo occidental,* NRFH, I, 1947, págs. 128-147; W. von Wartburg, *Die Entstehung der romanischen Völker* (Halle 1939), págs. 21 y siguientes.

Difícil es averiguar a cuáles idiomas prerromanos pertenecen las palabras mencionadas. Además de un 'fundus' ibérico, habrá que contar con elementos protohispánicos, quizá también liguro-ilíricos. Otras voces pueden haber llegado a España con la primera inmigración (precéltica) indogermánica, p. e. *páramo,* que recuerda al sánscrito *paramá* 'el más alto'. Una relación con el Africa camita se podría descubrir en el port. *tabua* 'junco', que tiene como base al lat. BUDA (fusionado con el artículo bereber *ta*). Sobre elementos prerromano-hispánicos en la formación de palabras (*-arro, -orro, -urro, -iego*), véase pág. 153; sobre influjos prerromanos en el desarrollo fonético, pág. 137.

El problema de en qué medida viejos elementos galos hayan participado en la formación del latín hispánico, a través del substrato celtíbero, requiere aún sólidos estudios especiales. Nuestros conocimientos se reducen actualmente, en lo esencial, a aquellos vocablos cuya supervivencia en la Galorromania es segura. Sirvan de ejemplo: esp. *ambuesta,* arag. *ambosta,* cat. *almosta* (<AMBOSTA), port. ant. *breço,* esp. ant. *brizo* 'cuna' (< BRETIU), esp. (Rioja) *biezo* 'abedul' (<BETTIU), esp. y cat. *bresca* (BRISCA), esp. *brezo* (comp. prov. *bruc* id.), esp. ant. leon. ast., port. *camba* 'pina de rueda' (< *CAMBO 'curvo'), esp. cat. port. *garra* (<*GARRA), esp. *legua,* port. *legoa* (<LEUCA), leon. *buezca,* gal. *osca,* cat. *osca* 'muesca' (<OSCA), esp. *jisca* (<SESCA), esp. *taladro,* port. *trado* id. (<TARATRU). La amplia difusión de ciertas voces celtas nos enseña que habían sido acogidas ya en el habla vulgar común de las provincias romanas, p. e. esp. port. *camisa* (comp. it. *camicia*), esp. port. *braga* (comp. it. *braca*). Pero que el iberorromano cuenta con elementos celtas que no han sobrevivido en la Galorromania, es un hecho que muestra el esp. *tocino,* port. *toucinho* (*TUKKO), cuyo ra-

dical, en la forma latinizada *tuccetum* (TUCETUM), está atestiguado por escritores romanos. De un céltico *SŎROS (aparentado al latín SERUM) parece derivar el esp. *suero,* port. *soro.* Sin duda habrá que atribuir muchas otras palabras, cuya etimología está aún sin explicar, al substrato celta [79a].

Un primer cuadro de elementos prerromanos que se adhirieron a la Latinidad hispánica presentó J. PEDRO MACHADO en RL, XXXVIII, 1943, págs. 247-267, con indicaciones bibliográficas (aunque sin ahondamiento crítico). Un resumen minucioso e inteligente de estos trabajos nos da SERAFIM SILVA NETO en su *Historia da língua portuguesa* (Río de Janeiro 1952 sigs.), págs. 277-306, con ricas referencias bibliográficas. La investigación de los substratos prerromanos ha recibido en los últimos años mejores fundamentos metódicos con los trabajos de Menéndez Pidal, Jud, Bertoldi, Corominas, Wagner y J. Hubschmid [79b]. Como ejemplos para la metodología de tales estudios mencionaremos:

R. MENÉNDEZ PIDAL, *Sufijos átonos en el Mediterráneo occidental.* En NRFH, VII, 1953, págs. 34-55. [Trata voces y nombres del tipo *Tábara, Brácara, Gándara, gállara, Pedruégano, Tárrega, cuérnago, Búrdalo, légano*].

R. MENÉNDEZ PIDAL, *Cotto, cotta.* En RPh, VI, 1952, págs. 1-4. [Se ocupa de la familia léxica *cueto, cotarro, cotorro*].

J. HUBSCHMID, *Studien zur iberoromanischen Wortgeschichte und Ortsnamenkunde.* En BF, XII, 1951,

---

[79a] Véase J. COROMINAS, *New information on Hispano-Celtic from the Spanish etymological dictionary* (ZCPh, XXV, 1955, págs. 30-58).

[79b] Véase también FR. H. JUNGEMANN, *La teoría del sustrato y los dialectos hispano-romances y gascones* (Madrid, 1955).

págs. 117-156. [Se refiere al esp. *senara,* gall. *senra,* esp. *serna* y otros vocablos formados con el sufijo *'-ara.* Importante para los nuevos métodos de la investigación de substratos por su utilización exhaustiva y sistemática de las hablas dialectales y de los documentos, en estrecho contacto con la toponimia].

J. HUBSCHMID, *Sardische Studien.* Berna 1953. [Apunta interesantes correspondencias entre el léxico hispánico y el vocabulario de Cerdeña y de Italia y las relaciones del sardo con las lenguas africanas y caucásicas].

J. HUBSCHMID, *Pyrenäenwörter vorromanischen Ursprungs und das vorromanische Substrat der Alpen.* Salamanca 1954.

Injustificadas son las dudas respecto a los restos de substrato expuestas por Harri Meier. Lo que él mismo propone para reconocer tales palabras (*arroyo, charco, cueto, gándara, légamo, páramo, pizarra, sarna, serna,* etc.) como provenientes de material latino, son hipótesis artificiales y especulaciones que no logran convencer[80]; véase para esto J. HUBSCHMID, *Zur Methodik der romanischen Etymologie,* en RF, 65, 1953, págs. 267-299 y G. ROHLFS, *Zur Methodologie der romanischen Substratforschung,* en Homenaje a E. Gamillscheg (Tübingen 1957).

---

80 *Mirages prélatins. Kritische Bemerkungen zur romanischen Substratetymologie,* RF, LXIV, 1952, págs. 1-42; *Erwägungen zu iberoromanischen Substratetymologien,* en *Festgabe Ernst Gamillscheg* (Tübingen, 1952), págs. 129-139.

LAS INVASIONES GERMANICAS

Importantes influjos germánicos se hicieron sentir, en distintas épocas, sobre los romances ibéricos. Muy problemática es la medida en que, desde tiempo anterior a las migraciones bárbaras, elementos germánicos pasaron al latín de España por conducto de mercenarios. De la muy amplia difusión de un germanismo en las lenguas romances, se sacó en el pasado la conclusión de que un vocablo de esta índole se había incorporado al latín vulgar desde época muy remota [80a]. Investigaciones recientes han mostrado que esta teoría no puede ser aceptada en términos tan generales. La vasta propagación de ciertos germanismos (p. e. *blanco, fresco, guerra*) pudo haber tenido causas más tardías, como, por ejemplo, influencias culturales en la época del imperio franco. De una introducción muy remota sólo se podrá hablar, con seguridad, en el caso de aquellos términos utilizados por escritores latinos anteriores al siglo V, p. e. SAPO 'jabón', por Plinio y Marcial (port. *sabão*), *TAXO 'techo', deducible de un TAXONINA ADEPS usado por Marcelo Empírico (esp. *tejón,* cat. *teixó,* gall. *teixo*).

Nuevos elementos germánicos, en proporción relativamente limitada, pasaron al léxico de los romances ibéricos en la época de las migraciones bárbaras [80b]. Visigodos,

---

[80a] Véase JOSEPH BRÜCH, *Der Einfluss der germanischen Sprachen auf das Vulgärlatein.* Heidelberg, 1913.

[80b] La escasa cantidad de vocablos germánicos de origen gótico se explica por el hecho de que la lengua gótica estaba ya extinguida en la

suevos y vándalos fueron los mediadores. Una más precisa identificación de estos elementos es, con cierta seguridad, posible, según que se limiten a la Península Ibérica, o que aparezcan también en Italia, en el dominio de influencia de los ostrogodos. Se trata aquí de palabras como esp. *rueca,* port. *roca* (comp. it. *rocca*) < gót. RUKKA[80c]; esp. port. *aspa* (comp. ital. *aspa*) < gót. *HASPA; esp. *albergar,* prov. ant. *albergar* (comp. it. *albergare*) < gót. *HARIBERGA; esp. ant. *espuera* (> *espuela*), port. *espora,* gót. *SPAURA; cat. *estona* 'rato' (comp. tosc. cors. *stonda* id.) <*STUNDA; esp. ant. *esquirar* (> *esquilar*) < gót. *SKAIRAN; esp. *lua,* port. *luva* 'guante' < gót. *LÔFA; esp. port. *ganso* < gót. GANS; esp. *aliso* < gót. *ALISI (neerl. *els*); esp. *álamo,* port. *álemo* < got. *ALMS. Otros vocablos, propagados por mediación gótica (o sueva?), se encuentran sólo en los dialectos del extremo Norte: gall. *laverca* 'alondra' < *LAWERKA; gall. *mexengra,* port. *megengra* 'paro' < MEISINGA.

De estos remotos influjos germánicos habrá que distinguir aquellos elementos más recientes, que sólo en los tiempos de la expansión carolingia cruzaron los Pirineos, en calidad de préstamos a la cultura franca. Tales términos se caracterizan por constituir, junto con los franceses, una unidad geográfico-lingüística y por mostrar, en mayor o menor grado, una evolución fonética de carácter francés. Ejemplos son: esp. *jardín,* port. *jardim* (fr. *jardin*); esp. *guerra,* port. *guerra* (fr. *guerre*); esp. *bosque,* port. *bosque* (prov. *bosc*); esp. *fresco,* port. *fresco* (prov.

Península antes de la irrupción musulmana. La gran masa de nombres germánicos de persona que aparecen en los documentos entre los siglos VIII y XIII, no prueban mucho en favor de una procedencia gótica, sino que tales apelativos corresponden a una preferencia de moda por los nombres usados una vez por la capa directora goda.

[80c] La vocal abierta está condicionada por el lat. COLUS (> vasc. *goru*), nombre anterior del mismo instrumento

fresc); esp. *estribo,* port. *estribo* (prov. *estriu,* fr. ant. *estrieu*); esp. *guante,* port. *guante* (fr. ant. *guant*); esp. *dardo,* port. *dardo* (fr. *dard*); esp. *galardón,* port. *galardão* (prov. *gazardon,* fr. ant. *guerredon*).

E. Gamillscheg, en *Romania Germánica,* I, 1934, págs. 355-398, presenta un cuadro histórico de las influencias góticas, analizando los préstamos góticos y suévicos existentes en los romances ibéricos; véase también, del mismo autor, *Historia lingüística de los visigodos,* RFE, XIX, 1932, págs. 117-150, 229-260 [80d]. Sobre la situación en portugués orienta eficazmente Joseph M. Piel, *O património visigodo da língua portuguesa,* Coimbra 1942. Suministran una cómoda ojeada sobre las distintas capas de los préstamos germánicos R. Lapesa en su *Historia de la lengua española* (Madrid 1950, págs. 80-89) y S. da Silva Neto en su *História da língua portuguêsa* (Río de Janeiro 1952, págs. 317-323). Un ensayo de interpretación geográfico-lingüística de algunos problemas léxicos, extendida a toda la Romania, ofrece G. Rohlfs, *Germanisches Spracherbe in der Romania* (Munich 1947). Buena información sobre el ocaso del imperio romano y el nacimiento de una nueva civilización romano-germánica se halla en la obra de F. Lot, *Les invasions germaniques. La pénétration mutuelle du monde barbare et du monde romain* (Paris 1935). Algunos datos sobre la supervivencia de la conciencia étnica en la población goda trae R. Menéndez Pidal en *Orígenes del español,* 1950, págs. 503-506. Sobre la 'no-hispanidad' de los visigodos véase A. Castro en NRFH, III, 1949, págs. 217 sigs. En relación con la historia del reino suévico cfr. W. Reinhart, *Historia general de los suevos* (Madrid 1952).

[80d] El trabajo de W. Reinhart, *El elemento germánico en la lengua española* (RFE, XXX, 1946, págs. 295-309), aporta novedad sólo en cuanto enlaza los materiales lingüísticos con los aportes arqueológicos.

EL ELEMENTO ARABE

Más honda significación para el desarrollo de la lengua española tuvo la invasión árabe. Mientras que los visigodos irrumpieron en la Península poseyendo un avanzado grado de latinización y su fusión con los iberorromanos ya se había cumplido dos siglos después de la conquista del país, la dominación árabe abarcó, en parte, medio milenio. La masa de las tribus islámicas que entraron en España en el curso de los siglos fue notablemente mayor, su dominio político y cultural sobre la población cristiana nativa, más brutal, la oposición entre ambas civilizaciones tan definida, que una asimilación era poco probable. Se llegó, no obstante, a un equilibrio cultural que vino a ser altamente fructífero para el desarrollo espiritual y económico del país.

No puede ser ya aceptada como válida la opinión [81], defendida en el pasado, de que la población románica que permaneció bajo el dominio árabe haya abandonado muy pronto religión e idioma en favor de los nuevos señores. De fuentes seguras sabemos hoy que la gran mayoría de la población románica conservó su lengua y su religión y que sólo una parte relativamente reducida ('renegados') adoptó las creencias musulmanas. Tanto los unos (*mozárabes*) como los otros (*muladíes*) aprendieron paulatinamente el árabe, como también los mis-

---

81 Así, p. e., en la exposición de G. BAIST en *Gr. Gr.*, II, 2, 1897, pág. 384.

mos árabes se vieron, por razones económicas, en la necesidad de aprender la *aljamía* = la lengua castellana [82]. El bilingüismo une a nacionales y extraños en la atmósfera de una tolerancia religiosa y política. Sólo desde el fin del siglo XI se llega a un desplome del elemento románico de la población, como consecuencia del predominio de tribus y dinastías africanas bereberes (*almorávides, almohades*). Su organización cristiana se disuelve. La emigración al Norte debilita sus filas. Los matrimonios mixtos completan su decadencia. Pero este proceso no se lleva a cabo sin que el árabe hablado en la Península se mezcle con elementos del habla mozárabe (es decir, románica).

Como nos han enseñado las investigaciones de Menéndez Pidal, el mozárabe tiene gran importancia para la prehistoria del español y para la reconstrucción de la antigua situación lingüística existente en la Península antes de la Reconquista. Voces provenientes de la España mozárabe —como p. e. *oxkutair* 'escudero', *xemthair* 'sendero', *yenair* 'enero', *plantain* 'llantén', *uello* 'ojo', *baiga* 'vega', *tridco* 'trigo', *laite* 'leche', *taiś* 'tejo'—, nos muestran ya un carácter muy antiguo, ya una cierta semejanza con el gallego-portugués o con otras hablas romances españolas que no siguieron la evolución fonética del castellano.

Una excelente caracterización de la cultura y de los dialectos mozárabes debemos a R. MENÉNDEZ PIDAL, *Orígenes del español* (Madrid 1950), págs. 415-440. La significación del elemento mozárabe para la articulación lingüística de la Península ha sido bien destacada por W. J. ENTWISTLE, *The Spanish language* (Londres 1936), págs. 111-125. Una fonética del mozárabe nos da V. GAR-

---

[82] La denominación de *mozárabe* (forma primitiva *muztárabe*) significa 'falso árabe', 'arabizado' (ar. *musta ʿrib*).

CÍA DE DIEGO en su *Manual de dialectología española* (Madrid 1946), págs. 287-300.

Una importante fuente para el léxico mozárabe es el *Vocabulista in arabico pubblicato per la prima volta sopra un codice della Biblioteca Riccardiana di Firenze* (Florencia 1871, editado por C. SCHIAPARELLI). Para todo propósito investigativo es también indispensable F. J. SIMONET, *Glosario de voces ibéricas y latinas usadas entre los mozárabes* (Madrid 1888), aunque haya de usarse esta obra con cautela. Una rica fuente de nombres mozárabes de plantas nos ha hecho accesible MIGUEL ASÍN PALACIOS, de un manuscrito de los siglos XI-XII: *Glosario de voces romances registradas por un botánico anónimo hispanomusulmán* (Madrid 1943).

La importancia de los mozárabes emigrados al Norte cristiano como portadores de arabismos ha sido aclarada por A. STEIGER en el trabajo *Zur Sprache der Mozaraber,* en *Festschrift für Jakob Jud,* Zurich 1943, págs. 624-714; véanse también los ejemplos léxicos citados por M. L. WAGNER en ZRPh, LXIX, págs. 369-373. En el tomo 'Los mozárabes' de la obra *Minorías étnico-religiosas de la Edad Media Española* (Madrid 1948), aporta I. DE LAS CAGIGAS una detallada historia de las minorías cristianas bajo la dominación árabe[83].

Se ha discutido mucho acerca de la medida en que la lengua árabe haya influído sobre la estructura fónica del español. Se creyó en el pasado que el desarrollo *s* > *š*(*x*) > *j* (*jabón, jugo, Játiba,* río *Júcar*) obedecía a influjo árabe, pero este mismo fenómeno ocurre también en el extremo Norte (ast. *xastre,* gall. *xordo, xabón, xeva* < SILVA) y en las hablas meridionales de Francia (gasc.

---

[83] Para la historia del arte: M. GÓMEZ MORENO, *Iglesias mozárabes. Arte español de los siglos IX a XI* (Madrid, 1919); id., *El arte árabe español hasta los almohades. Arte mozárabe* (Madrid, 1951).

cheys 'seis', *chens* 'sin', *chaus* 'sauce'). Por esta razón se considera hoy tal hecho como una evolución fonética independiente del árabe; comp. A. Castro en RFE, I, pág. 102 y F. Krüger, *Studien zur Lautgeschichte westspanischer Mundarten* (Hamburgo 1914), § 215 sigs. En cambio, no se puede dudar del influjo islámico en la transformación de nombres geográficos: *Zaragoza* < Cæsaraugusta, *Cáceres* < Castris, *Sevilla* < Hispalia, *Baeza* < Beatia, *Cádiz* < Gadir, *Ecija* < Astigi, *Tajo* < Tagus. El resultado de la inflexión árabe ('imela') se reconoce en la evolución fonética de la pronunciación árabe: *žajjân* > *Jaén, Dânija* > *Denia, at-tâja* > *Altea, Bâža* (Pace Julia) > *Beja,* port. *Tejo* frente al esp. *Tajo,* y en los numerosos topónimos en *-én, -ena* (*Callén, Grañén, Marcén, Leciñena, Lucena, Lucainena, Ontiñena*), que contienen el lat. *-anum, -ana.* No carece tampoco de importancia el influjo árabe sobre la estructura fonológica del castellano; véase Y. Malkiel en RPh, VI, 1952, página 62.

Cuando fue frenado, en el curso de la Reconquista, el proceso de arabización, muchos vocablos extranjeros se habían naturalizado tan firmemente que ya no podían ser desarraigados. Ya antes otras expresiones islámicas habían penetrado, por obra de las relaciones comerciales, también en aquellos sectores que no dependían directamente de los musulmanes. De este modo se convirtió en sólido componente de los romances penisulares una porción considerable de material lingüístico proveniente del árabe. Son términos de la administración pública, de la cultura caballeresca, del comercio, de la agricultura, de la ganadería, de la jardinería, del riego, de la vida casera, de los objetos de uso diario como p. e. *alcalde, aduana, aldea, arrabal, jinete, acicate, almacén, alhóndiga, albañil, arroba, fanega, aceite, ganado, zagal, bellota, zanahoria, alcachofa, albaricoque, alubia, berenjena, acequia, noria, alji-*

be, zaguán, azotea, jarro, almohada, alfombra, alfiler. Pero también hay, aisladamente, adverbios (*en balde*) y preposiciones (*hasta,* port. *até*). También pasó al español un sufijo árabe: *jabalí, marroquí, alfonsí.* Los elementos árabes se hallan en español y portugués en una proporción más o menos equivalente [84]. En catalán, su participación es esencialmente más restringida: de los 31 vocablos arriba mencionados sólo 19 están representados en este idioma [85].

AMÉRICO CASTRO (*España en su historia,* 1948, págs. 61-82) ha expuesto la opinión de que también el peculiar significado de ciertas voces (*hijodalgo, ojo* 'fuente', *mesturero* 'delator', *sombra* 'favor', *tiene ángel, poridad*) tenga su razón de ser, como 'calco de palabras', en la lengua árabe. Esta tesis requiere todavía una cuidadosa comprobación. Que la técnica árabe de la descripción continúa actuando en el *Libro de buen amor,* ha mostrado DÁMASO ALONSO en el interesante artículo *La bella de Juan Ruiz* (*Insula,* VII, 1952).

Entre los trabajos anteriores dedicados al contingente árabe, son aún dignos de mención el *Glossaire des mots espagnols et portugais dérivés de l'arabe* de R. DOZY y W. H. ENGELMAN (Leiden 1869) y el *Glosario etimológico de las palabras españolas de origen oriental* de L. EGUÍLAZ Y YANGUAS (Granada 1886). La moderna investigación ha alcanzado desde entonces notables progresos gracias a la opinión, cada vez más extendida, de que para la identificación lingüística se debe tomar ante todo en consideración, no el árabe literario, sino los dialectos occidentales de Magreb y de Berbería [86]. El desarrollo fonético de los

[84] En las regiones meridionales el número de arabismos es considerablemente mayor que en el habla de Castilla.

[85] Faltan *acicate, albañil, aceite, ganado, zagal, alubia, noria, zaguán, azotea, almohada, alfiler, hasta.*

[86] Para la identificación de los elementos árabes no es apropiado, por

arabismos ha sido investigado, con penetrantes métodos críticos, por ARNALD STEIGER, *Contribución a la fonética del hispano-árabe y de los arabismos en el ibero-románico y el siciliano* (Madrid 1932); comp. el comentario de M. L. WAGNER en VKR, VI, 1933, págs. 289-294. Las bases históricas y culturales que condujeron a la incorporación de los arabismos han sido estudiadas por E. K. NEUVONEN, *Los arabismos del español en el siglo XIII* (Helsinki 1941).

Después de la obra de Steiger, la investigación de los elementos árabes ha realizado otros progresos. Entre los arabistas españoles, habrá de hacerse aquí mención especial de las contribuciones de M. ASÍN PALACIOS, sin olvidar, sin embargo, que este erudito fue ante todo un excelente conocedor de la filosofía escolástica árabe y que en cuestiones lingüísticas es menos fidedigno[87]. A propósito de la etimología de *dejar,* discute importantes problemas metodológicos una monografía de M. L. WAGNER en ZRPh, LXII, 1942, págs. 70-80. A este investigador, en particular, debemos valiosos y nuevos conocimientos sobre cuestiones etimológicas especiales, comp. *Etimologías españolas y arábigo-hispánicas,* RFE, XXI, 1934, págs. 225-247, y *Sôbre alguns arabismos do português,* en *Biblos,* X, 1934, págs. 427-453. Sobre voces árabes en catalán trata

esta razón, un diccionario del árabe literario, como p. e. el *Handwörterbuch der neuarabischen Sprache* de A. WAHRMUND (Giessen, 1870-77), sino más bien uno del árabe vulgar, p. e. E. GASSELIN, *Dictionnaire français-arabe* (París, 1890-91), o JOSÉ LERCHUNDI, *Vocabulario español arábigo del dialecto de Marruecos* (Tánger, 1932). Una fuente muy importante para el dialecto árabe hablado en el reino de Granada constituye el diccionario del *Vocabulista arábigo en letra castellana* de PEDRO DE ALCALÁ (Granada, 1505).

[87] Hacemos particular referencia al último estudio de ASÍN PALACIOS, fallecido en 1944, *Enmiendas a las etimologías árabes del 'Diccionario de la lengua' de la R. Acad. Española,* Al-An., IX, 1944, págs. 9-41.

J. COROMINAS, BDC, XXIV, 1936, págs. 1-81; sobre el consonantismo de las palabras árabes en catalán FR. DE B. MOLL en su *Gramática histórica catalana* (Madrid 1952), págs. 151-159. Otro campo de influencias estudia el libro de A. GALMÉS DE FUENTES, *Influencias sintácticas y estilísticas en la prosa medieval castellana* (Madrid 1956, también en BAE, XXV, 1955 y XXVI, 1956).

Como primera orientación general sobre los influjos islámicos recomendamos la síntesis contenida en el libro de WILLIAM J. ENTWISTLE, *The Spanish language* (Londres 1936), págs. 106-145, la cual resume claramente los principales problemas. Las múltiples influencias sobre idioma y nombres geográficos han sido lúcidamente analizadas, en un interesante resumen, por RAFAEL LAPESA en la *Historia de la lengua española* (1950), págs. 95-109. Una buena orientación sobre los efectos culturales de la Reconquista contiene el capítulo 'Araberinvasion und Reconquista' en el trabajo de H. MEIER, *Beiträge zur Sprachlichen Gliederung der Pyrenäenhalbinsel* (Hamburgo 1930), págs. 101-114. Acertadamente caracteriza H. KUEN la significación del dominio árabe para la diferenciación lingüística de la Península, en ZRPh, LXVI, 1950, págs. 118-122. Buenos servicios presta todavía el corto artículo de CHRISTIAN SEYBOLD, *Die arabische Sprache in den romanischen Ländern,* Gr. Gr., I^2, 1906, págs. 515-523.

Las influencias generales provenientes del dominio cultural islámico son examinadas por A. STEIGER, *Aufmarschstrassen des morgenländischen Sprachgutes,* VR, X, 1949, págs. 1-62. Aspectos económicos y político-sociales (enlazados con temas filológicos) discute C. E. DUBLER, *Über das Wirtschaftsleben auf der iberischen Halbinsel vom XI. zum XIII. Jahrh.* (Ginebra 1943).

Obra fundamental para todas las relaciones entre cultura árabe y mundo cristiano es *La civilisation arabe en*

Espagne (El Cairo 1938) por E. LÉVI-PROVENÇAL; en traducción esp. véase pág. 71. La obra de A. CASTRO, *España en su historia* (Buenos Aires 1948), muestra el profundo influjo de la manera de ser y de pensar árabe sobre la formación de la mentalidad española (véase arriba, páginas 71 y 101).

Organo central de todas las relaciones románico-islámicas en lengua y literatura es la revista *Al-Andalus* (Madrid-Granada, desde 1933).

DICCIONARIOS

Para todo lo relacionado con la traducción constituyen los diccionarios bilingües una absoluta necesidad. Tales obras existen para las principales lenguas de cultura, pero no merecen todas la misma confianza. Admirable trabajo es el *Wörterbuch der spanischen und deutschen Sprache* por R. J. SLABÝ y R. GROSSMANN: *Spanisch-Deutsch und Deutsch-Spanisch* (Leipzig 1932, y 1937, nueva impresión Barcelona 1950). No son recomendables, por padecer de muchos errores y lagunas, los diccionarios (español-alemán y alemán-español) de L. TOLHAUSEN (Leipzig 1888 sigs.) y E. PFOHL (Leipzig 1931).

En relación con otros idiomas mencionaremos:

A. CUYÁS ARMENGOL, *Gran diccionario inglés-español* y *español-inglés*. Barcelona 1949.

E. B. WILLIAMS, *Spanish and English Dictionary* y *Diccionario inglés y español*. New York 1955.

E. M. MARTÍNEZ AMADOR, *Diccionario francés-español y español-francés*. Barcelona 1950.

VOX, *Diccionario manual francés-español y español-francés*. Barcelona 1950.

LUCIO AMBRUZZI, *Nuovo dizionario spagnolo-italiano e italiano-spagnolo*. Turín 1952.

F. DUARTE COELHO, *Nuevo diccionario portugués-español*. Lisboa, 1911. [Obra muy modesta].

JULIO MARTÍNEZ ALMOYNA, *Dicionário espanhol-português*. Porto 1951.

Para ocuparse con el español de manera más profunda son indispensables los siguientes léxicos:

Pequeño Larousse ilustrado, adapt. esp. de MIGUEL DE TORO Y GISBERT, Paris 1951. [Trae muchas voces americanas. Contiene en su segunda parte un 'Diccionario enciclopédico'].

Diccionario manual e ilustrado de la lengua española de la REAL ACADEMIA ESPAÑOLA. Madrid 1927. [Completa el diccionario grande de la Academia (ver pág. 107), incorporando ampliamente vocabulario de las lenguas diaria, regional y americana, al paso que excluye voces anticuadas].

J. ALEMANY Y BOLUFER, *Diccionario ilustrado de la lengua española.* Barcelona 1943. [Corresponde más o menos, en la disposición, al pequeño Larousse, sin igualarlo en eficacia. Trae muchos americanismos].

FÉLIX DÍEZ MATEO, *Academo, Diccionario español etimológico del siglo XX.* Bilbao, s. f. [Léxico manual, que contiene también voces de germanía, americanismos y vulgarismos. No da etimologías].

Para labores científicas relativas al español tienen especial importancia los siguientes diccionarios:

ANTONIO DE NEBRIJA, *Vocabulario de Romance en Latín.* Salamanca 1492. [El léxico más antiguo de la lengua castellana. Su año preciso de impresión es desconocido (1492?), pero es probable que haya sido compuesto imediatamente después del 'Lexicon latino-hispanicum' que lleva la fecha 1492 [88]].

---

[88] Sobre los diccionarios de siglos pasados véase la bibliografía de W. J. KNAPP, *Concise bibliography of Spanish grammars and dictionaries: 1490-1780* (Boston, 1884) y la Bibliografía crítica contenida en el *Tesoro lexicográfico* (Madrid, 1947) de S. GILI GAYA, págs. XVII-XXIV.

SEBASTIÁN DE COVARRUBIAS OROZCO, *Tesoro de la lengua castellana.* Madrid 1611. Nueva edición 'con las adiciones de Benito Remigio Noydens publicadas en la edición de 1674' por Martín de Riquer. Barcelona 1943. [El mejor léxico castellano anterior al de la Academia. La nueva edición está provista de un índice de palabras que facilita el manejo del diccionario, el cual no está ordenado estrictamente por orden alfabético].

CÉSAR OUDIN, *Thrésor des deux langues françoise et espagnole.* Paris 1607 y ed. posteriores. [Es la fuente más importante para los diccionarios bilingües posteriores[89]].

GONZALO CORREAS, *Vocabulario de refranes y frases proverbiales y otras fórmulas comunes de la lengua castellana.* Escrito en 1627, publicado por la R. Academia Española, Madrid 1906. ['Las frases corrientes que registró Correas son tan abundantes, que su Vocabulario supera a todos los de su tiempo, incluyendo el de Covarrubias' (S. Gili Gaya)].

Diccionario de la lengua castellana por la R. ACADEMIA ESPAÑOLA. Madrid 1726-1739. [La primera edición, llamada 'Diccionario de Autoridades', se propuso la tarea purista de establecer normativamente el uso de la lengua y de estigmatizar las voces foráneas y los giros no castellanos. Tiene el valor particular de haber sacado sus ejemplos de los buenos escritores. Las ediciones siguientes desatendieron los testimonios históricos, disminuyendo así el va-

---

[89] Entre los diccionarios bilingües anteriores merecen atención el *Vocabulario toscano y castellano* de C. DE LAS CASAS (Sevilla, 1570), el *Dictionary in Spanish and English* de R. PERCIVALE (Londres, 1599) y el *Diccionario de la lengua española y francesa* de J. PALET (París, 1604).

lor de la obra. A partir del siglo XIX se esfuerza el Diccionario por prestar más atención al habla diaria moderna. Le hizo falta, sin embargo, un plan claro. Siguió siendo arbitrario en la aceptación de términos regionales y poco fidedigno en sus etimologías. Inclusive para la Edad de Oro la información es incompleta y, a veces, errónea [90]. Tampoco las últimas ediciones han hallado crítica favorable; comp. A. Castro, RFE, XII, 1925, págs. 403 y siguientes. Ultima edición 1956] [90a].

Vicente Salvá, *Nuevo diccionario de la lengua castellana.* París 1847. [Frente al nivel del Diccionario de la Academia en aquella época, esta obra se distinguió por su mayor riqueza y por la mayor seguridad de sus datos].

M. Rodríguez Navas, *Diccionario completo de la lengua española.* Madrid 1900. [Contiene mucho material de América y de las provincias españolas; presta especial atención a la terminología científica].

Aniceto de Pagés, *Gran diccionario de la lengua castellana,* 5 volúmenes. Barcelona 1902, nueva ed. Barcelona 1931 [Muy útil por los ejemplos de escritores antiguos y modernos].

Vox, Diccionario general ilustrado de la lengua española. Segunda edición corregida y notablemente ampliada por Samuel Gili Gaya. Barcelona 1953. ['Uno de los más completos y útiles repertorios del español' (A. Zamora Vicente)].

---

[90] Un extenso apéndice a la décima cuarta edición (1914) fue publicado por F. Rodríguez Marín, *Dos mil quinientas voces castizas y bien autorizadas que piden lugar en nuestro léxico* (Madrid, 1922, 409 págs.).

[90a] En las ediciones posteriores (desde 1925) el Diccionario se llama *D. de la lengua española.*

SAMUEL GILI GAYA, *Tesoro lexicográfico.* Madrid 1947 sigs. [Reúne en un léxico general el material contenido en 93 diccionarios impresos e inéditos, provenientes de la época entre 1492 y 1726 (año en que apareció el primer Diccionario de la Academia). Hace así fácilmente asequible lo que hasta ahora sólo era aprovechable en ejemplares raros o en manuscritos. Es importante para la lengua del Siglo de Oro y para las primeras formas atestiguadas, siendo asimismo una muy valiosa base para el futuro diccionario histórico. Llega por ahora hasta la letra *Ch*].

En lo tocante a la riqueza de los distintos diccionarios, entre *chama* y *chapa* está registrado el siguiente número de voces:

Dicc. Acad. Esp. (1837): 57
Tesoro lexicogr. (1952): 71
Slabý-Grossmann (1932): 82
Salvá (1847): 89
Rodríguez Navas (1900): 89
Dicc. Acad. Esp. (1947): 118
Dicc. Man. Acad. Esp. (1950): 122
Pequeño Larousse: 128

La ausencia de un verdadero diccionario histórico del español continúa haciéndose sentir. Patrocinado por la Academia había comenzado a aparecer en Madrid, entre 1933-1936, un *Diccionario histórico de la lengua española.* Estaba concebido según un criterio bastante anticuado, de modo que no es de lamentar mucho que los dos tomos impresos (letras A-C) hubieran sido totalmente destruídos en la guerra civil española. La Academia decidió en

1948 una nueva organización de tal diccionario que corresponda a las modernas exigencias de la ciencia [91].

Otros léxicos se proponen tareas más especiales o limitadas [92]:

R. J. Cuervo, *Diccionario de construcción y régimen de la lengua castellana.* París (2 tomos) 1886-1893. [Este léxico se ocupa únicamente de aquellas palabras que encierran interés en su construcción sintáctica (ver pág. 157). Ofrece un rico material, elaborado históricamente de manera excelente. Llegó sólo hasta la letra D [93]. Hay nueva edición del Instituto Caro y Cuervo, Bogotá, I (1953), II (1954)].

J. Casares, *Diccionario ideológico de la lengua española.* Barcelona 1942. [La importancia de esta obra radica en la ordenación del léxico por conceptos, reuniendo en el mismo artículo todos los términos cuya significación está en alguna relación con la de la palabra-título correspondiente. Para 'fiesta', por ejemplo, da más de 200 expresiones emparen-

---

[91] Comp. J. Casares, *Ante el proyecto de un Diccionario histórico,* BAE, XXVIII, 1948, págs. 7-25, 177-224. En el año 1951 distribuyó la Academia española una prueba (17 págs.) del diccionario histórico planeado, consistente en extractos de las letras A y B, acompañados de un prólogo de J. Casares.

[92] Un gran número de diccionarios especiales para la técnica o el comercio se hallan enumerados en el prefacio del diccionario de Slabý-Grossmann, I, págs. xx sigs. Para los siglos pasados véanse las obras citadas por Gili Gaya en el *Tesoro lexicográfico* (pág. xii).

[93] Una continuación que abarca los artículos *ea* a *empero* apareció póstumamente en BICC, I sigs. (1945 sigs). Los materiales dejados por el autor vienen siendo revisados y completados por el Instituto Caro y Cuervo. La nueva redacción se inicia con los artículos *empezar* y *empinar,* publicados *ib.,* VII, págs. 4-17, y X, págs. 348-352.

tadas semánticamente; para 'aguzanieve' 18 designaciones diferentes [94]].

G. M. VERGARA MARTÍN, *Diccionario hispano-americano de voces sinónimas y análogas.* Madrid 1930 [94a].

SÁINZ DE ROBLES, *Diccionario de sinónimos y antónimos.* Madrid 1953. (De valor modesto).

E. DÍAZ RETG, *Diccionario de dificultades de la lengua española.* Barcelona 1951.

DUDEN ESPAÑOL, *Diccionario ilustrado de la lengua castellana.* Leipzig 1940. [Comprende todos los conceptos que se pueden representar gráficamente. Importante para las terminologías técnicas. El índice alemán abarca más de 20.000 expresiones. Indispensable para traductores e intérpretes. Sobre los puntos débiles de la obra véase G. ROHLFS, *Archiv* 179, pág. 82].

C. F. TWENEY y L. E. C. HUGHES, *Chambers diccionario tecnológico español-inglés e inglés-español.* Barcelona 1952. [Ciencia, industria, técnica, medicina].

B. ALEMANY Y SELFA, *Vocabulario de las obras de D. Luis de Góngora y Argote.* Madrid 1930. [Atrasado desde el punto de vista científico y poco seguro].

J. M. DE COSSIO, *Vocabulario taurino autorizado.* Contenido en la obra de lujo *Los toros,* Madrid 1943. [El más rico registro de la terminología del 'ambiente taurino'].

---

[94] Gracias a esta obra queda el *Diccionario ideológico* (alrededor de 1937) de E. GÓMEZ CARRILLO completamente superado.

[94a] Otras obras que sirven para la distinción de los sinónimos son: ROQUE BARCIA, *Sinónimos castellanos* (Madrid, 1921) y R. RUPPERT Y UJARAVI, *Spanische Synonymik* (Heidelberg, 1940). Ambas ven disminuído su valor por métodos hoy anticuados; para el segundo véase W. KRAUSS, RF, 55, págs. 210-221.

En cuanto a diccionarios enciclopédicos, fuera de la gran Enciclopedia Espasa (véase pág. 65), existen:

Diccionario enciclopédico hispano-americano de literatura, ciencias, artes. 28 tomos. Barcelona-Londres 1887-1897. [Además del diccionario, orientación geográfica y biográfica].

Diccionario Salvat enciclopédico popular ilustrado. Barcelona, s. f. [véase pág. 65].

Sobre las tareas, concepción y organización de la investigación lexicográfica orienta el interesante libro de J. Casares, *Introducción a la lexicografía moderna* (Madrid 1950). Una muy extensa 'Bibliography of Hispanic dictionaries and word lists' da Y. Malkiel en su trabajo *Studies in the reconstruction of Hispanic-Latin word families* (Berkeley 1954), págs. 174-178.

En relación con léxicos del español de América, ver página 182 y sigs.

En cuanto a diccionarios etimológicos, véase pág. 119.

Sobre instrumentos de trabajo léxico con el español antiguo, véase pág. 129.

INVESTIGACION ETIMOLOGICA Y SEMANTICA

Los métodos de la investigación etimológica se han transformado notablemente en el curso de los últimos decenios. Las leyes fonéticas dejaron de ser, desde hace tiempo, el único criterio determinador de la interpretación etimológica. Si nos atuviésemos estrictamente a tales leyes, no podríamos emparentar *nuez* con NŬCE, *nieve* con NĬVE, *surco* con SULCU, ni *nudo* con NŌDU. Habríamos de tener escrúpulos en relacionar *quemar* con CREMARE, *hallar* con AFFLARE, *dejar* con LAXARE, *ayunque* con *INCUGINE (< INCUDINE). Entretanto hemos aprendido que la evolución normal puede ser alterada por fuerzas muy diversas. En tales perturbaciones juega un gran papel el cruce de palabras; de la asociación de NIVE con GĔLU, por ejemplo, debe haber resultado ya en la época del latín vulgar un *NĔVE (comp. tosc. vulg. *nieve*). El esp. *rueca* no corresponde exactamente al germ. RUKKA, sino que tomó el vocalismo del lat. CŎLUS (vasc. *golu, goru*), que era la voz más antigua. El cast. *alondra* parece provenir de una confusión de ALAUDULA con HIRUNDULA (fr. ant. *alondre*). El cast. *raposa* no concuerda con *rabo* ('animal de gran rabo'), pero en Aragón se dice *rabosa*: el vocablo, pues, fué relacionado secundariamente con *rapar*. Otras perturbaciones están determinadas por la 'analogía'. El cast. *saúco,* considerado como 'palabra culta' por MENÉNDEZ PIDAL (*Manual* § 40), debe su notable *c* más bien a la asociación con el sufijo *-uco* (-UCCU).

Hemos aprendido que las palabras no son todas indígenas en los diversos sitios. Los vocablos viajan. Se infiltran desde otros idiomas. Pasan de los dialectos a mezclarse con la lengua culta (ver pág. 140). La importancia de las hablas españolas norteñas para la interpretación de problemas etimológicos ha sido ilustrada con interesantes ejemplos por M. L. WAGNER en *Etymologische Randbemerkungen zu neueren iberoromanischen Dialektarbeiten und Wörterbüchern* (ZRPh, LXIX, 1953, págs. 347-391). De origen francés son *cobarde, tilo, jamón, salvaje, gozne* (*gonce*); del provenzal descienden *patio, fraile, carpe, correo, bosque, joya* y *malvado;* del gascón (Burdeos) *fonil.* Un análisis fonético detenido muestra que también *guiar, meaja, mismo* deben ser préstamos, pues no concuerdan con *lado* y *todo* en el tratamiento de *-t-*. Indicaciones metodológicas para el reconocimiento de los influjos galorrománicos da G. ROHLFS, *Fränkische und franko-romanische Wanderwörter in der Romania,* en *Festschrift Gamillscheg,* 1952, págs. 111-128.

En toda investigación etimológica será de gran provecho el examen cuidadoso de las formas accidentales regionales y dialectales. La voz *prenda,* difícil de comprender a partir de PIGNORA, se aclara cuando se conoce la forma antiguo-aragonesa *peyndra* (léase *peñdra*). El cast. *acebo* se nos revela como un desarrollo regional de *ACÍFOLUM (en lugar de ACRIFOLIUM) una vez que sabemos que *TRÍFOLUM (en lugar de TRIFOLIUM) aparece en el Noroeste de la Península como *trebo,* como también en unos dialectos del Norte EBULUS ha pasado a *yebo* (Alava), POPULUS a *pobo.* También el mirar allende los Pirineos puede arrojar nuevas luces sobre un problema. Si se sabe que la problemática *d* de *dejar* (port. *deixar,* cat. *dexar*) no es desconocida en otros romances (gasc. *dechá,* calabr. *dassare,* sard. *dassare,* piam., sólo en el imperativo, *dassa*), es éste un hecho del cual se desprenden importantes puntos de referencia.

La confrontación de las palabras con las cosas enriqueció a la etimología con nuevos métodos [95]. La historia léxica se elevó así al plano de la historia de la cultura. El lingüista entró en relación con el etnógrafo. La voz *arna* 'colmena', usada en Aragón y Cataluña, sin duda idéntica al ast. *arna* 'corteza de árbol', recibió su explicación al comprobarse la existencia de colmenas fabricadas con tales cortezas (en Aragón, León, Extremadura y Cataluña) [96].

El único ejemplo del desarrollo *nd* > *n* que se ha podido aducir hasta hoy en aragonés moderno (sólo en el Este de esta región) es *tenella* (lat. TENDICULA), como nombre de la 'telera del arado' [97]. Sin embargo, gracias a las muy minuciosas investigaciones de Krüger [97a] se ha comprobado que la telera (de hierro) llamada *tenella* pertenece a un tipo de arado más moderno que, proveniente de Cataluña, penetró en la parte oriental de Aragón; es decir, se trata aquí de un préstamo catalán, donde *nd* pasa normalmente a *n*. El nombre de la telera (de madera) de un tipo de arado más primitivo era *espata*: ya no se encuentra hoy sino en el Oeste de Aragón.

Las modernas investigaciones iniciadas por el francés Gilliéron han mostrado cómo la homonimia es, muy frecuentemente, responsable de la muerte de vocablos. El esp.

---

[95] Véase G. ROHLFS, *Romanische Philologie*, I, 1949, pág. 31.

[96] Comp. W. BRINKMANN, *Bienenstock und Bienenstand in den romanischen Ländern* (Hamburgo, 1938), págs. 49 sigs.

[97] Comp. V. GARCÍA DE DIEGO, *Manual de dialectología española* (1946), pág. 255; ROHLFS, *Le gascon* (1935), § 389.

[97a] F. KRÜGER, *Die Hochpyrenäen*, C, II, Hamburgo, 1939, págs. 95 y siguientes.

ant. *cama* 'pierna' desapareció así a causa del encuentro con *cama* 'lecho', mientras que en catalán *cama* 'pierna' (junto a *llit* 'lecho') se conservó. A consecuencia de las especiales circunstancias fonéticas existentes en Hispanoamérica, *cocer* y *coser* se fundieron en una sola forma fónica, siendo por esto por lo que en varios países latino-americanos se oye *cocinar* por *cocer* y *costurar* por *coser*. También la diferencia entre *casa* y *caza* fue anulada en América, motivo por el cual se reemplaza allí frecuentemente *caza* por *cacería.*

Sobre el fenómeno del cruce de palabras da V. García de Diego un gran número de claros ejemplos en *Cruces de sinónimos,* RFE, IX, 1922, págs. 113-153. Al mismo autor debemos el trabajo *Problemas etimológicos,* Discurso leído ante la R. Acad. Esp. (Avila 1926), importante por su valor metodológico, que muestra cómo la tradicional rigidez de los métodos puede ser superada con nuevos puntos de vista. De los préstamos léxicos hechos por el español al francés se ocupa el estudio de J. B. de Forest, *Old French borrowed words in the Old Spanish,* RR, VII, 1916, págs. 370-410, y una tesis doctoral inédita de Rudolf Söllner (Munich 1949). La influencia de los dialectos provenzales en la reorganización de los reinos cristianos ha sido mostrada por R. Lapesa, *Asturiano y provenzal en el Fuero de Avilés* (Salamanca 1948). El trabajo de J. H. Terlingen, *Los italianismos en español* (Amsterdam 1943), trae mucho material léxico relativo a los influjos italianos, si bien no siempre con la profundización histórico-etimológica apetecible; véase el notable comentario de J. Corominas en *Symposium,* II (Siracusa 1948), págs. 106-117.

En relación con la metodología de la investigación etimológica nombraremos algunos trabajos dignos de ser tomados como modelo: J. Jud, acerca de *ambuesta* y *almuerza,* RFE, VII, págs. 339-350; id., acerca de *mentira,* VR, XI, págs. 119 sigs.; L. SPITZER, sobre judeo-esp. *meldar* 'leer', RFE, VIII, 1921, págs. 288-291; J. COROMINAS, sobre *lindo,* AIL I, 1941, págs. 175-180, y *aulaga* en *Estudios Menéndez Pidal,* I, 1950, págs. 49-54; Y. MALKIEL, acerca de *duende,* Hom. Archer M. Huntington, 1952, págs. 361-392; J. HUBSCHMID, sobre *nava,* RIO, IV, 1952, págs. 3-22. Un ejemplo de concienzudo trabajo sobre una familia léxica cruzada por diversos influjos brinda D. ALONSO, *Representantes no sincopados de *rotulare,* RFE, XXVII, 1943, págs. 153-180 [97b]. A base de los documentos medievales determina cronológicamente P. AEBISCHER, ER, I, 1948, págs. 69-74, la penetración del galicismo *bosque.* Sobre los nombres de la berenjena y la propagación de las variantes árabes (*bitingâna, bedenžâl, baranyana*) en los idiomas europeos trata C. E. DUBLER, Al-An., VII, 1942, págs. 367-389. DÁMASO ALONSO, *'Junio' y 'julio' entre Galicia y Asturias,* RDTP, I, 1945, págs. 429-454, muestra cómo el deseo de diferenciar vocablos de valor fónico semejante ha conducido en Galicia y Asturias, en el caso de los nombres de estos meses, a creaciones propias (*šunu* y *šunicu, šunidón* y *šunidín*). Orientación lingüístico-geográfica tienen las contribuciones de A. STEIGER sobre los nombres del hollín, *Hom. Menéndez Pidal,* II, 1924, págs. 35-48, de M. L. WAGNER sobre las designaciones de la tolva, *Biblos,* XXIV, 1948, págs. 247-265. EVA SEIFERT, RFE, XVII, 1930, págs. 233-276, 345-385, esboza la historia del reemplazo de *habere* por *tenere,* delineando finamente las diferencias semánticas y estilísticas. La gran importancia de los materiales diplo-

---

[97b] Véase también el trabajo que FRITZ KRÜGER ha dedicado a los grupos etimológicos que han nacido del tema *car-* y a la filiación semántica de esta familia léxica en *Problemas etimológicos: Las raíces* CAR-, CARR- *y* CORR- *en los dialectos peninsulares* (Madrid, 1956).

máticos y de los topónimos para la investigación etimológica del léxico apelativo ha sido señalada, con maestría metodológica, por J. HUBSCHMID en los *Studien zur iberoromanischen Wortgeschichte und Ortsnamenkunde,* BF, XII, 1951, págs. 117-156. Son ejemplares algunos ensayos de PAUL AEBISCHER reunidos en el tomo *Estudios de toponimia y lexicografía románica* (Barcelona 1948): se refieren al origen de *español, Cataluña, manzana,* etc.

YAKOV MALKIEL, *The hypothetical base in Romance etymology,* en *Word,* VI, 1950, págs. 42-69, ha arrojado valiosas luces sobre la metodología etimológica, manejando a la vez un muy rico aparato bibliográfico. En el trabajo *Etymology and historical grammar* (RPh, VIII, 1955, págs. 187-208) subraya el mismo autor los complejos e individuales fenómenos que, frente a la lingüística histórica, juegan un papel en la investigación etimológica. Contra las etimologías de substrato y sus teorías demasiado especulativas previene HARRI MEIER en el artículo *Mirages prélatins,* RF, LXIV, 1952, págs. 1-42, presentando nuevas interpretaciones sobre base latina que no pueden convencer; véase para esto pág. 93 [98].

La indagación etimológica juega ya un cierto papel en el *Diálogo de la lengua* de Juan de Valdés (ver pág. 123) y en la obra de Aldrete (pág. 124) [99]. COVARRUBIAS acordó más tarde un gran interés a estas cuestiones en

---

98 Sobre la metodología de la investigación etimológica véanse los trabajos de Schuchardt, Spitzer, Wartburg, Wagner y Pisani nombrados por G. ROHLFS en *Romanische Philologie,* I, 1949, pág. 29 y II, 1952, pág. 47. Sobre la extrema complejidad de unos problemas etimológicos véase J. MALKIEL, en la revista *Lingua,* V, 1956, págs. 225-252.

99 Sobre la obra inédita de FRANCISCO DE ROSAL, *Origen y etimología de todos los vocablos originales de la lengua castellana* (Ms. 6929 de la Bibl. Nacional de Madrid), fechada en 1601, véase S. GILI GAYA, *Tesoro lexicográfico,* 1947, pág. XXIII.

su *Tesoro* (véase arriba pág. 107), tratándolas de modo menos fantástico [99a]. Obras más modernas arrancan del *Etymologisches Wörterbuch der romanischen Sprachen* de FEDERICO DIEZ (1854). El *Diccionario etimológico de la lengua castellana* de P. F. MONLAU, aparecido en 1856 (reimpreso, sin modificaciones, en 1944) no participó de los progresos de la disciplina [100]. Completamente diletante es el *Diccionario general etimológico de la lengua española* de ROQUE BARCIA (Madrid 1880-83; nueva ed. Buenos Aires 1945). Anticuado desde el punto de vista científico es también el *Tesoro de la lengua castellana: Origen y vida del lenguaje* por J. CEJADOR Y FRAUCA (Madrid 1909-1914), obra orientada etimológicamente y ordenada por radicales.

A falta de un diccionario etimológico especial para el español, hasta ahora se había tenido que recurrir al *REW = Romanisches etymologisches Wörterbuch* (Heidelberg 1935) [101] de MEYER-LÜBKE. Valioso complemento a esta obra es la *Contribución al diccionario hispánico-etimológico* de V. GARCÍA DE DIEGO (Madrid 1923, nueva edición 1943, con mínimas adiciones): 'la más importante contribución en el campo de la investigación etimológica del español' (M. L. Wagner). Un poderoso avance frente a la situación anterior representa el *Dic-*

[99a] De la primera mitad del siglo XIX se puede citar el *Diccionario de etimologías de la lengua castellana* (Madrid, 1837) de RAMÓN CABRERA, que, aunque muy anticuado, conserva todavía 'cierto valor en algún caso' (COROMINAS).

[100] Engañador es el título *Diccionario etimológico del siglo xx* de F. DÍEZ MATEO (Bilbao, s. f.). No es éste ningún diccionario etimológico (ver pág. 106).

[101] Para el juicio sobre este diccionario véase G. ROHLFS, *Romanische Philologie*, I, 1949, pág. 23. — Para la península ibérica el REW es muy incompleto, véase Y. MALKIEL, *Some authentic Latin bases omitted from los dialectos peninsulares* (RPh., IX, págs. 63-68).

cionario crítico etimológico de la lengua castellana por J. COROMINAS, del cual han aparecido hasta ahora tres volúmenes (letras A-Re), Berna 1954-1956. Este léxico juzga críticamente todos los intentos de explicación anteriores, a base de una orientación admirablemente completa. Gran atención se concede a las relaciones con los demás romances, particularmente con el portugués, catalán y provenzal. Las explicaciones propias presentadas por el autor se distinguen por su inteligente circunspección. En lugar de atrevidas especulaciones, prefiere frecuentemente Corominas contentarse con un 'non liquet': 'de origen desconocido', 'seguramente prerromano'. La rica documentación de los siglos anteriores contenida aquí llena a la vez la tarea de un diccionario histórico. Casi contemporáneamente con la obra de Corominas se publicó el *Diccionario etimológico español e hispánico* (Madrid 1955) de V. GARCÍA DE DIEGO: también obra estimable y muy útil, sin embargo menos rica y menos segura en los pormenores, con orientación bibliográfica más escasa, con explicaciones etimológicas más sucintas, rica en citas dialectales, pero que carece completamente de la documentación literaria.

Para cualquier problema etimológico y semántico es altamente aconsejable consultar el *Französisches etymologisches Wörterbuch* (FEW) de W. VON WARTBURG (Bonn 1922 sigs.). Aquí ha sido elaborada una inmensa masa de materiales de todos los dialectos franceses y provenzales, en conexión con un interesante examen histórico-comparativo de toda la Romania, de lo cual saca también el hispanista valiosas informaciones.

Buenos servicios puede prestar el *Glosario de voces comentadas en ediciones de textos clásicos* (Madrid 1941) compilado por CARMEN FONTECHA: contiene todas las aclaraciones de carácter léxico sobre términos y giros de los siglos XV a XVII. Un material léxico todavía más rico de palabras (más de 50.000 !) discutidas en la literatura científica ofrece el *Registro de lexicografía hispánica* (Madrid 1951) editado por MIGUEL ROMERA NAVARRO. Es relativamente completo en cuanto se refiere al examen de libros españoles o americanos, pero absolutamente inseguro (con enormes lagunas y falsas referencias de páginas) en el aprovechamiento de las revistas alemanas (ZRPh, *Archiv, Rom. Jahresber.*). Es por esto muy aconsejable consultar los dos registros de la ZRPh (ver pág. 54) con sus cuidadosas referencias a los 50 tomos de esta publicación (1877-1930). Véase también la bibliografía de Woodbridge - Olson (citada en la pág. 51).

Para trabajos dedicados a las etimologías de un concepto o de un campo ideológico puede ser muy útil el estudio crítico y metódico de BRUNO QUADRI, *Aufgaben und Methoden der onomasiologischen Forschung* (Berna 1952).

El terreno de la semántica española carece aún de una exposición completa y crítica. El libro de FÉLIX RESTREPO, S. I., *Diseño de semántica general: El alma de las palabras* (Bogotá 1946) es el primer intento de clasificación metódica, atribuyendo especial importancia a los influjos psicológicos y sociales[101a]. Para la metodología y la interpretación pueden ser muy provechosos el tomo IV ('Semantique') de la *Grammaire historique de la langue française* de K. NYROP (Copenhague 1899-1930) y el libro de S. ULLMANN, *Principles of semantics* (Glasgow 1951). Una laudable exposición de un sector semasiológico parcial debemos a BRUNO MIGLIORINI, *Dal nome proprio al nome comune* (Ginebra 1927), con ejemplos

---

[101a] Una edición anterior de este libro apareció bajo el título *El alma de las palabras: Diseño de semántica general* (Barcelona, 1917).

sacados predominantemente del italiano y del francés. La creación metafórica ha sido examinada por PAUL PREIS, *Die Animalisierung von Gegenständen in den Metaphern der spanischen Sprache* (Tesis, Tubinga 1932), WERNER BEINHAUER, *Beiträge zu einer spanischen Metaphorik: Der menschliche Körper in der spanischen Bildsprache* (RF, LV, 1941, págs. 1-56) y del mismo autor, *Das Tier in der spanischen Bildsprache* (Hamburgo 1949); sobre el último libro ténganse en cuenta las observaciones críticas y complementarias de M. ALVAR, en ZRPh, tomo LXIX, 1953, págs. 306-322.

HISTORIA DE LA LENGUA Y GRAMATICAS

El primer intento de un estudio gramatical de la lengua española data del año 1492, que tan significativo fue para España[102]. En este año aparece la primera gramática del idioma español: la *Gramática castellana*[103] del filólogo y humanista ANTONIO DE NEBRIJA. Como tarea primordial de su obra se propone el autor la codificación y normalización de la lengua, con el objeto de hacerla impermeable frente a cambios y manifestaciones de decadencia. Pero su examen del idioma lo conduce ya, en algunos casos, a ciertas observaciones histórico-lingüísticas, por ejemplo, al conocimiento de la formación del futuro románico. Tendencias regularizadoras inspiran también a JUAN DE VALDÉS en su *Diálogo de la lengua* (compuesto alrededor de 1535, obra impresa sólo en 1737), pero en su caso la conciencia de la determinación regional y social del idioma, como también de las diversas fuentes de las cuales surgió la lengua española, aparece mucho más

---

102 La designación del idioma español, llamado aún *romance* en la Edad Media, oscila entre *castellano* y *español.* Los cultos prefieren hoy día *español,* al paso que en las regiones rurales predomina *castellano,* que suena hoy algo arcaizante. El *Diccionario de la lengua castellana* de la Academia se llama desde 1925 *Dic. de la l. española.* En la América hispánica está más extendido *castellano,* pues *español* choca por razones políticas. Cfr. AMADO ALONSO, *Castellano, español, idioma nacional. Historia espiritual de tres nombres,* Buenos Aires, 1938.

103 Reeditada por I. GONZÁLEZ-LLUBERA (Oxford, 1926). Nueva edición con fascímil por P. GALINDO ROMEO y L. ORTIZ MUÑOZ (Madrid, 1946). Sobre la importancia nacional e intelectual de la Gramática, ver HARRI MEIER, RF, IL, 1935, págs. 1-20.

patente. Un notable adelanto en la consideración histórico-lingüística se revela en la obra de B. ALDRETE, *Del origen y principio de la lengua castellana o romance* (Roma 1606): en muchas observaciones etimológicas son examinadas aquí de manera más penetrante las relaciones que guarda el español con el latín y los otros romances; la obra anticipa muchas comprobaciones que sólo en el siglo XIX fueron aceptadas como conocimientos seguros. En el siglo XVIII reviste notable importancia la obra de G. MAYÁNS Y SISCAR, *Orígenes de la lengua española* (1737), en la cual se reconocen acertadamente, por vez primera, las principales leyes fonéticas del español. Ningún adelanto significa, en sentido científico, la primera *Gramática de la lengua castellana* de la R. Academia Española, editada por primera vez en 1772. Su valor radica en la fijación normativa del buen uso lingüístico, siendo puramente descriptiva. La última edición, *Gramática de la lengua española* (1931), contiene una 'Tabla alfabética de materias' muy completa.

A una profundización científica de los estudios gramaticales se llegó sólo con el progreso de la lingüística comparada y, en particular, de los idiomas neo-latinos (gracias a las obras de Raynouard y Diez). En el año 1845 publicó el venezolano ANDRÉS BELLO su *Gramática de la lengua castellana,* la cual, por sus penetrantes definiciones y su coherente disposición, señalaba un gran avance. Con las posteriores refundiciones efectuadas por RUFINO J. CUERVO (desde 1874), ha pasado la obra a ser una de las más valiosas y extensas gramáticas del español (última ed.: París 1936) [103a]. En las *Notas* adicionales de CUERVO juega el método histórico un papel más sobresa-

---

[103a] También en *Obras completas* (Santiago, 1931), vol. II. Otras ediciones: Buenos Aires, 1945; edición nacional de Caracas (1951), con prólogo importante de Amado Alonso.

liente. Un buen índice de materias facilita la utilización del libro. Las *Notas* de Cuervo han sido publicadas por el Instituto Caro y Cuervo en R. J. Cuervo, *Obras,* I (1954), 907-1157.

Fuera de esta Gramática, entran hoy en consideración para el trabajo científico con el español, principalmente las siguientes obras[104]:

R. Menéndez Pidal, *Manual de gramática histórica española* (Madrid, por primera vez en 1904, última edición 1949). [Excelente manual de fonética y morfología históricas que, además de la situación lingüística medieval, atiende también a las circunstancias dialectales. A partir de la 6ª ed. (1941), el libro no ha sufrido modificaciones].

R. Menéndez Pidal, *Gramática del Cantar de Mio Cid.* Madrid 1908, última edición 1944. [Valioso resumen gramatical del español antiguo (fonética, morfología y sintaxis), contenido en el tomo I de la edición del Cid, págs. 137-420].

Adolf Zauner, *Altspanisches Elementarbuch.* Heidelberg 1907, última ed. 1921. [Reúne todos los fenómenos fonéticos, morfológicos y sintácticos que son importantes para la comprensión de la lengua medieval. Además, una selección de textos poéticos y prosas, con glosario].

Federico Hanssen, *Spanische Grammatik auf historischer Grundlage.* Halle 1910. [Su valor consiste en la detallada presentación de la morfología. La fonética expuesta aquí está superada por trabajos más modernos. La edición española, *Gramática histórica*

104 Cfr. igualmente el corto bosquejo de fonética y morfología españolas por G. Baist, en *Gr. Gr.*, I, 1888, págs. 689-714; en la 2ª ed., 1904, págs. 878-915.

de la lengua castellana (Halle 1913, reedición: Buenos Aires, 1945), trae muchas mejoras y una considerable ampliación de la materia, sobre todo en lo concerniente a la formación de palabras y a la sintaxis, a la que en esta edición se dedica un capítulo particular independientemente de la morfología. La última edición (Buenos Aires 1945) es una reimpresión inalterada respecto a la de 1913].

VICENTE GARCÍA DE DIEGO, *Gramática histórica española*. Madrid 1951. [Refundición ampliada del *Manual de gramática castellana* (1917). Trata, además de fonética y morfología, la formación de palabras y la sintaxis, no contenidas en el *Manual* de Menéndez Pidal. Muy acertado desde el punto de vista pedagógico; más claro y fácil que el *Manual* de Menéndez Pidal. Defiende el punto de vista de que el castellano no es una 'lengua uniforme', sino que una porción considerable de su fondo lingüístico proviene de una concurrencia de diferentes hablas dialectales].

WILLIAM JAMES ENTWISTLE, *The Spanish language together with Portuguese, Catalan and Basque*. Londres 1936. [Sugestiva introducción a los principales problemas de la lingüística ibero-romance, con especial consideración de las circunstancias que motivaron la diferenciación lingüística y el ascenso del castellano a lengua nacional. Además del idioma de Castilla, la obra caracteriza también eficazmente en sus peculiaridades al catalán y al portugués, dando asimismo un claro análisis del vascuence. El valor del libro no radica en la comunicación de nuevas investigaciones, sino en la síntesis del estado actual de éstas].

J. OLIVER ASÍN, *Historia de la lengua española.* Madrid 1941. [Une una historia del español con fonética y morfología; además, una antología. Todo muy bien elaborado desde el punto de vista histórico-cultural; clara y sugestivamente redactado].

RAFAEL LAPESA, *Historia de la lengua española.* Madrid 1942. [La más rica introducción a la historia general de la lengua española. Da un resumen de las etapas evolutivas del castellano, desde la época prerromana y el latín vulgar hasta el habla de hoy. Se preocupa sobre todo en mostrar la historia interna del idioma, la acuñación del castellano culto y su función histórico-cultural como medio de expresión literaria. Examina sugestivamente las variaciones del gusto y las singularidades estilísticas. La nueva edición (1950) apareció sin la antología de textos (siglos X-XVII) que acompañaba a la primera. Sobre la última edición véase el detallado comentario de Y. MALKIEL, Rom. Phil., VI, 1952, págs. 52-63. — Tercera edición, puesta al día, Madrid, 1955].

R. K. SPAULDING, *How Spanish grew.* Berkeley 1943. [Clara exposición de la evolución y de los hechos importantes].

AMADO ALONSO y PEDRO HENRÍQUEZ UREÑA, *Gramática castellana.* Buenos Aires 1950. [Introducción al estudio científico de la gramática castellana, en nítida exposición de las categorías gramaticales. Clara explicación de la terminología lingüística].

E. ALARCOS LLORACH, *Gramática estructural, según la escuela de Copenhague y con especial atención a la lengua española.* Madrid 1951. [Trata de explicar el funcionamiento y la estructura de los sistemas lingüísticos].

J. P. Trend, *The language and history of Spain*. London 1953. [Interesante síntesis de la historia lingüística de España con atención particular a la época anterior al Siglo de Oro].

Salvador Fernández, *Gramática española*. Tomo I: Los sonidos, el nombre y el pronombre. Madrid 1951. [Colección de materiales relativos al español actual, con buenos fundamentos metodológicos; atiende primordialmente a la morfología y a la sintaxis, examinando los problemas particulares de manera profunda y original. Todavía incompleta].

Son de menor importancia o se proponen fines más modestos o más elementales los libros siguientes:

J. Alemany Bolufer, *Estudio elemental de gramática histórica de la lengua castellana*. Madrid 1901, 5ª ed. 1921. [Manual universitario elemental, sin carácter particular; bastante anticuado].

G. Díaz Plaja, *Historia del español*. Barcelona 1943. [Corta síntesis de los datos seguros, destinada a la enseñanza de segundo grado, con una pequeña antología de textos antiguos y dialectales].

E. Hernández García, *Gramática histórica de la lengua española*. Orense 1938. [Introducción general a la lingüística española, sin ahondar en los problemas].

A. Cavaliere, *Grammatica storica della lingua spagnuola*. Venecia 1947. [Corto manual que, frente al de Menéndez Pidal, no ofrece nada nuevo].

N. Alonso Cortés, *Lengua española. Nociones de gramática histórica y preceptiva literaria*. Valladolid 1940. [Analiza los conceptos gramaticales, estilísticos y literarios. Trae explicación de la terminología].

R. Gastón Burillo, *Gramática histórica elemental de la*

lengua española. Zaragoza 1946. [Manual elemental para la primera enseñanza universitaria].

J. MONEVA Y PUYOL, *Gramática castellana*. Barcelona 1936. [Descriptiva y elemental. Trae buenos ejercicios metódicos].

J. A. PÉREZ RIOJA, *Gramática de la lengua española*. Buenos Aires - Madrid 1953. [Descriptiva y normativa].

Sobre los *Orígenes del español* de MENÉNDEZ PIDAL, véase pág. 133.

Notables fuentes para el español preliterario son las 'Glosas Emilianenses' (siglos IX-X) y las 'Glosas Silenses' (siglo X) [105]. Aquí aparecen formas como *lueco, lebantai, aflarat* 'hallará', *tienet, obe=ubi, una vece, anzes =prius, ajat=habeat, osatu, duplicaot, stiercore=fimus*. Un glosario anónimo nos ha conservado un gran número de nombres de plantas de la España mozárabe del siglo XI, comp. M. ASÍN PALACIOS, *Glosario de voces romances registradas por un botánico anónimo hispano-musulmán* (Madrid - Granada 1943) [106].

Como introducción general al habla medieval mencionaremos especialmente el *Altspanisches Elementarbuch* de A. ZAUNER (véase arriba pág. 125). Vienen luego investigaciones que se ocupan de determinados textos o autores, p. e. la Gramática (ver arriba pág. 125) y el Léxico al poema del Cid (tomo II, págs. 423-904) de MENÉNDEZ PIDAL, la *Gramática y vocabulario de las obras de Gonzalo de Berceo* (Madrid 1900) por R. LANCHETAS, con

---

[105] Comp. R. MENÉNDEZ PIDAL, *Orígenes* (1950), págs. 1-24, 381-385; R. LAPESA, *Historia de la lengua española* (1951), págs. 115-116.

[106] Interesantes formas lingüísticas contienen también los *Glosarios latino-españoles de la Edad Media* de los siglos XIII-XIV (Madrid, 1936), publicados por A. CASTRO, p. e. *vayca* 'vega', *fuera echar, antes venir*.

muy detallado glosario (págs. 118-797), la gramática y el vocabulario al *Libro de Apolonio* en la edición de C. C. MARDEN (Paris 1917-1922), el glosario a la edición del Poema de Fernán González (Baltimore 1904) hecha también por Marden, la gramática y el glosario del *Fuero Juzgo* por V. FERNÁNDEZ LLERA (Madrid 1929), el *Glosario sobre Juan Ruiz* de J. M. AGUADO (Madrid 1929), el *Etymological vocabulary to the Libro de buen amor of Juan Ruiz* de H. B. RICHARDSON (New Haven 1930), la excelente *Contribución al estudio del vocabulario del Corbacho del Arcipreste de Talavera,* con suplemento gramatical, por A. STEIGER en BAE, tomos IX-XI, 1922-1924 (también como libro: Madrid 1923), la edición del *Libro de acedrex* de Alfonso el Sabio, con glosario y compendio gramatical (ed. A. STEIGER, Zurich 1941), el concienzudo estudio de WALTER SCHMID, *Der Wortschatz des Cancionero de Baena* (Berna 1951) y el valioso estudio lingüístico de los Fueros de Sepúlveda de MANUEL ALVAR en la edición de EMILIO SÁEZ (Segovia 1953), págs. 577-871, con particular consideración del vocabulario (págs. 661-825).

De escaso valor es el *Vocabulario medieval castellano* de J. CEJADOR Y FRAUCA (Madrid 1929). Puede prestar buenos servicios el léxico de V. R. B. OELSCHLAEGER, *A medieval Spanish word-list* (Madison 1940), que contiene el vocabulario de la literatura más antigua hasta Berceo (cerca de 9.000 palabras). La obra *Tentative dictionary of medieval Spanish* (Chapel Hill 1946), compilada por R. S. BOGGS, L. KASTEN, H. KENISTON y H. B. RICHARDSON, junta provisionalmente en un léxico general los glosarios del *Cid,* el *Libro de Apolonio,* Berceo, *Conde Lucanor* y *Libro de buen amor.* Está en preparación por L. KASTEN y sus colaboradores un completo *Dictionary of Medieval Spanish,* de probable publicación a partir de 1959.

El habla del Siglo de Oro está tratada ampliamente en la obra *La lengua de Cervantes* (Madrid 1905-1906) de J. CEJADOR Y FRAUCA, si bien la extensión cuenta aquí más que la profundidad. El tomo I ofrece una gramática, compuesta de fonética, morfología y sintaxis; el tomo II un léxico, acompañado de interpretaciones y comentarios. El valor científico de la obra es escaso; el glosario padece de etimologías extravagantes y, a veces, completamente fantásticas.

En cuanto a misceláneas que traten asuntos gramaticales y lingüísticos, mencionaremos:

Obras inéditas de RUFINO JOSÉ CUERVO, editadas por el P. Félix Restrepo. Bogotá 1944. [Contiene, entre otras cosas, la valiosa monografía 'Castellano popular y castellano literario' (318 págs.), que trata puntos importantes de fonética histórica y descriptiva]. La citada monografía ha sido publicada nuevamente en R. J. CUERVO, *Obras,* I, págs. 1321-1660].

RUFINO JOSÉ CUERVO, *Disquisiciones sobre filología castellana,* ed. y notas de R. Torres Quintero. Bogotá 1950. [Recoge todos los trabajos menores de Cuervo, entre ellos algunos inéditos. Las *Disquisiciones,* lo mismo que estos trabajos menores, han quedado incorporados en la edición definitiva de R. J. CUERVO, *Obras,* II, págs. 7-835].

JULIO CASARES, *Cosas del lenguaje.* Madrid 1943. [Pequeños artículos, que discuten determinados puntos de carácter etimológico, semántico y léxico].

JULIO CASARES, *Divertimientos filológicos.* Madrid 1947. [Charlas puristas, que discuten corrección e incorrección en el habla familiar].

AMADO ALONSO, *Estudios lingüísticos:* Temas españoles. Madrid 1951. [Trata problemas de geografía lingüística (especialmente la posición del catalán), de substrato fonético y de estilística].

Sobre informes críticos relativos a la investigación lingüística española, véase págs. 51 y 55.

Muy problemático es el intento emprendido por E. LERCH de descubrir peculiaridades del carácter nacional español en algunos fenómenos del habla castellana, publicado en el *Handbuch der Spanienkunde* (ver pág. 65) bajo el título *Spanische Sprache und Wesensart;* tal ensayo se basa en interpretaciones superficiales y en un conocimiento insuficiente del idioma; comp. R. RUPPERT Y UJARAVI, Lbl. 1933, págs. 257 sigs.

FONETICA HISTORICA

La tarea de la fonética histórica es hacer comprensible la evolución de los sonidos, explorando las causas y fases de su transformación. Para ello sigue siendo base fundamental el *Manual de gramática histórica española* (Madrid 1949) de MENÉNDEZ PIDAL. La orientación indispensable sobre el estado fonético del español antiguo se encuentra en el *Altspanisches Elementarbuch* de A. ZAUNER (Heidelberg 1921). En el tomo I de su edición del Cid (Madrid 1908), págs. 139-207, da Menéndez Pidal un detallado análisis de la fonética del Poema[107]. Valiosísimas investigaciones sobre las diferencias de la evolución regional nos comunica la obra magistral del mismo filólogo, *Orígenes del español* (Madrid 1926, refundición en 1950); comp. al respecto los comentarios de WARTBURG en ZRPh, XLVIII, 1928, págs. 457-461; FRITZ KRÜGER en Lbl., XLVIII, 1927, págs. 386-391; P. FOUCHÉ en RH, LXXVII. Un valor especial de esta obra consiste en reconstruirnos la prehistoria del español en los siglos IX-XII, trabajando sobre fuentes desatendidas hasta entonces (glosas, documentos latinos, formas topónimas antiguas, mozárabe)[108].

---

107 Sobre el valor fonético de las letras medievales véase el capítulo 'Alfabeto y pronunciación del Cantar del Cid' en la ed. de Menéndez Pidal, I, 1908, págs. 207-230. Sobre usos ortográficos de los siglos X-XI, cfr. MENÉNDEZ PIDAL, *Orígenes* (1950), págs. 45-70.

108 El autor ha resumido los principales resultados de su libro en *El idioma español en sus primeros tiempos* (Buenos Aires, 1942).

Gracias a las investigaciones de Menéndez Pidal se nos ha revelado el estado de la lengua en las épocas preliterarias, prolongándose la historia documental del idioma tres siglos atrás. Hoy sabemos que ciertos fenómenos característicos, que se presentan en amplias áreas del dominio lingüístico español, tienen su foco nativo en una pequeña y bien delimitada región: en aquella marca de Castilla, denominada así a causa de sus castillos, que se convirtió en el campeón de la Reconquista. En este pequeño distrito, caracterizado por fonetismos peculiares, tuvieron su punto de partida, por ejemplo, los desarrollos *f*>*h* y *ct*>*ch*. Sólo allí, asimismo, estaba localizada originariamente aquella ley reguladora de la diptongación castellana, p. e. *bueno, puerto* frente a *ojo, noche, miel, tierra* frente a *seis, lecho*. Otros amplios sectores, en cambio, presentan el diptongo también ante palatal: leon. ant. *uello, nueche,* arag. *fuella, nueit.* La continuidad geográfica originaria existente en la Península para la diptongación de ĕ y ŏ ante palatal quedó rota, pues, sólo con la irrupción castellana en los siglos de la Reconquista[108a].

Sobre las condiciones de la diptongación reinaron durante largo tiempo ideas algo obscuras. Hoy sabemos que, en este desarrollo, es necesario distinguir varios estadios genéticamente diversos. Puede estar condicionada por inflexión o metafonía ('armonización'), o por alargamiento de la sílaba tónica. La metafonía no tiene necesariamente que alcanzar la etapa de la diptongación; puede expresarse también en el cierre de una vocal abierta. Tal proceso es independiente de que la sílaba sea libre o trabada. Su causa es una consonancia palatal siguiente, comp. leon. ant. *fueyo* 'hoyo', *cuecho* < COCTU, arag. *fuella* 'ho-

---

[108a] Véase *Orígenes del español* (1950), págs. 110-143.

ja', *guello* 'ojo', *nueit* 'noche', *pueyo* 'poyo', mozár. *uello* 'ojo', cat. *fulla* (< *fueilla*), *nit* (< *nueit*), *ull* (< *ueill*). A este desarrollo corresponden, con *o* cerrada, port. *folha, noite, olho.* Y así se explica también en estas palabras la *o* castellana, que tenía antes la calidad de una vocal cerrada: *hoja, noche, ojo.* Este proceso metafónico es comprobable, pues, en toda la Península[109]. Sólo en época posterior ocurrió una nueva diptongación, que no dependía de ningunas condiciones especiales. Ciertamente se realizó primero (bajo inspiración galorromana?) sólo en sílaba libre (*miel, buena*), siendo más tarde erróneamente generalizada (*pierde, fuente*). Esta diptongación se limita al centro castellano de la Península; el portugués y el catalán no participan de ella (port. *męl, nǫva,* cat. *męl, nǫva*)[110].

Otra forma de la inflexión está condicionada por ciertas vocales finales. La época de este proceso es difícil de determinar. Está condicionado por una *-u* o una *-i* de la sílaba siguiente, p. e. *pude* (PŎTUI), *hice* (FECI), *pido* (PETIO). Mientras en castellano esta acción fonética ya no juega sino un papel esporádico, en las hablas peninsulares del Noroeste es muy actual y regular, p. e. en Asturias *rapusu* al lado de *raposa, frisnu* al lado de *fresnos, árbol eltu* al lado de *árboles altos, nitu* al lado de *nieta, tébanu* al lado de *tábanos.* Comp. al respecto la diferenciación similar de ciertas vocales en portugués:

---

109 De él participan igualmente toda Francia (*nueit* > *nuit,* prov. *nuoit*) e Italia del Norte (piam. **fuoilla* > *föja, *nuoit* > *nöch*).

110 Comp. los artículos de F. SCHÜRR, *Umlaut und Diphthongierung,* RF, L, 1936, págs. 303-316, y *La diptongación ibero-románica,* RDTP, VII, 1951, págs. 379-390. Para las condiciones de la diptongación en el antiguo reino de León, véase el estudio de DIEGO CATALÁN y ALVARO GALMÉS, *La diptongación en leonés.* En *Miscel. Filol. en memoria de Amado Alonso, Archivum* (Oviedo), IV, 1954, págs. 87-147.

nọvo al lado de *nǫva*, *pọvo* al lado de *pǫvos*, *Pẹdro* al lado de *pędra*. Véase al respecto L. RODRÍGUEZ CASTELLANO, *La variedad dialectal del Alto Aller* (Oviedo 1952), págs. 54-62 y G. ROHLFS, *Umlauterscheinungen in Spanien*, en *Archiv*, CXC, 1954, págs. 323-325.

Muy debatida es la cuestión de si haya de aceptarse o no una acción de substrato sobre la evolución del fonetismo iberorrománico y, en caso afirmativo, en qué proporción. Ha sido explicado como acción de substrato ibérico el cambio *f* > *h*[111]. Seguro es sólo que se extendió partiendo de un territorio muy pequeño cercano a la frontera lingüística vasca. Para la pronunciación prepalatal de la *s* inicial, que condujo en castellano al desarrollo *sabón* > *jabón*, *sugo* > *jugo*, *Setavum* > *šátiva* > *Játiva*, se acepta generalmente una modalidad articulatoria árabe[112]. Pero este fenómeno está muy propagado en áreas a las cuales no se puede atribuir ningún influjo moro, como Galicia (*xèrra* 'sierra', *xèrpa* 'sierpe', *xiba* < SEPIA, *xordo* 'sordo', *xoutar* 'saltar'), y Gascuña: *chens* = *sens* 'sans', *chèis* 'six', *chaus* = *saus* < SALICE, *charmèn* 'sarment'[113].

En vascuence desaparece la *n* intervocálica: *katea* (CATENA), *ahate* (ANATE); véase pág. 83. A esto corresponde en portugués el desarrollo *bona* > *boa*, *tenere* > *ter*,

---

[111] Así, p. ej. MENÉNDEZ PIDAL, *Orígenes del español* (1950), págs. 198 sigs.; cfr. también WARTBURG, ZRPh, XLVIII, 1928, pág. 459. Una actitud escéptica frente a esta tesis muestra MEYER-LÜBKE, *Archiv*, CLXVI, 1935, págs. 50-68. En favor de una vieja dependencia étnica habla el hecho de presentarse el desarrollo *f* > *h* también en la 'Vasconia', al Norte de los Pirineos, p. e. gasc. *hèsto* 'fiesta', *huèk* 'fuego'.

[112] Comp. MENÉNDEZ PIDAL, *Manual* § 37; ENTWISTLE, *Span. Lang.*, pág. 123; y ya NEBRIJA.

[113] Comp. ROHLFS, *Le gascon, Etudes de philologie pyrénéenne*, 1935, § 376.

en gascón *gallinas*>*garias, plena*>*pléa*. Pero es sabido que al enmudecimiento completo precede una nasalización más antigua de la vocal (port. *bõa,* gasc. *plẽa*). El fenómeno es en general galorrománico y se deja rastrear hasta Italia del Norte, comp. emil. *cadẽina,* piam. *cadèŋna* <*cadēna*[114]. Más que influjos ibero-lusitanos, pues, se debe ver aquí un substrato celta.

Muy digna de consideración es la hipótesis sustentada por ANTONIO TOVAR, según la cual, la sonorización de las sordas intervocálicas latinas (CAPUT > *cabo,* METUS > *miedo,* LACUS > *lago*) corresponde al efecto del substrato celta; véase BAE, XXVIII, 1948, págs. 265-280, también en *Estudios sobre las primitivas lenguas hispánicas* (Buenos Aires 1949), págs. 127-147. Para las relaciones de este proceso con la situación existente en los demás romances comp. las meditaciones de M. L. WAGNER en *Historische Lautlehre des Sardischen* (Halle 1941), págs. 271-275.

No cabe duda de que el alargamiento de la *r* inicial en todas las lenguas de la Península Ibérica (esp. *rrana,* port. *rramo,* cat. *rriba*) debe ser atribuído, junto con vasc. *errege* 'rey', *erreka* (< celta RIKA), *Erroma* 'Roma', a la acción de un substrato prerromano. El fenómeno *l-* > *ll,* p. e. cat. *lloc, lluna,* astur. *llagarto, llobo, llingua,* presupone también alargamiento de la *l* inicial: e igualmente aquí se podrá pensar en la acción de un substrato prerromano; véase G. ROHLFS, *Vorrömische Lautsubstrate auf der Pyrenäenhalbinsel?* (ZRPh, LXXI, 1955, págs. 408-413) y *Oskische Latinität in Spanien?* (RLiR, XIX, 1956), págs. 221-226. El paralelismo evolutivo de los cambios fonéticos que se refieren a *ll* y *nn, l-* y *n-* ha sido

---

114 Comp. G. ROHLFS, *Histor. Gramm. der italienischen Sprache,* I, 1949, pág. 370.

expuesto con riquísimos materiales por Diego Catalán, RFE, XXXVIII, 1954, págs. 1-44.

Por Menéndez Pidal ha sido expresada la idea de que los desarrollos *mb* > *m* (*paloma, plomo, lomo*) y *nd* > *n* (cat. *anar, fona, manar*) pueden estar en relación con una inmigración osca de Italia meridional (*Orígenes del español,* 1926, págs. 303 sigs.) [115]. Se apoya para ello en el nombre de la ciudad aragonesa *Huesca* (antiguamente *Osca*) y en el centro cultural romano creado allí por Sertorio. Pero estos casos de asimilación se prolongan, allende los Pirineos, a través de toda Gascuña hasta Burdeos, realizándose allí aún de modo mucho más radical, comp. gasc. *càmo* 'jambe', *Tramesaygues* < ĭnter ambas aquas, *enténe* 'entendre', *lano* 'lande'. Puesto que en el caso de la Aquitania no son probables tales influencias 'oscas', la teoría de Menéndez Pidal carece de poder convincente [116]. La circunstancia de que los latinismos del vascuence conservan *nd* (candela > *gandera,* vindicare > *mendekatu*) y el hecho de que los mozárabes de Cataluña decían todavía *Gerunda, Solanda, Palumber* y *Columber,* no hablan en favor de una latinidad osca en tierras del Ebro. En consecuencia, se debe más bien suponer que se trata aquí de una asimilación de época posterior, como ha sido señalada en otros idiomas (sardo, retorromano, dialectos alemanes) y últimamente hasta en el habla popular del Brasil (*tamén, quano*).

Una serie de fenómenos fonéticos muy peculiares se limita a algunas regiones del Alto Aragón. Allí tenemos

---

[115] Ejemplos muy aislados en Aragón, pertenecientes todos a documentos medievales (*quano, spuenna*); véase pág. 115.

[116] Por lo demás, el vínculo entre el topónimo *Osca* y los oscos no puede ser ya sustentado hoy día, comp. Meyer-Lübke en ZONF, IV, pág. 185, y Wartburg en ZRPh, LXI, pág. 146. Menéndez Pidal ha defendido una vez más sus opiniones, sin ser más convincente, en BAE, XXXIV, 1954, págs. 193 sigs.

la conservación de las oclusivas sordas intervocálicas del latín, que es totalmente única en todo el dominio románico occidental: *ripa, saper, tota, espata, nuquera = noguera, paco* (OPACUM). En la misma área se presenta la sonorización de *nt>nd, mp>mb* y *nc>ng,* por ejemplo *endrar, fuande = fuente, cambo, bango.* JEAN SAROÏHANDY presumió en el trabajo *Vestiges de phonétique ibérienne,* RIEB, VII, 1913, págs. 475-497, que en estos casos la peculiar evolución (que se señala también en Gascuña) ha sido determinada por un substrato vasco-ibérico[117].

Muchos problemas de la evolución fonética española requieren todavía una aclaración más efectiva. No es fácil comprender qué circunstancias articulatorias desataron el singularísimo desarrollo *nn > ñ*: esp. *año, caña,* cat. *any* (*añ*), *canya* (*caña*). Poca duda cabe de que existe una relación con el proceso *ll > ƚ*: esp. *calle, pollo,* cat. *gall, poll.* Pero los motivos especiales de esta doble evolución fonética, que quizá deba atribuirse a la acción de un substrato, están todavía por hallar.

Notable es la concordancia ya destacada arriba entre Oeste y Este, al paso que el castellano sigue caminos propios, mostrando etapas ulteriores de evolución. Compárense los resultados de los tres romances en los casos siguientes:

roda	*rueda*	*roda*
touro	*toro*	*taur*
madeixa	*madeja*	*madeixa*
feito	*hecho*	*fet*
sabão	*jabón*	*sabó*

117 Esta concepción ha sido fundamentada de manera más completa por G. ROHLFS, *Le gascon. Etudes de philologie pyrénéenne* (Halle, 1935), págs. 83-92. Cfr. asimismo W. D. ELCOCK, *De quelques affinités entre l'aragonais et le béarnais* (París, 1938).

Evolución independiente muestra también el castellano reciente en el ensordecimiento de sonidos originariamente sonoros, mientras que el portugués y el catalán conservaron las antiguas diferencias [118].

caśa	*casa*	*caśa*
masa	*masa*	*masa*
vizinho	*vecino*	*vezí > vehí*
vencer	*vencer*	*vèncer*
jogo	*juego*	*joc*
madeixa	*madeja*	*madeixa*

Una característica notable del castellano es el hecho de que las leyes fonéticas normales se han realizado en muchos casos incompletamente. Sin tener en cuenta los latinismos puros (*acto, séptimo, número, colocar, médico, odio, magnífico*), hay que comprobar que, junto al desarrollo vulgar, existe una tendencia culta que se manifiesta también en vocablos que pertenecen a la mentalidad popular. Tenemos así *alto, falso, calza* (junto a *otro* y a *soto*); *feo, faltar, fiar, fiesta, fiel, fijar* (al lado de *haba, hijo, hecho, horno*); *ambos* (junto a *lomo* y a *paloma*); *plaza, planta, plomo, pluma* (junto a *llegar, llano, lleno*); *flor* y *fleco* (junto a *llama*); *claro* y *clavo* (junto a *llamar, llave*) [119]. Tampoco *rubio, labio, medio* muestran la evo-

---

118 Aquí corresponde también el singular cambio de la antigua *dž* (esp. ant. *gente, junco*) en *tš* en aragonés moderno, p. e. *chen* 'gente', *chunco, chelo, chelar* 'helar', *chinebro* 'enebro', *chudía, chugo* 'yugo', *chinèstra, chermano* 'hermano'. Contra el intento de explicación de este fenómeno por influencias mozárabes habla el hecho de que también en vastas áreas del Sur de Francia (Languedoc) la vieja *dz* (*zitar* 'echar', *zenibre* 'enebro') pasó a *ts*: *tsitá, tsenibre, tsün* 'juin', *tsinul* 'genou'.

119 En otros casos ha sido la síncopa tardía lo que ha causado otra evolución, p. e. *pueblo, niebla, hablar* (junto a *trillar* y *chillar*), *espalda, tilde* (junto a *viejo*).

lución popular que era de esperarse. Se tiene la impresión de que aquí, más que en Italia y Francia, el castellano representa el resultado de un arreglo entre el 'lenguaje popular' y una 'corriente culta'; comp. Menéndez Pidal, *Orígenes del español* (1950), pág. 108.

Sin aclarar continúa la cronología de las primeras modificaciones fonéticas. Como el ejemplo más antiguo de la sonorización de las oclusivas sordas se aduce generalmente un *imudavit* = *immutavit* (CIL, II, 462), atestiguado en una inscripción de Emérita. La atribución de esta inscripción al siglo II a. C. es muy arbitraria; sólo es seguro que pertenece aún a la época precristiana [120]. Meyer-Lübke había supuesto que al comienzo de la conquista árabe las consonantes sordas intervocálicas permanecían aún invariables (RFE, XI, pág. 4 sigs.). Sin embargo, las transcripciones árabes aducidas por Meyer-Lübke (*tornato, ortica*) no pueden ser aceptadas como prueba, pues los caracteres islámicos no constituyen en tales casos fundamento seguro [121]. Menos incierto es, en cambio, que la *c* latina ante vocal palatal se pronunció en el Sur de la Península *č* (como it. *cento*) en la época mozárabe, frente al grado más avanzado *ts* de las regiones norteñas (*tsiento*); véase Meyer-Lübke, RFE, VIII, 1921, págs. 225-251 y A. Alonso, RFH, VIII, 1946, págs. 69 sigs. [122]. Más fidedignas son también las etapas vocálicas preliminares fijadas por Menéndez Pidal a base de documentos

120 La enmienda *immundavit* aceptada por varios eruditos (Battisti, Meyer-Lübke, Zauner), no está justificada ni por el sentido ni por la paleografía; cfr. RFE, XI, 1924, pág. 3.

121 Véase Menéndez Pidal, *Orígenes* (1950), pág. 254; A. Alonso, RLiR, I, pág. 341; A. Steiger, *Contribución a la fonética del hispano-árabe* (1932), pág. 155; H. Lausberg, RF, LXI, pág. 131.

122 La actual pronunciación castellana de la *c* (θ) se desarrolló a partir de una *ts* anterior; cfr. *clamáz* < CLAMATIS en el Alto-Aragón.

del siglo X (*kaysos* = *quesos, armentairo*) y del mozárabe (*mantaika, yanayr* = *enero*). Seguro es que la asimilación *nd* > *n*, como aparece en catalán (*manar*) y en Ribagorza (*redono*), debe ser de fecha relativamente reciente, pues si el producto *nn* fuera de origen osco-latino (véase pág. 138), hubiese debido efectuar también el paso *nn* > *ñ* (*año*).

Valiosa investigación especial se encuentra diseminada en muchas monografías y artículos de revista. Además de los trabajos ya citados, mencionaremos:

W. MEYER-LÜBKE, *La evolución de la* c *latina delante de* e *e* i *en la Península Ibérica,* RFE, VIII, 1921, 225-251.

W. MEYER-LÜBKE, *La sonorización de las sordas intervocálicas latinas en español,* RFE, XI, 1924, págs. 1-32.

W. MEYER-LÜBKE, *Zur Geschichte von lat.* ge-, gi- *und* j- *im Romanischen,* VR, I, págs. 1-31.

J. BRÜCH, *L'évolution de* l *devant les consonnes en espagnol,* RFE, XVII, 1930, págs. 1-17.

MAX KREPINSKY, *Inflexión de las vocales en español.* Traducción y notas de V. García de Diego. Madrid 1923. [Trata la historia de los grupos palatales y la acción metafónica provocada por nexos palatales siguientes. Importante asimismo para el desarrollo de tales nexos].

R. J. CUERVO, *Castellano popular y castellano literario.* En *Obras inéditas* (ver pág. 131), págs. 3-318, y ahora en R. J. CUERVO, *Obras,* I, págs. 1321-1660. [Valiosas contribuciones sobre la evolución fonética del habla popular en España y América].

A. M. Espinosa y L. Rodríguez Castellano, *La aspiración de la H en el Sur y Oeste de España,* RFE, XXIII, 1936, págs. 225-254, 337-378.

P. Fouché, *Etudes de philologie hispanique,* RH, LXXVII, 1929, págs. 1-171. [Importante para los procesos de inflexión causados por la acción de una *i* siguiente].

R. Lapesa, *La apócope de la vocal en castellano antiguo.* En: *Estudios ded. a Menéndez Pidal,* II, 1951, págs. 185-226.

FONETICA Y PRONUNCIACION

La tarea de la fonética (a diferencia de la fonética histórica) es determinar la naturaleza exacta de un sonido para suministrar, por medio del análisis del modo de articulación, datos importantes a la enseñanza práctica y a las ciencias lingüísticas. Muy insuficiente e inseguro es el método, practicado todavía por muchas gramáticas, de dar indicaciones sobre la pronunciación basadas en comparación con sonidos de otras lenguas. La concordancia entre el esp. *mucho* y el alem. *Kutsche* no es en manera alguna una identidad absoluta; la *d* de *crudo* tampoco coincide completamente con la *th* del ingl. *father*. La *s* del esp. *casa* es un sonido diferente a la *s* del it. *casa*.

Estas deficiencias se evitan con el uso de un alfabeto fonético que represente cada sonido con un signo determinado e inequívoco. Considérese que la letra *n* puede tener 5 pronunciaciones muy diferentes; puede ser: alveolar (*cansado*), postdental (*mundo*), bilabial (*un buen baile*), velar (*en casa*), labiodental (*infante*) e interdental (*once*). A esto se agrega que el castellano (como cualquier otro idioma) posee ciertos sonidos que son característicos de su sistema fónico y que no se presentan en otras lenguas. Un sonido propio del español es la *s* (en sus variantes sorda y sonora: *casa, mismo*); es éste un fonema apical, que se articula levantando la punta de la lengua hacia arriba (hasta los alvéolos). Sonidos característicos del castellano son las fricativas *b, d* y *g* articuladas con oclusión incompleta, p. e. *arriba, cada, lago*.

La deficiencia de la ortografía convencional se trasluce también en el uso de la letra *r*: puede representar ya una *r* simple (*cara, madre, llamar*), ya una *r* doble ('larga') en *la rana = rrana, Enrique = enrrike*[123]. También las asimilaciones corrientes (*áδlas = atlas, isla, apsurdo = absurdo*) y los fenómenos de fonética sintáctica (*loś doś días, la luδ del día*) escapan a la conciencia debido al velo de la ortografía usual.

Una introducción segura y clara a todas las cuestiones esenciales de la fonética científica, con ejemplos sacados del español y de otros romances, es la de S. GILI GAYA, *Elementos de fonética general* (Madrid 1950). Fundamental para todos los problemas de la fonética española es el *Manual de pronunciación española* (Madrid 1918, última edición 1953) de T. NAVARRO TOMÁS (Traducción alemana de F. Krüger, Leipzig 1923). Este libro da el análisis científico más fidedigno de la pronunciación española, prestando atención al habla de los diversos círculos y mostrando por primera vez muchas finezas inadvertidas hasta entonces[124]. Fines más prácticos, al servicio de los cursos para extranjeros, persigue la obrilla de J. DE ENTRAMBASAGUAS, *Síntesis de pronunciación española* (Madrid 1952); es un extracto del Manual de Navarro Tomás, emplazado contra faltas e incorrecciones de la pronunciación. Tiene el defecto de distinguir minúsculas finezas, irrelevantes para fines pedagógicos.

Todas las exposiciones más antiguas de la fonética española han sido superadas por el Manual de Navarro Tomás:

---

123 En los manuscritos medievales se lee con frecuencia *rr-*, p. e. *rrey, rrobre, rroydo, rraposa.*

124 Comp. los pormenorizados comentarios de F. KRÜGER en *Archiv*, CXLI, págs. 267-276 y G. WACKER en NSp., XXVII, págs. 456-463.

F. de Araújo, *Estudios de fonétika kastel̄ana.* Toledo 1894. [Trae por primera vez ideas claras sobre la naturaleza de los sonidos españoles. Se sitúa al servicio de la campaña en pro de la reforma ortográfica].

F. M. Josselyn, *Études de phonétique espagnole,* París 1907. [Emplea el análisis experimental valiéndose de curvas de sonido y de palatogramas. Los análisis presentados aquí encontraron mucha oposición; comp. Gonçalves Viana, RH, XV, 1906, págs. 849 y siguientes].

M. A. Colton, *La phonétique castillane.* París 1909. [Rica en obscuridades. No distingue consecuentemente entre pronunciación culta y vulgar. Las leyes de la inflexión expuestas aquí fueron rechazadas por la crítica; comp. Navarro Tomás, RFE, X, 1923, págs. 26-56].

J. Moreno Lacalle, *Elements of Spanish pronunciation.* Nueva York 1918. [Obra poco satisfactoria; no es segura].

H. Gavel, *Essai sur l'évolution de la prononciation du castillan depuis le XIVme. siècle d'après les théories des grammairiens et quelques autres sources.* París 1920. [Es más bien una fonética histórica. Contiene muchas consideraciones erróneas; comp. el comentario de Menéndez Pidal y A. Castro, RFE, VIII, 1921, págs. 181 sigs.].

Textos en transcripción fonética contienen el Manual de Navarro Tomás (págs. 125-147) y, según el sistema de la Ass. Phon. Int., el libro de E. A. Peers, *A phonetic Spanish reader* (Manchester 1920).

En su *Manual de entonación española* (Nueva York 1948) presenta T. Navarro Tomás análisis muy detallados del comportamiento de la voz y de la longitud y altura tonales, aduciendo las diversas causas y condiciones. Las investigaciones de A. de Lacerda y María Josefa Canellada, *Comportamientos vocálicos en español y portugués* (Madrid 1945), están concebidas exclusivamente dentro del método experimental. De valor incierto son los resultados comunicados por P. Menzerath y J. M. de Oleza, *Spanische Lautdauer* (Berlín 1928), pues se basan en la pronunciación de un español originario de Mallorca.

Importantes para la evolución histórica son las observaciones hechas por A. Alonso a base de antiguas descripciones de los sonidos: *Examen de las noticias de Nebrija sobre antigua pronunciación española,* NRFH, III, 1949, págs. 1-82. Todavía Garcilaso de la Vega distinguía entre *ç* y *z, s* y *ś, x* y *j,* como lo ha comprobado M. de Montolíu basándose en el tratamiento de la rima por el poeta, RFE, XXIX, 1945, págs. 153-160. Un magistral estudio de las modificaciones fónicas que han transformado la pronunciación española desde el siglo XVI es el consignado por R. J. Cuervo en sus *Disquisiciones sobre antigua ortografía y pronunciación castellanas,* RH, II, 1895, págs. 1-69, V, 1898, págs. 273-307, publicado ahora en nueva forma a base de notas manuscritas, en las *Obras inéditas* (ver pág. 131), págs. 351-492 y, mejor aún, en R. J. Cuervo, *Obras,* II, págs. 240-343 (1ª versión), II, págs. 344-476 (2ª versión). De estas importantes modificaciones tenemos hoy una nueva síntesis en el libro de Amado Alonso, *De la pronunciación medieval a la moderna en español,* terminado y dispuesto para la imprenta por R. Lapesa, tomo I, Madrid, 1955: se refiere a los sonidos *b, v, d, c, z,* con riquísima documentación.

En algunos casos es muy difícil determinar el valor de los sonidos respectivos para la época primitiva. En cuanto a las grafías *ch* y *j* (*mucho, juego*), cabe suponer que tenían en lo antiguo el valor de fonemas mediopalatales; véase A. Alonso, RFH, VIII, 1946, pág. 60. Obvio es que mientras no se tengan sobre esto datos seguros, las etapas históricas de un proceso fónico (p. e. *oclu* > *ojo*) permanecerán obscuras. Punto de discusión sigue siendo en gracia de qué operación articulatoria o de qué impulso el antiguo sonido africado sonoro de carácter mediopalatal o prepalatal (*j*), pasó a ser un fonema fricativo velar sordo[125].

Claro es que la observación de la pronunciación regional o dialectal puede proporcionar valiosos datos tanto sobre los procesos pasados como sobre mutaciones modernas. En el español americano predomina la *s* no apical, típica de Andalucía, que corresponde a la *s* francesa e italiana. En Guatemala y Nuevo Méjico ha sido señalada la *f* bilabial, que no es desconocida tampoco en España. En las islas Canarias oí yo *ch* mediopalatal (*noche*). Muy propagada está en el Norte de España (Asturias, León, Santander) y en países americanos la pronunciación velar de la *n* final de palabra (*tambiéη*, *corazóη*). La singular articulación del grupo *tr* como un sonido situado entre *tr* inglés (*tree*) y la *ch* española, es propia de algunas provincias peninsulares (Navarra, Logroño) y de áreas americanas[126]. Sobre la conservación de la *ś* (*queśo*) y *z* > δ (*coδina*) sonoras en Extremadura, véase pág. 163. El variado desarrollo que continúa mostrando la *ll* castellana en España y América bajo la forma de *y, ž* y *š* ha sido detalladamente estudiado por A. Alonso en *Estudios dedicados a Menéndez Pidal,* II, 1951, págs. 41-89, y A. Zamora Vicen-

---

125 Una llamativa interpretación presenta F. Schürr en el Homenaje a Portugal de la Universidad de Colonia (1940), pág. 114.

126 Comp. A. Alonso en *Homenaje Menéndez Pidal,* II, 1925, págs. 167-191.

TE, *Rehilamiento porteño,* Fil., I, 1949, págs. 5-22 [127]. Sobre la extensión del seseo y del ceceo (confusión de los fonemas *s* y *c*) en el Sur de España tratan el artículo *La frontera del andaluz,* por T. NAVARRO TOMÁS, A. M. ESPINOSA y L. RODRÍGUEZ CASTELLANO, RFE, XX, 1933, págs. 225-277, y el trabajo de AMADO ALONSO, *Historia del ceceo y del seseo españoles,* Thes., VII, 1951, págs. 111-200. Sobre un curioso fenómeno de pronunciación andaluza (*la mar* > *la mè, ohpitè* 'hospital', *tu bè detrè* 'tu vas detrás'), véase la simpática charla de DÁMASO ALONSO, *En la Andalucía de la è* (Madrid 1956) [127a].

Nuevos datos para la apreciación del sistema fónico español cabe esperar del método fonológico (en el sentido de la escuela de Praga) [128]. Así, se ha reconocido que (visto fonológicamente) el sistema vocálico español se compone sólo de tres grados, frente al sistema de cuatro grados que presenta el italiano:

Español	Italiano
i u	i u
e o	ẹ ọ
a	ę ǫ
	a

También en su sistema consonántico es el español considerablemente más pobre que el italiano; comp. H. LAUS-

---

[127] Por 'rehilamiento' se entiende el paso de una *y* a *j* (ž) francesa, p. e. argent. *kaže* 'calle', *mažo* 'mayo'.

[127a] Para la caída de *l* y *r* finales, véase A. ALONSO y R. LIDA, *Geografía fonética:* l *y* r *implosivas en español* (RFH, VII, 1945, págs. 313-345).

[128] Contrariamente a la fonética, que se ocupa de los fonemas desde el punto de vista de su formación y de su estructura articulatoria, la fonología los estudia desde el ángulo del sistema fónico. Los conceptos fundamentales de la fonología general han sido resumidos claramente por E. DIETH, *Vademecum der Phonetik* (Berna, 1950), págs. 334-373.

BERG, *Vergleichende Charakteristik der italienischen und der spanischen Schriftsprache,* RF, LX, 1947, págs. 106-122. El punto de vista estadístico de la frecuencia predomina en los *Estudios de fonología española* de T. NAVARRO TOMÁS (Siracusa 1946). Más extensa y de visión más amplia es la introducción a la disciplina de Trubetzkoy de E. ALARCOS LLORACH, *Fonología española* (Madrid 1954); comp. también el claro resumen sobre *El sistema fonológico español* del mismo autor, RFE, XXXIII, 1949, págs. 265-296. La investigación *Vocales andaluzas,* NRFH, IV, 1950, págs. 209-230, de D. ALONSO, A. ZAMORA VICENTE y M. J. CANELLADA, muestra cómo el enfoque fonológico puede proporcionar valiosos datos; allí se demuestra que, debido al enmudecimiento de la *s* final, las vocales precedentes se abren, dando así origen a un nuevo distintivo del plural (*loβo* : *ọh lọβọ*). La complejidad de los fenómenos en la pérdida de la *-s* final y su repercusión en la diferencia entre singular y plural está ilustrada por M. ALVAR, *Las hablas meridionales de España y su interés para la lingüística comparada,* en RFE, XXXIX, 1955, págs. 284-313.

Sobre la investigación en el terreno de la fonética española en la época 1914-1924 tenemos un informe de A. ALONSO, RLiR, I, págs. 171-180.

MORFOLOGIA

En su edición del Cid (1908), págs. 231-298, ofrece MENÉNDEZ PIDAL una morfología bien documentada del español antiguo; de la época preliteraria, en *Orígenes del español* (1950), págs. 326-378. Lo más importante de la flexión en el español antiguo se encuentra también en el *Altspanisches Elementarbuch* de A. ZAUNER (véase pág. 125), págs. 56-87. En el *Manual de gramática histórica española* de MENÉNDEZ PIDAL abarca la morfología las págs. 169-297. En su *Gramática histórica* (cfr. aquí pág. 126), presenta V. GARCÍA DE DIEGO un análisis muy claro de los problemas de la morfología, en interesante examen (págs. 157-256). Abundantes materiales, con referencia a los dialectos y al habla común, se encuentran en la *Spanische Grammatik* de F. HANSSEN (Halle 1910), en español *Gramática histórica de la lengua castellana* (Buenos Aires 1945). Indispensable para toda ocupación científica con las cuestiones de la morfología es el segundo tomo ('Morfología') de los *Estudios sobre el español de Nuevo Méjico* (Buenos Aires 1946) de A. M. ESPINOSA, ampliado por el traductor A. ROSENBLAT con valiosas *Notas de morfología dialectal,* págs. 103-394.

Principalmente al estado del español antiguo se refieren las contribuciones de E. GESSNER: en ZRPh, XVII, págs. 1-54, sobre el pronombre personal; ibid. XVII, págs. 329-354, sobre los pronombres posesivo y demostrativo; ibid. XIX, págs. 153-169, sobre el pronombre indefinido; ibid. XVIII, págs. 449-497, sobre los pronombres relativo e interrogativo.

En el terreno de la morfología del verbo, el estudio de A. GASSNER, *Das altspanische Verbum* (Halle 1897), posee sólo el valor de una colección de materiales. Una etapa importante en los estudios sobre morfología marca el trabajo de F. HANSSEN, *Sobre la formación del imperfecto de la segunda y tercera conjugación castellana en las poesías de Gonzalo Berceo,* publicado en AUCh, LXXXV, 1894, págs. 655-694. Honrosa mención hágase también aquí de la monografía de R. J. CUERVO, *Las segundas personas de plural en la conjugación castellana,* escrita en 1893 y ahora accesible —muy ampliada— en las *Obras inéditas* (Bogotá 1944), págs. 321-350, reproducida en *Obras,* II, págs. 119-166. El mismo problema ha sido tratado, con medios de investigación más modernos, por Y. MALKIEL, *The contrast 'tomáis' : 'tomávades' in classical Spanish* (HR, XVII, 1949, págs. 159-165). En sus *Études de philologie hispanique* (RH, LXXVII, 1929, págs. 45-87), ofrece P. FOUCHÉ una importante contribución sobre la formación del perfecto [128a]. Por la metodología de la investigación sea mencionado el concienzudo trabajo de H. SCHMID, *Zur Formenbildung von 'dare' und 'stare' im Romanischen* (Berna 1949).

La reciente investigación se ha interesado con especial celo por el terreno de la formación de palabras. Contrariamente al francés y a semejanza del italiano, dispone la lengua castellana de una amplia escala de elementos formadores de palabras. Sufijos peculiares a la Península Ibérica son: *-aco, -ico, -ueco* (*morueco*), *-uco, -eco* (astur. *llobeco*), *-ito, -iego, -arro* (*-arrón*), *-orro, -urro, -ezno* (*lobezno*), *-uno, -asco* (*peñasco*), *-isco* (*negrisco* en Navarra), *-osco, -usco, -ujo* (*sastrujo* en Nava-

---

128a Sobre los dialectos véanse A. KUHN en ZRPh, LIX, 1939, págs. 73-78 y FR. KRÜGER en RFE, XXXVIII, 1954, págs. 45-82.

rra) y *-uzo*. Algunos de éllos parecen ser de origen prerromano (*-aco, -ico, -ueco, -iego, -asco, -arro*) y otros no han sido aún explicados [128b]. A esto se suman problemas provenientes de la función de los sufijos, p. e. los diminutivos *-ón* (cast. *ratón,* arag. *Pedrón, Migalón,* salm. *agallón*) y *-ezno* [128c].

Un cuadro detallado de los sufijos españoles —que deberá tomar en cuidadosa consideración las circunstancias dialectales— es una apremiante necesidad. Lo que trae MENÉNDEZ PIDAL en su *Manual* (6ª ed., págs. 222-242, 326-333) es muy incompleto. Sólo escuetos resúmenes ofrecen la edición del Cid de Menéndez Pidal (tomo I, págs. 240-248) y el *Altspanisches Elementarbuch* de ZAUNER (§ 140). Un análisis desarrollado se encuentra en la *Gramática histórica* (1951) de V. GARCÍA DE DIEGO, págs. 222-249. Aun útil, aunque anticuado en algunos puntos, es el tratamiento de la formación de palabras, conjuntamente con las otras lenguas romances, en la *Grammatik der romanischen Sprachen* de MEYER-LÜBKE (tomo II, 1894, § 362-628). Sigue siendo el mejor trabajo de conjunto el *Tratado de la formación de palabras en la lengua castellana* de J. ALEMANY BOLUFER (Madrid 1920, anteriormente en BAE, IV-VI, 1917-1919): abarca derivación y composición.

En los últimos veinticinco años la muy dispersa investigación particular ha arrojado nueva luz sobre la formación de muchos sufijos. En este terreno ha prestado especiales servicios M. L. WAGNER. Mencionaremos, entre otros, sus estudios sobre el sufijo *-al* (*juncal, hayal*) en

128b El sufijo *-iccus* es muy frecuente en las inscripciones de España y de Francia en apellidos: *Belliccus, Caticcus, Germaniccus, Aveticcus.*

128c El sufijo *-ezno* es idéntico a *-icinus* de antiguos apellidos *Gallicinus, Lupicinus, Ursicinus* de inscripciones de Italia.

VKR, III, 1930, págs. 87-92; sobre las formaciones con *-rr-* en ZRPh, LXIII, 1943, págs. 347-366; sobre *-apo* en ZRPh, LXIII, 1943, págs. 329-344; sobre la función de *-azo* (*bastonazo*) en ZRPh, LXIV, 1944, págs. 353-356. Todos estos aportes pueden ser considerados, desde el punto de vista metodológico, como ejemplares. Su especial mérito consiste en que muestran cómo, en ciertos casos particulares, una terminación adquiere valor de sufijo, se propaga y puede adoptar nuevas funciones. Y. MALKIEL ha dedicado recientemente a este problema una serie de investigaciones muy detalladas, p. e. sobre *-eño* en AJPh, LXV, 1944, págs. 307-323; sobre el infijo *-eg-* (*pedregal*) en Lang., XXV, 1949, págs. 139-181; sobre *-uno* en RPh, IV, 1950, págs. 17-45; sobre *-iego,* en UCPL, IV, 1951, págs. 111-213; el último de estos trabajos es importante por el método de la investigación. Sobre *-arrón* y *-arro* véase G. ROHLFS en *Archiv,* CLXXXII, 1943, págs. 118-122. Un grupo de sufijos curiosos (*relámpago, luciérnaga, truébano, Gándara, Turégano, Jábaga*) estudia MENÉNDEZ PIDAL, *Sufijos átonos en el Mediterráneo occidental,* NRFH, VII, págs. 34-55; cfr. también *Orígenes del español* (1926), § 61bis.

Por su interpretación psico-lingüística es interesante la monografía de A. ALONSO, *Noción, emoción, acción y fantasía en los diminutivos* (VKR, VIII, 1935, págs. 104-126). De la formación de los gentilicios se ocupan G. SACHS en RFE, XXI, 1934, págs. 393-399, y R. OROZ en AFFCh, I, 1934, págs. 51-54[128d]. Sobre forma y función de los sufijos empleados en la región pirenaico-aragonesa tratan G. ROHLFS en RLiR, VII, 1931, págs. 119-169 (traducido al español en *Pirineos,* año 7º, 1951, 467-526) y

[128d] Véase al respecto el valioso material que presenta J. CASARES en su *Diccionario ideológico,* 1942, págs. 569-597.

A. KUHN, RliR, XI, 1935, págs. 166-244. Muy rico material argentino ofrece la monografía de B. E. VIDAL DE BATTINI, *El habla rural de San Luis* (Buenos Aires 1949), págs. 214-375.

Otras indicaciones bibliográficas se encuentran en la bibliografía de WOODBRIDGE y OLSON (véase aquí pág. 51), págs. 19-22. Para todo trabajo relativo a los sufijos presta apreciables servicios el *Diccionario de la rima* de P. BLOISE CAMPOY (Madrid 1946).

SINTAXIS

El estudio científico de la sintaxis española está aún muy lejos de los progresos alcanzados desde hace largo tiempo por el francés.

También en su estructura sintáctica presenta el español formas originales y arcaicas. A diferencia del francés (*je vais chez le médecin*) y del italiano (*vado dal medico*), se dice en castellano (como lat. VADO AD AMICUM) *voy al médico* y también en portugués *vou ao médico* [128e]. El español (lo mismo que el portugués) se ha aferrado a JAM NON VENIT : *ya no viene* (*ja não vem*), al no participar de la innovación románica NON MAGIS, NON PLUS. Otros aspectos unen al iberorrománico con Francia e Italia meridionales, p. e. el acusativo de persona: *quiero a María* (véase págs. 38 y 43).

Poco investigada ha sido aún la sintaxis dialectal, que es digna de interés por su conservación de viejos giros [128f]. Mencionaremos el uso de los nombres de río sin artículo determinado (arag. *por Ebro*), el frecuente empleo del antiguo perfecto latino en lugar del perfecto compuesto, que es desconocido (ast. *ahora llegó, ¿ya cenaste?*), la posición enclítica del pronombre personal átono (ast. *comílo, ¿dásmelo?, duelme una muela, les mazanes gús-*

128e Corresponde al francés *chez* el catalán *vaig a cal metge.*

128f Véase ahora A. KUHN, *Sintaxis dialectal del Alto Aragón* (en: *Miscel. filol. a A. Griera,* tomo II, 1955).

tenme mucho), adjetivación neutra para nombres femeninos de materia (leon. *seda negro, farina bueno*).

Sobre la situación en el habla literaria de los siglos pasados se hallan útiles informaciones en la *Spanische Grammatik* de F. HANSSEN (Halle 1910); en versión esp.: *Gramática histórica de la lengua castellana* (Buenos Aires 1945). Esta gramática proporciona buenos datos acerca de las teorías temporal y modal, del uso del artículo y de los pronombres [129]. Indispensable para todo trabajo científico es la *Gramática de la lengua castellana* de ANDRÉS BELLO (ver arriba pág. 124): esta obra difundió un nuevo espíritu en el análisis y la definición de funciones sintácticas.

Un material lingüístico inmensamente rico y bien amasado desde el punto de vista histórico encierra el *Diccionario de construcción y régimen de la lengua castellana* (2 tomos, París 1886, 1893) de R. J. CUERVO: allí se hallan sólo aquellas voces que ofrecen un interés sintáctico, ilustradas con muchos ejemplos de autores antiguos y modernos (ver pág. 110). Del mismo autor son también importantes las *Apuntaciones críticas sobre el lenguaje bogotano* (5ª ed. París 1907), publicadas nuevamente en R. J. Cuervo, *Obras,* I, págs. 1-906, y más recientemente aún, en edición popular, por el Instituto Caro y Cuervo, Bogotá, 1955. Entre los trabajos alemanes que han venido a ser notables para la consideración de cuestiones sintácticas, merecen honrosa mención las *Untersuchungen zur spanischen Syntax auf Grund der Werke des Cervantes* de L. WEIGERT (Berlín 1907). Sitio des-

---

129 Entre los libros de enseñanza alemanes del siglo pasado, la Gramática de JULIUS WIGGERS (Leipzig, 1860) puede prestar todavía algunos servicios. Apropiada para el primer contacto práctico con la sintaxis es la *Spanische Sprachlehre* de GERTRUD WACKER (Leipzig, 1924).

tacado ocupa el castellano en la *Romanische Syntax* (tomo III de la *Grammatik der romanischen Sprachen*, Leipzig 1899) de W. MEYER-LÜBKE, que sigue teniendo todo su valor científico [130].

Nuevos impulsos dio a los métodos de trabajo sintáctico el libro de RUDOLF LENZ, *La oración y sus partes* (Madrid 1920, Santiago de Chile, 1944), haciendo fructíferos para el análisis de funciones gramaticales los resultados lingüístico-psicológicos de Wundt; la obra vale además por sus indicaciones comparativas, pero padece de clasificaciones pedantes. Una importancia más normativa que científica corresponde a la *Gramática de la lengua castellana* de la Real Academia, que puede prestar buenos servicios como rica fuente de ejemplos, sobre todo a partir de la básica refundición de 1917. Preponderantemente descriptivo, sin carecer de intentos de penetración histórica y psicológica es el *Curso superior de sintaxis española* (Barcelona 1943, 2ª ed. 1948, 4ª ed. 1954) de SAMUEL GILI Y GAYA: es un ensayo serio de analizar los fenómenos sintácticos en sus valores y funciones, sobre la base de los métodos modernos.

Un gigantesco material, sacado de fuentes originales algunas veces difícilmente accesibles y ordenado por categorías gramaticales, está contenido en la extensa obra de H. KENISTON, *The syntax of Castilian prose: The Sixteenth Century* (Chicago 1937); buenos índices de palabras y de materias contribuyen a hacer de este libro una muy valiosa obra de consulta [130a]. Para el español americano tenemos el trabajo extraordinariamente rico de CH.

---

[130] También trata problemas especiales de la sintaxis castellana el libro de LEO SPITZER, *Aufsätze zur romanischen Syntax und Stilistik* (Halle, 1918).

[130a] Otro importante trabajo del mismo autor, que se refiere a los siglos modernos, es la *Spanish syntax list* (New York, 1937).

E. Kany, *American-Spanish syntax* (Chicago 1951). Está orientado descriptiva y comparativamente, abarcando todo el dominio desde Argentina hasta Méjico; véanse al respecto los comentarios de H. Meier, BF, VIII, 1947, págs. 368-370, F. Krüger, AIL, IV, 1950, págs. 301-314 y A. Rosenblat, NRFH, IV, 1950, págs. 57-67 (interesantes ampliaciones).

Seguidamente damos algunas referencias para el tratamiento científico de problemas particulares de sintaxis:

E. Gessner, *Die hypothetische Periode im Spanischen in ihrer Entwicklung,* ZRPh, XIV, 1890, págs. 21-65.

W. A. Beardsley, *Infinitive constructions in Old Spanish.* Nueva York 1921. [Buena clasificación metódica].

A. Par, *'Qui' y 'que' en la Península ibérica,* RFE, XIII, 1926, págs. 337-349, XVIII, págs. 225-234. [Muestra la lenta desaparición del relativo *qui* en favor de *que*].

E. L. Llorens, *La negación en español antiguo con referencias a otros idiomas.* Madrid 1929, tesis, Freiburg 1930. [Extensa colección de materiales, presentados histórica y descriptivamente. Interesantes los 74 medios de reforzamiento (voces expletivas) reunidos en las págs. 185 sigs].

K. Wagenaar, *Etude sur la négation en ancien espagnol jusqu' au XVe siècle.* Groningen 1930.

R. A. Haynes, *Negation in 'Don Quijote'.* Tesis. Chicago 1931 (Austin 1933).

Eva Seifert, *'Haber' y 'tener' como expresiones de la posesión en español,* RFE, XVII, 1930, págs. 233-276, 345-389. [Trabajo muy moderno en cuanto a su método, debido a su concienzudo examen semántico-histórico, que tiene en cuenta la diferenciación regional].

HANS CHMELIČEK, *Die Gerundialumschreibung im Altspanischen zum Ausdruck von Aktionsarten.* Hamburgo 1930. [Comp. al respecto el artículo de ST. LYER, *La syntaxe du gérondif dans le Poema del Cid,* RFE, XXII, 1935, págs. 1-46].

ALICE BRAUE, *Beiträge zur Satzgestaltung der spanischen Umgangssprache.* Hamburgo 1931. [Ordenadas por categorías psicológicas].

R. K. SPAULDING, *Syntax of the Spanish verb.* Nueva York 1931. [Laudable trabajo].

W. MATTHIES, *Die aus den intransitiven Verben der Bewegung und dem Partizip des Perfekts gebildeten Umschreibungen im Spanischen.* Jena-Leipzig 1933.

H. KENISTON, *Verbal aspect in Spanish,* Hisp., XIX, 1936.

HANS SCHULTZ, *Das modale Satzgefüge im Altspanischen.* Jena-Leipzig 1937.

ANNA G. HATCHER, *The use of* a *as a designation of the personal accusative in Spanish.* En MLN, LVII, 1942 págs. 421-429.

S. KÄRDE, *Quelques manières d'exprimer l'idée d'un sujet indéterminé ou général en espagnol.* Upsala 1943. [Trata las formas *hombre viene, ome dice, uno tiene, se vende la casa,* etc.].

J. LAROCHETTE, *Les aspects verbaux en espagnol,* RBPhH, XXIII, 1944, págs. 39-72.

E. ALARCOS LLORACH, *Perfecto simple y compuesto en español,* RFE, XXXI, 1947, págs. 108-139. [Penetrante análisis de las dos formas de perfecto en su evolución histórica y sus diferencias psicológicas].

A. M. Badía Margarit, *Los complementos pronominalo-adverbiales derivados de 'ibi' e 'inde' en la Península ibérica.* Madrid 1947. [Cuidadosa investigación del uso sintáctico de ambos adverbios, con examen de las causas de su desaparición].

A. M. Badía Margarit, *Ensayo de una sintaxis histórica de tiempos: El pretérito imperfecto de indicativo,* BAE, XXVIII-XXIX, 1948-1949.

M. Criado de Val, *Sintaxis del verbo español moderno.* Madrid 1948. [Estudia las formas indicativas del pasado, con atención a los aspectos. Trabajo débil de principiante; véanse C. T. Gossen y M. Sandmann en ZRPh, 71, págs. 114-118].

H. Meier, *Sobre as origens do acusativo preposicional nas línguas românicas.* En *Ensaios de filologia românica,* 1948, págs. 115-164. [Se propone fundamentar, con osadas conclusiones, el origen latino-vulgar de esta construcción].

G. Reichenkron, *Das präpositionale Akkusativ-Objekt im ältesten Spanisch,* RF, LXIII, 1951, pág. 342. [Sutilísimo examen de nuevos datos sobre el empleo de la preposición, tomados del Cantar de mio Cid].

Muchas contribuciones menores sobre sintaxis castellana están diseminadas en las revistas. Lo que ha sido tratado en los primeros 50 años de la ZRPh puede ser hallado fácilmente, bajo el título 'Spanisch' (subtítulo 'Syntax'), en el índice de materias de los dos registros correspondientes (tomos I-XXX: 1910; tomos XXXI-L: 1932).

Otras indicaciones bibliográficas se encuentran en la bibliografía de Woodbridge-Olson (ver pág. 51), págs. 15-18.

DIALECTOLOGIA

Antes del siglo XIII carecía España de una lengua culta reconocida de todos. Así, pues, los textos primitivos muestran las características dialectales de cada región.

La importancia de los dialectos para la investigación lingüística fue reconocida en España mucho más tarde que en los otros países románicos. Un precursor muy aislado en este terreno fue el Padre Sarmiento (hacia 1750), cuyos trabajos filológicos sobre el gallego permanecieron inéditos y sólo en los años 1928-31 fueron publicados en el BAE. Considerables trabajos preliminares realizaron en el siglo XIX Emil Gessner (*Das Altleonesische,* Progr. Berlín 1867) y A. W. Munthe (*Anteckningar om folkmålet i en trakt af vestra Asturien,* Upsala, 1887).

La investigación dialectal moderna empieza sólo en el año 1906 con el trabajo clásico de Menéndez Pidal, *El dialecto leonés,* RABM, XIV, págs. 128-172 y 294-311. Dicha monografía abarca el leonés en el sentido más amplio de la palabra (antiguo reino de León), trata fonética, morfología y sintaxis, dando para cada forma indicaciones geográficas precisas. Sin embargo, fueron primeramente eruditos extranjeros los que siguieron este ejemplo en España (Leite de Vasconcellos, Staaf, Saroïhandy, Schädel, Krüger). Sólo desde 1920 ha tomado la investigación dialectal española un empuje considerable.

La opinión difundida en el pasado, de que las hablas regionales de España se diferencian poco entre sí, ha sido reducida *ad absurdum* por la investigación moderna.

El Norte, especialmente, presenta una gran variedad dialectal. Mencionamos (sólo en el Norte) las siguientes designaciones de la aulaga: *árgoma, escajo, toxo, cádava, cotolla, gromo;* del lución: *alaguežu, esculientru, nánago, eslabón, salayón, escolancio, rizcance, lizo, nabón, zarangüetu.*

El valor de la hablas dialectales radica en los múltiples datos que pueden proporcionar, en cuanto baluartes de fenómenos arcaicos, a la investigación histórica de la lengua. Piénsese en la conservación de la *s* sonora (*quešo*) y la distinción entre *haδer* 'hacer' y *fuerθa* en Extremadura[131], en la mantenencia de *-p-, -t-* y *-ḳ-* intervocálicas en el Alto Aragón: *saper, tota, melico* 'ombligo'[132], en la existencia de sonidos cacuminales en Asturias: *ḍingua, martieḍu, ṭana* 'lana', *caṭar* (callar), en la conservación de viejas etapas diptongales, p. e. *uo* en leonés (Sanabria *cuorpo, puorta*), *ua* en aragonés (*fuago, nuaz*). La forma *manteiga,* común al gallego y al asturiano (junto al mozár. *mantaiḳa*) permite reconocer que el esp. *manteca* tiene como base un antiguo *ai.* La forma *δorra* 'zorra', corriente en Extremadura, indica que el etimologista debe partir de una antigua *z* sonora. El dialectal *berozo* 'brezo' en Alava muestra que para el cast. *brezo* hay que suponer una etapa anterior *bruezo.*

Notables arcaísmos son igualmente el FRAXINUS (*freixo*) femenino y otros nombres de árbol con género femenino (*la cerezal, la castañal*) en León, el empleo de nombres de río sin artículo: arag. *come más que Ebro,* extrem. *el puente sobre Guadiana,* y el uso frecuente del futuro de subjuntivo en las islas Canarias: *si tuviere dinero, compraré un caballo.*

---

131 Cfr. A. M. ESPINOSA, *Arcaísmos dialectales* (Madrid, 1935).

132 Comp. arriba pág. 139.

Una forma muy añeja es el arag. *augua* frente al esp. *agua.* Para antiguas relaciones con el Levante peninsular (cat. *lluna*) es importante el cambio de *l* inicial a *ll* en leonés y asturiano: *llobo, lluna, llengua.*

El estudio de los dialectos es asimismo revelador para el entreveramiento del castellano culto con elementos de origen regional. El cast. *yugo* frente a *junco, juego, junto* y *jueves,* proviene de un dialecto (Toledo) que llama al junco *yunco*[133]. *Viejo* podría estar influído por el leonés; *peje* (PISCE), al lado de *pez* y *faz* (FASCE), parece provenir de un *pexe* asturiano anterior. El cast. *nalga* (NATICA) está en contradicción con el resultado PORTATICU > *portazgo*: desciende del leonés, donde se dice también *portalgo.* El cast. *tasugo,* en vez del *tejugo* (* TAXUCUS) esperado, debe haber sido tomado de un dialecto que desarrolle *-as-* a partir de *-ax-;* comp. el topónimo *Sasa* < SAXA en Aragón. El fonetismo del cast. *chopo* (* PLOPPU < POPULU) hace presumir su origen occidental (comp. port. *choupo*). También por una evolución dialectal particular se explican *hoya* (FOVEA) junto a *lluvia, gozo* (GAUDIUM) junto a *poyo* (PODIUM). Muchos casos similares ha señalado V. GARCIA DE DIEGO en *El castellano como complejo dialectal,* RFE, XXXIV, 1950, págs. 107-124; comp. sobre esto dos artículos anteriores en RFE, III, 1916, págs. 301-318 y *Hom. Menéndez Pidal,* I, 1924, págs. 7-20[134].

Desde el punto de vista del léxico, las hablas regionales son campos de reserva de muchas voces desconocidas al castellano: arag. *ubago* (OPACUS), *ascla* 'astilla' (ASCLA),

---

133 Ver GARCÍA DE DIEGO, RFE, III, págs. 310 sigs.

134 También en su *Gramática histórica española* (Madrid, 1951) defiende el autor la tesis de que una parte considerable del léxico castellano fue tomada de diversas áreas dialectales.

Ribagorza *safraina* 'corva' (SUFFRAGINE), Soria *priesco* (PERSICUS), Rioja *jaudo* 'insípido' (INSAPIDUS), Montaña *nuétiga* 'lechuza' (NOCTUA), Salamanca *nidio* (NITIDUS), *jejo* 'canto' (SAXUM), Bierzo *baño* 'criba' (VANNUS), astur. *andagora* 'todavía' (INDE-HAC-HORA), *esperteyu* 'murciélago' (VESPERTILIO). También puede suceder que los dialectos hayan conservado un vocablo latino en evolución popular, p. e. astur. *xebrar* 'separar las ovejas', que subsiste en castellano sólo bajo forma culta. La pasada existencia de *albo* 'blanco' queda establecida gracias a *pichalbo* 'gato montés' ('pecho albo') en la provincia de Salamanca, y a *culalba* 'aguzanieves' ('cola alba') en la provincia de Valladolid.

Sobre el valor de las hablas regionales para labores de sintaxis, véase pág. 156.

Damos a continuación, por orden cronológico, algunas indicaciones sobre monografías que, además de ser particularmente valiosas, pueden servir de ejemplo para los diversos métodos científicos de trabajo:

FRITZ KRÜGER, *Studien zur Lautgeschichte westspanischer Mundarten*. Hamburgo 1914. [Cuidadosa y detallada investigación de una extensa área dialectal (Norte de Extremadura y Sudoeste de Zamora), con minuciosos análisis fisiológico-fonéticos de ciertos procesos fónicos, en vinculación con el habla culta].

P. SÁNCHEZ SEVILLA, *El habla de Cespedosa de Tormes*, RFE, XV, 1928, págs. 131-172, 244-282. [Estudia la zona fronteriza entre las provincias de Salamanca y Avila. Da una orientación múltiple en que hallan cabida, junto al examen filológico de todas las categorías (inclusive formación de palabras, sintaxis, onomasiología), problemas de historia de la cultura y de toponimia, como también el planteamiento folklórico de la cuestión. Puede servir como modelo de labor compiladora en el terreno dialectal].

O. Fink, *Studien über die Mundarten der Sierra de Gata.* Hamburgo, 1929. [Investiga principalmente el estado fonético en la región fronteriza de León y Extremadura].

A. Kuhn, *Der hocharagonesische Dialekt,* RLiR, XI, 1935, págs. 1-312. [Su valor radica en la extensa exploración lingüística de una región muy arcaica y muy instructiva, por ser lazo de unión entre el Oeste y el catalán].

A. Zamora Vicente, *El habla de Mérida y sus cercanías.* Madrid, 1943. [Une investigación fonética experimental con interpretación histórica y con los métodos de confrontación de palabras y cosas].

María Josefa Canellada, *El bable de Cabranes.* Madrid, 1944. [Valiosa contribución al conocimiento del asturiano central, con rico vocabulario].

A. Llorente Maldonado de Guevara, *Estudio sobre el habla de la Ribera.* Salamanca, 1947. [Noroeste de la provincia de Salamanca. Fonética, morfología y sintaxis].

M. Alvar, *El habla del Campo de Jaca.* Salamanca, 1948. [Métodos de geografía lingüística combinados con indagación histórica del problema].

Guzmán Alvarez, *El habla de Babia y Laciana.* Madrid, 1949. [Estudia una zona arcaica en el Noroeste de León. Valioso por su amplia perspectiva, que comprende geografía cultural e investigación especial].

A. Badía Margarit, *El habla del valle de Bielsa* (Pirineo aragonés). Barcelona, 1950. [Detallada exposición de la situación morfológica. Interesante diccionario].

L. Rodríguez Castellano, *La variedad dialectal del Alto Aller*. Oviedo, 1952. [Trata un dominio muy arcaico en el Sur de Asturias; fonética, morfología, sintaxis y léxico. Muy interesantes materiales: véase la reseña de Y. Malkiel, con valiosas notas en *Language*, XXX, 1954, págs. 128-153].

Manuel Alvar, *El dialecto aragonés*. Madrid, 1953. [Síntesis de investigación e introducción a todos los problemas filológicos y lingüísticos].

A. Zamora Vicente, *Léxico rural asturiano: Palabras y cosas de Libardón (Colunga)*. Granada 1953. [Interesantes materiales relativos a algunos aspectos de cultura popular].

L. Rodríguez Castellano, *Aspectos del bable occidental*. Oviedo, 1954. [Muy valiosas informaciones sobre una zona de gran variedad dialectal y sobre los lugares más arcaicos de Asturias. Fonética y morfología].

G. Rohlfs, *Contribución al estudio de los guanchismos en las Islas Canarias*, RFE, XXXVIII, 1954, págs. 83-99. [Reúne los elementos léxicos que sobreviven de los antiguos idiomas isleños].

J. Neira Martínez, *El habla de Lena*. Oviedo, 1955. [Consta de un estudio lingüístico, uno de palabras y cosas y un vocabulario. Trabajo que puede servir de ejemplo a futuras tesis doctorales].

De A. Galmés de Fuentes y D. Catalán Menéndez Pidal, RDTP, II, 1946, págs. 196-239, tenemos una concienzuda investigación de una frontera dialectal (demarcación entre *f* occidental y *h* ó *j* orientales) en Asturias, estudiada en su desarrollo y causas.

Otras valiosas informaciones han sido suministradas por el estudio de textos medievales. Mencionaremos al respecto algunos trabajos ejemplares:

E. Staaf, *Etude sur l'ancien dialecte léonais d'après des chartes du XIIIe. siècle.* Upsala, 1907.

A. Castro y F. de Onís, *Los fueros leoneses.* Madrid, 1916.

G. Tilander, *Los fueros de Aragón.* Lund, 1937. [La más rica fuente del vocabulario aragonés antiguo. Diccionario: págs. 229-620].

Max Gorosch, *El fuero de Teruel.* Estocolmo, 1950. [Cuidadoso análisis del estado de lengua (págs. 36-93), valioso diccionario (págs. 434-652)].

Para toda clase de estudios dialectales constituyen los diccionarios correspondientes eficaz ayuda[135]. Tenemos aquí que limitarnos a nombrar, para algunas regiones, los medios de información más valiosos:

Andalucía: M. de Toro y Gisbert, *Voces andaluzas,* RH, IL, 1920, págs. 313-647; A. Alcalá Venceslada, *Vocabulario andaluz* (Andújar, 1934), nueva edición muy ampliada: Madrid, 1951.

Aragón: J. Borao, *Diccionario de voces aragonesas* (Zaragoza, 1908); J. Pardo Asso, *Nuevo diccionario etimológico aragonés* (Zaragoza, 1938): las etimologías dadas aquí no tienen ningún valor.

135 De imperiosa necesidad es una bibliografía de los diccionarios dialectales hispanistas como existen para los dominios francés-provenzal e italiano.

Asturias: A. DE RATO Y HEVIA, *Vocabulario de las palabras y frases bables,* redactado en dialecto asturiano (Madrid, 1892); B. ACEVEDO Y HUELVES y M. FERNÁNDEZ, *Vocabulario del bable de occidente* (Madrid, 1932).

León: J. DE LAMANO Y BENEITE, *El dialecto vulgar salmantino* (Salamanca, 1915); V. GARCÍA REY, *Vocabulario del Bierzo* (Madrid, 1934).

Montaña (Santander): G. A. GARCÍA LOMAS, *El lenguaje popular de las montañas de Santander* (Santander, 1949).

Murcia: J. GARCÍA SORIANO, *Vocabulario del dialecto murciano* (Madrid, 1932); con interesantes capítulos sobre fonética y morfología.

Navarra: J. M. IRIBARREN, *Vocabulario navarro* (Pamplona, 1952); importante para la supervivencia de palabras vascas en las áreas romanizadas.

Sobre el desarrollo y métodos de la investigación dialectológica en España e Hispanoamérica orienta muy escrupulosamente SEVER POP, *La dialectologie,* I (Lovaina, 1950), págs. 377-434. Un resumen muy esperado de nuestros conocimientos sobre las hablas españolas (peninsulares), provisto de rica bibliografía, constituye el *Manual de dialectología española* de V. GARCÍA DE DIEGO (Madrid, 1946); la obra es, entrando en lo particular, de desigual valor: excelente en la exposición del gallego, débil en el tratamiento del catalán e incompleta para otros dominios (Andalucía, Extremadura). Los principales distintivos de los dialectos españoles están acertadamente dilucidados por R. LAPESA en la *Historia de la lengua española* (1950), págs. 285-315. En una perspectiva histórica más amplia destaca MENÉNDEZ PIDAL la importancia de las hablas regionales en sus *Orígenes* (págs. 415-489). La significación de los dialectos para todos los trabajos etimológicos ha sido señalada por M. L. WAGNER, *Etymologische Randbemerkungen zu neueren iberoromanischen Dialektarbeiten und Wörterbüchern,* ZRPh, LXIX, 1953, págs. 347-391. Una bibliografía crítica muy completa de las hablas canarias presenta J. RÉGULO PÉREZ en *Os estudos da linguística românica* de M. de Paiva Boléo (Coimbra, 1951), págs. 203-225.

EL GALLEGO

La posición peculiar del gallego se funda en el hecho de pertenecer al tipo lingüístico del portugués. A esto se agrega que en la Edad Media (más o menos hasta 1400) este idioma tenía también en Castilla, como forma expresiva de poesía lírica, el valor de una lengua poética de corte[136].

Las diferencias de detalle entre el gallego y el portugués requieren aún un examen minucioso. Consisten, por una parte, en la conservación de etapas lingüísticas más antiguas, p. e. *fieito* frente a port. *feto* < FILICTU, *fiuncho* frente a port. *funcho* < FENUCULU, *chantaže* frente a port. *tanchagem* < PLANTAGINE, *chorón* 'llorón' frente a port. *chorão, tres lobos* frente a port. *trež lobuš*, gall. ant. *portar avia* frente a port. ant. *portaria*. Por otra parte, provienen tales diferencias de las muy fuertes influencias castellanas que se hicieron sentir posteriormente. Otras divergencias están ligadas a la supervivencia de términos latinos que no fueron reemplazados por voces árabes, p. e. *landre* (en lugar de *bellota*), *pòrco bravo* (en lugar de *jabalí*), *feixó* (en vez de *alubia*), *oleiro* < OLLARIUS (en vez de *alfarero*).

Un detallado cuadro del desarrollo fonético, la estructura morfológica y las fuentes léxicas del gallego traza V. GARCÍA DE DIEGO en sus *Elementos de gramática histórica gallega* (Madrid, 1920) y —en forma más sucinta,

---

[136] Recuérdese que al antiguo reino de León (alrededor de 1050) pertenecían Galicia y el tercio norteño de Portugal.

limitada a la fonética y a la morfología— en el *Manual de dialectología española* (Madrid, 1946), págs. 49-113. En el muy completo trabajo de M. LUGRIS FREIRE, *Gramática do idioma gallego* (La Coruña, 1931), está también la sintaxis bien representada. Una breve morfología del gallego moderno por J. CORNU se encuentra en Gr. Gr., I^2, 1904, págs. 1031-37. De época anterior es todavía muy útil la *Gramática gallega* (Lugo, 1868) de J. A. SACO Y ARCE. El gallego en su historia, literatura y gramática está estudiado por A. COUCEIRO FREIJOMIL, *El idioma gallego* (Barcelona, 1935). Totalmente diletante y retrasada desde el punto de vista científico es la *Filología de la lengua gallega* de J. SANTIAGO Y GÓMEZ (Santiago, 1918). Importante para el antiguo gallego literario es *A linguagem das cantigas de Santa Maria de Alfonso X o Sabio,* BF, I, 1933, págs. 273-356, por R. RÜBECAMP, extracto de su tesis doctoral (Hamburgo, 1930), el cual trata desgraciadamente sólo algunos fenómenos fonéticos.

El diccionario más rico y fidedigno es el de J. CUVEIRO PIÑOL, *Diccionario gallego* (Barcelona, 1876). Menos completo y seguro es el léxico de L. CARRÉ ALVARELLOS (La Coruña, 1933). Para dar una orientación científica se revela ser muy útil el comodísimo *Vocabulario castellano-gallego de las Irmandades da Fala* (su no mencionado autor: S. MOSTEIRO PENA), La Coruña, 1933.

EL JUDEO-ESPAÑOL

El judeo-español (*spaniolo, ladino*) se habla en muchas ciudades del imperio turco actual o pasado (Estambul, Salónica, Bosnia, Asia Menor) y en partes de Africa del Norte (especialmente Marruecos). La significación del judeo-español consiste en que ha guardado una serie de rasgos lingüísticos muy arcaicos. A pesar de que la diáspora judía ocurrió en el mismo año del descubrimiento de América, el judeo-español, comparado con el español americano, se quedó estacionado en una etapa lingüística más antigua. Representa la situación lingüística del siglo XV, mientras que el español hablado en América tiene como base el estado de lengua del siglo XVI.

Rasgos característicos del judeo-español son:

1) la distinción entre *s* y *ś* : *paso, caśa,*
2) la distinción entre *ç* y *z* antiguas: *cabesa, seniśa,*
3) la distinción parcial entre *b* y *β* : *boca, βaķa,*
4) la distinción entre *x* y *j* antiguas: *lešos, hižo.*

El hecho de haber sido los emigrantes originarios de diversos sectores del país dejó, en muchos detalles, huellas regionales, p. e. *šešo* < SAXUM (leon.), *melsa* 'bazo' (arag.), *solombra* 'sombra' (leon.), *mursiégano* 'murciélago' (salam.), en Esmirna *doldze* 'doce' (leon.), *lonso* 'oso' (arag. *onso*). El judeo-español del Occidente balcánico presenta estrechos contactos con el español septentrional, al paso que las regiones orientales tienden más hacia el castellano (M. L. WAGNER, RFE, X, pág. 244).

Una caracterización sucinta del judeo-español se encuentra en *The Spanish language* de W. J. ENTWISTLE (1936), págs. 177-184, y en la *Historia de la lengua española* de R. LAPESA (Madrid, 1950), págs. 317-320. Sobre la extensión del judeo-español informa M. L. WAGNER, RDiR, I, 1909, págs. 470-506. — Monografías importantes (pequeña selección):

J. SUBAK, *Zum Judenspanischen,* ZRPh, XXX, 1906, págs. 129-185.

M. L. WAGNER, *Das Judenspanische von Konstantinopel,* Viena, 1914.

M. L. WAGNER, *Caracteres generales del judeo-español de Oriente,* Madrid, 1930.

M. A. LURIA, *A study of the Monastir dialect of Judeo-Spanish,* RH, LXXIX, 1930, págs. 323-583.

P. BÉNICHOU, *Observaciones sobre el judeo-español de Marruecos,* RFH, VII, 1945, págs. 209-258.

M. L. WAGNER, *Espigueo judeo-español,* RFE, XXXIV, 1950, págs. 9-106. [Importante para el conocimiento del léxico].

GEOGRAFIA LINGUISTICA

El instrumento de trabajo más seguro para los estudios de geografía lingüística es el atlas lingüístico. La reunión de materiales para el Atlas lingüístico español, que debía incluir también los dominios catalán y gallego-portugués, estaba muy adelantada en el año 1936, bajo la dirección de Navarro Tomás, cuando la guerra civil vino a poner fin a la empresa. Los materiales llevados entonces a América se encuentran ahora de nuevo en Madrid y hay buenas esperanzas de que el *Atlas lingüístico de la Península Ibérica* pueda comenzar pronto a aparecer [137].

Los primeros intentos serios de determinar, a base de realidades fonéticas y léxicas, la articulación dialectal de la Península entera fueron hechos por MENÉNDEZ PIDAL en *Orígenes del español* (1926). Al paso que el mapa 'La f hacia 1300', publicado allí (§ 41), da una idea bastante clara de la distinción entre *f* y *h* y hace ver el avance, en un amplio frente, de la *h* castellana hacia el Sur, las cartas 'comadreja' y 'cerro' (§ 85) presentan un cuadro mucho más complejo. Fue también Menéndez Pidal quien, investigando las capas históricas, realizó importantes verificaciones acerca de la estructura lingüística de la Península (ver arriba pág. 133). MEYER-LÜBKE, partiendo de otros indicios, supuso una doble faz en la colonización romana: con elemento preponderantemente cam-

---

137 Cfr. S. POP, *La dialectologie*, I (1950), págs. 427-429 y L. RODRÍGUEZ CASTELLANO en la revista *Archivum* (Oviedo), II, 1952.

pesino en el Nordeste y con una población ciudadana más conservadora en el Sur (*Das Katalanische,* 1925, págs. 180 sigs.). Esta teoría ha sido desarrollada por H. Meier, *Beiträge zur sprachlichen Gliederung der Pyrenäenhalbinsel* (Hamburgo, 1930). Desgraciadamente el autor se limitó exclusivamente a lo fonético. Lo ofrecido allí en materia de nuevas observaciones está concebido inteligentemente, pero se queda en el nivel de las hipótesis no suficientemente comprobadas [138]. En el artículo *Die sprachlichen Verhältnisse auf der Pyrenäenhalbinsel,* ZRPh, LXVI, 1950, págs. 95-125, ha analizado H. Kuen, de manera más prudente y construyendo sobre fundamentos más amplios, cuestiones esenciales que se prestan para explicar la evolución divergente de la Latinidad española.

Un buen ejemplo de investigación etimológica, en conexión con la geografía lingüística, debemos a M. L. Wagner, *Sobre os nomes da 'moega' nas línguas românicas,* en *Biblos,* XXIV, 1948, págs. 247-265, quien efectúa la demarcación de las diversas designaciones de la tolva de molino (*tolva, moega, tremonha, guansa,* etc.). En algunos artículos publicados en la RDTP se presenta un rico material dialectal para investigaciones onomasiológicas o de geografía lingüística: sobre los nombres de la 'azada' por A. Muelas (II, págs. 278 sigs.), de la 'vaina de las legumbres' por M. C. López Piñeiro (II, págs. 641 sigs.), de la 'ardilla' por Guillermo de la Cruz (VII, págs. 685 sigs.), etc.

Para la introducción metodológica a los problemas y tareas de la geografía lingüística nombramos algunos trabajos que se ocupan de Francia e Italia:

---

[138] Comp. las múltiples objeciones y dudas de Meyer-Lübke, *Archiv,* CLIX, págs. 306-310; E. Seifert, ZRPh, LIII, págs. 414 sigs., y J. Piel, BF, II, págs. 185 sigs.

KARL JABERG, *Aspects géographiques du langage*. París, 1933.

KARL JABERG, *Sprachgeographie. Beitrag zum Verständnis des Atlas linguistique de la France*. Aarau, 1908.

JAKOB JUD, *Sur l'histoire de la terminologie ecclésiastique de la France et de l'Italie,* RLiRo, X, págs. 1-62. [Combina el punto de vista geográfico-lingüístico con la investigación de historia eclesiástica].

GERHARD ROHLFS, *Sprachgeographische Streifzüge durch Italien*. Munich, 1947.

GERHARD ROHLFS, *Estudios sobre geografía lingüística de Italia*. Granada, 1952. [Miscelánea de 5 monografías que se refieren a Italia, Cerdeña y Córcega, con prólogo de Manuel Alvar. Indice de palabras, 34 mapas].

ALBERT DAUZAT, *La géographie linguistique*. París, 1948.

Un intento de análisis de problemas léxicos, con examen geográfico-lingüístico de toda la Romania europea, hace G. ROHLFS en *Die lexikalische Differenzierung der romanischen Sprachen* (Munich, 1954), trabajo ilustrado con 50 mapas; versión esp., con notas, por M. Alvar (Madrid, en prensa).

Al lado de un atlas lingüístico que debe abarcar toda la península ibérica (véase pág. 175), señalamos aquí el proyecto de un atlas lingüístico regional de Andalucía que, bajo la dirección de MANUEL ALVAR, está bastante adelantado. En octubre de 1956 se habían efectuado 150 encuestas dentro de un programa de 230 exploraciones.

Sobre el atlas lingüístico catalán, cfr. pág. 268.

LA LENGUA DE HISPANOAMERICA

La relación entre el español americano y la 'lengua nacional' está ligada a un punto de vehemente controversia. ¿Fue efectuada la colonización del Nuevo Mundo principalmente por inmigrantes de Andalucía-Extremadura —constituyendo estas afluencias la base de la hispanidad americana—, o bien, se desarrolló el habla de Latinoamérica paralela e independientemente respecto a tales influjos regionales? Esta última tesis ha sido defendida ante todo por PEDRO HENRÍQUEZ UREÑA, quien ha tratado de explicar el mayor desgaste que sufrió el idioma en las regiones costeras por medio de una 'teoría climatológica' [139]. Otros estudiosos se han manifestado en favor de la primera concepción: Menéndez Pidal, Wagner, Navarro Tomás, Entwistle, Lapesa [140]. Las últimas investigaciones han modificado esta teoría en el sentido de postular una contribución del habla vulgar de todas las provincias españolas en el siglo XVI a la formación de la hispanidad americana [141], como ya fue sostenido acertadamente desde 1901 por R. J. Cuervo (ver nuestra nota 146a).

La teoría sustentada en el pasado por RUDOLF LENZ [142]

---

[139] *Observaciones sobre el español de América,* RFE, VIII, XVII y XVIII, ampliado en: *Sobre el problema del andalucismo dialectal de América* (Buenos Aires, 1932).

[140] Cfr. especialmente M. L. WAGNER, RFE, XIV, 1927, págs. 20-32.

[141] Comp. particularmente M. L. WAGNER, *Lingue e dialetti dell'America Spagnola* (Florencia, 1949), págs. 5-50; J. COROMINAS, *Estudios de lexicología hispano-americana,* RFH, VI, 1944, págs. 2-35, 139-175.

[142] *Beiträge zur Kenntnis des Amerikano-Spanischen,* ZRPh, XVII, 1893, págs. 188-214.

de una influencia indígena sobre la pronunciación del español americano ha sido cada vez más abandonada, como resultado de investigaciones minuciosas. Particularmente A. Alonso mostró que los fenómenos considerados por Lenz como 'araucanismos fonéticos' se presentan también en la Península (RFH, I, 1939, págs. 313 sigs.). Sobre el problema del substrato suministraron las detalladas observaciones de B. Malmberg en Paraguay nuevos e interesantes datos: en este país, donde el guaraní aborigen está aún extendido por todas partes, se conservó el español, como lengua de una delgada capa superior, inusitadamente puro [143]. Esto es prueba de que la acción del substrato es una consecuencia de hechos culturales y sociales, pero no está determinada en manera alguna por una relación de mayoría.

No cabe duda de que en algunas naciones americanas (p. e. Méjico) la entonación de las lenguas autóctonas dejó rastros en el español de las clases inferiores. Pero, sobre esto, carecemos todavía de trabajos científicos más precisos [144]. Sólo de manera muy esporádica (y únicamente en la clase popular bilingüe) se han señalado, p. e. en Perú y Ecuador, influjos de substrato en la formación de palabras y en la sintaxis. En Méjico y América Central está muy propagado el sufijo indígena *-eco* para la designación de defectos: *totoreco* 'cojo', *tontoneco* 'tonto' [145].

Crecido es, en cambio, el número de los elementos indígenas que se han adherido al léxico hispanoamericano. No sólo se presentan en los nombres de plantas y ani-

---

143 *L'espagnol dans le nouveau monde. Problème de linguistique générale*, en: *Studia Linguistica*, I (1947), págs. 79-116 y II (1948), págs. 1-36.

144 Cfr. M. L. Wagner, *Lingua e dialetti dell'America Spagnola* (Florencia, 1949), pág. 69.

145 M. L. Wagner, *op. cit.*, pág. 76.

males autóctonos, sino también en la terminología campesina, doméstica e industrial [146].

Debido a la acogida de voces indias (de las lenguas más diversas) se ha llegado a una notable diferenciación frente al español metropolitano. Así, existen en América los siguientes nombres del *gallinazo* (Cathartes aura): *tropillo* (Arg.), *jote* (Chile), *chulo* (Perú), *samuro* (Ven.), *carranco* (Par.), *chicora* (Col.), *curiquinque* (Ec.) y *noneca* (Am. Central). También en el vocabulario de origen metafórico y en la pronunciación de las clases populares son considerables las diferencias regionales. Todavía a fines del siglo XIX había razón de temer seriamente que, debido al predominio del habla popular, p. e. del 'idioma gauchesco' en Argentina, pudiera llegarse en América a una división en lenguas españolas independientes, así como el latín vulgar produjo los idiomas románicos. Tal era todavía la opinión de LUCIEN ABEILLE, *El idioma nacional de los argentinos* (París, 1900) [146a]. Pero ya M. L. WAGNER, *Amerikanisch-Spanisch und Vulgärlatein,* ZRPh, XL, 1920, págs. 286-312, 385-404, reconocía que a las fuerzas divergentes se oponían corrientes centrípetas dignas de atención. En los últimos decenios, la reacción purista ejercida contra el 'plebeyismo' o 'ruralismo' de la lengua a través de prensa, literatura, teatro, cine y radio ha conjurado el peligro, despertando en amplios círculos la 'conciencia lingüística' y conduciendo al hecho de que el habla corriente de las ciudades se esfuerza hoy nuevamente por adaptarse al castellano cul-

---

146 M. L. WAGNER, *op. cit.,* págs. 51-67.

146a Véanse también los argumentos de R. J. CUERVO en BH, III, 1901, págs. 35-62, reproducidos en *Disquisiciones filológicas* (ed. del Instituto Caro y Cuervo, págs. 273-308) y en *Obras,* tomo II (Bogotá, 1954), págs. 522-586.

to [147]. Así, pues, Hispanoamérica se ha vinculado de nuevo estrechamente a la patria peninsular; ha superado el antiguo antagonismo y se siente nuevamente orgullosa de pertenecer a la misma comunidad. Madrid, por su parte, ve en Buenos Aires y Méjico centros culturales equivalentes del mundo hispánico [148].

A los fenómenos fonéticos más conocidos y propagados del español americano pertenecen la substitución de *θ* (*z, c*) por *s* (*sielo, sinco*), de *ll* por *y* (la *yave, cabayo*) y el debilitamiento de *s* final (*lah niñah, to lo americano*) [149]. Menos difundidas están la desaparición de *r* final (Arg. *matá*), la velarización de *n* final (*tambiéŋ* en Chile, Perú, Ven., Col., Bol., Guat. y Cuba) y el reemplazo de la antigua (*f* >)*h* por *j* (*jablar, jumo* en Méjico, Arg., Chile y Perú). En Buenos Aires aparecen la *ll* y *y* castellanas como *ž*, sonido que últimamente (partiendo de los barrios obreros) se transforma en el correspondiente sordo *š*, p. e. *la ķaśe, ašér, šoβjó* [150]. En Uruguay se oye en este caso, inclusive en círculos académicos (aparentemente como reducción de una antigua *dž*) *ch* (= *tš*), p. e. *la cache* = *la calle*. En cuanto a fonetismos que interesen al estudioso de la fonética comparada, nombramos la ya mencionada pronunciación del grupo *tr* (véa-

[147] Cfr. A. Alonso, *El problema de la lengua en América* (Madrid, 1935); A. Castro, *La peculiaridad lingüística rioplatense y su sentido histórico* (Buenos Aires, 1941); A. Herrero Mayor, *Presente y futuro de la lengua española en América* (Buenos Aires, 1943).

[148] Centro de las relaciones espirituales entre España y América Latina es el Instituto de Cultura Hispánica de Madrid. Cfr. R. Grossmann, *Das geistige Ibero-Amerika von heute* (Hamburgo, 1950).

[149] La propagación del 'seseo' y del 'yeísmo' parece ser en América independiente del proceso español.

[150] Cfr. A. Zamora Vicente, *Rehilamiento porteño*, Fil., I, 1949, págs. 5-22.

se pág. 148), que, pariente del *tr* inglés, se acerca a una *ch* (*ches* = *tres, ocho* = *otro*), y asimismo la *rr* fricativa, que produce la impresión de una *ž*, p. e. *ḳažo* = *carro*[151].

Notable es que en América, contrariamente al judeoespañol, no haya quedado ninguna huella de las primitivas distinciones entre *b* (*boca*) y *β* (*βaca*), *s* y *ś*, *ç* y *z*, *š* y *ž*.

Sucintas informaciones sobre el español en América se hallan en la *Historia de la lengua española* (1950) de R. Lapesa, págs. 321-339, en *The Spanish Language* (1936) de W. J. Entwistle, págs. 229-277, y en la lúcida conferencia de A. Rosenblat, *La lengua y la cultura de Hispanoamérica* (Jena, 1933). Ricos materiales sobre la evolución fonética de todos los países americanos ofrece la tesis doctoral de Anna Mangels, *Sondererscheinungen des Spanischen in Amerika* (Hamburgo, 1926). Sobre fuentes, composición y diferencias regionales del léxico proporciona la orientación más rápida el bien dispuesto manual de M. L. Wagner, *Lingua e dialetti dell' America spagnola* (Florencia, 1949).

De entre la gran masa de las investigaciones especiales hacemos rápida mención de algunos de los trabajos más valiosos:

Amado Alonso, *Problemas de dialectología hispano-americana*. Buenos Aires, 1930. [Trata cuestiones generales de fonética: asimilación, disimilación, contracciones].

Ciro Bayo, *Manual del lenguaje criollo de Centro y Sudamérica*. Madrid, 1931. [Diccionario de los ameri-

---

151 Comp. A. Alonso, *El grupo tr en España y América*, en *Homen. Menéndez Pidal*, II, 1924, págs. 167-191; sobre la pronunciación de la *rr*, véase B. E. Vidal de Battini, Fil., III, 1951, págs. 181-184.

canismos populares, con mención de su origen y extensión. Comp. también la lista de vocablos dada por el autor en RH, XIV, 1906, págs. 241-564].

PEDRO M. BENVENUTTO MURRIETA, *El lenguaje peruano.* Lima, 1936. [Véase el artículo de M. L. WAGNER, *Das peruanische Spanische,* VKR, XI, 1939, págs. 48-68, y la reseña de A. ALONSO, RFH, III, 1941, págs. 160-166].

R. J. CUERVO, *Apuntaciones críticas sobre el lenguaje bogotano.* Bogotá, 1867. Novena edición corregida, Instituto Caro y Cuervo, 1955. [Obra iniciadora de nuevos métodos, orientada en el sentido de la lingüística comparada].

A. M. ESPINOSA, *Estudios sobre el español de Nuevo Méjico.* Trad. y reelab. con notas por A. Alonso y A. Rosenblat. 2 tomos. Buenos Aires, 1930 y 1946. [Comprende fonética y morfología. Muy cuidadosa investigación. Publicado antes en inglés en los tomos I-V de la RDiR].

LUIS FLÓREZ, *La pronunciación del español en Bogotá.* Bogotá, 1951. [Descripción sistemática de la actual pronunciación colombiana. Gran cantidad de materiales localizados].

L. FLÓREZ, *Lengua española.* Bogotá, 1953. [Disquisiciones filológicas de carácter vulgarizador sobre algunos aspectos de la lengua española en América].

L. FLÓREZ, *Algunas observaciones sobre el castellano hablado en América,* en *Boletín de la Academia Colombiana,* VI, págs. 242-258. [Fonética, gramática y léxico del español hablado en América].

G. FRIEDERICI, *Amerikanistisches Wörterbuch.* Hamburgo, 1947. [Enciclopedia de carácter histórico-cultural, que encierra todos los términos relacionados con la conquista y colonización de América. Valiosas adiciones da F. Krüger, NRFH, II, 1948, págs. 381 y sigs.].

R. Grossmann, *Das ausländische Sprachgut im Spanischen des Río de la Plata.* Hamburgo, 1926. [Compila los italianismos, galicismos y anglicismos de la lengua usual (poco diferentes de las formas europeas), pero no del habla popular. Para esta última tenemos una interesante ampliación de R. Donghi de Halperín, *Contribución al estudio del italianismo en la República Argentina,* en *Fac. de Fil. y Letras de la Univ. de Buenos Aires, Instituto de Filología,* I, págs. 183-198].

P. Henríquez Ureña, *El español en Méjico, los Estados Unidos y la América Central.* Buenos Aires, 1938. [Miscelánea de 13 monografías de diversos autores, de difícil acceso hasta aquí, con valiosos índices de materias y de palabras (págs. 397-519)].

P. Henríquez Ureña, *El español en Santo Domingo.* Buenos Aires, 1940. [Investiga una hispanidad muy arcaica. Valiosos datos para la formación de palabras].

A. Castro, *La peculiaridad lingüística rioplatense y su sentido histórico.* Buenos Aires, 1941. [Estudio sociológico que destaca la importancia de las capas inferiores en la formación del nuevo lenguaje].

C. E. Kany, *American-Spanish syntax.* Chicago, 1951, 1ª ed. 1945. [Materiales extraordinariamente valiosos de todos los sectores de Hispanoamérica, con atención especial al lenguaje popular (dialectal) y a los fenómenos que se apartan del castellano culto. Muchas adiciones a este libro dan A. Rosenblat, en NRFH, IV, págs. 57-67 y L. Flórez, en BICC, II, págs. 372-385].

R. Lenz, *Diccionario etimológico de las voces chilenas derivadas de lenguas indígenas americanas.* Santiago de Chile, 1904-1910. [Con muy rica bibliografía de diccionarios].

R. Lenz, A. Bello y R. Oroz, *El español en Chile.* Trad., notas y apéndices de A. Alonso y R. Lida. Buenos Aires, 1940. [Compilación de diversos artículos de Lenz y Bello; además, la 'Bibliografía del español en Chile' de Oroz].

A. Malaret, *Diccionario de americanismos.* Buenos Aires, 1946. [Léxico de los regionalismos americanos. Todo localizado; sin variantes fonéticas].

A. Malaret, *Suplemento al diccionario de americanismos.* Buenos Aires, 1940. [Valiosos materiales con fuente para cada dato].

B. Malmberg, *L'espagnol dans le nouveau monde.* Lund, 1948; también en *Studia Linguistica,* I y II. [Trae nuevas observaciones sobre la cuestión del substrato en Argentina y Paraguay].

B. Malmberg, *Études sur la phonétique de l'espagnol parlé en Argentine.* Lund, 1950. [Detallado análisis de fenómenos fonéticos escogidos, con particular atención a la cantidad tonal, la entonación y el acento. El libro encierra muchos errores y equivocaciones; ver A. Rosenblat en NRFH, VI, 157].

Tomás Navarro, *El español en Puerto Rico.* Río Piedras, 1948. [Valiosa investigación sobre situación fonética, morfología, geografía léxica y problemas de substrato, con 75 mapas lingüísticos. Tiene el valor de un pequeño Atlas lingüístico].

Fr. J. Santamaría, *Diccionario general de americanismos.* Méjico, 1942. [Comprende el fondo léxico autóctono que opera aún en Hispanoamérica, como también las palabras españolas que discrepan semántica o fraseológicamente del castellano].

E. F. Tiscornia, *La lengua de 'Martín Fierro'.* Buenos Aires, 1930. [Detallada exposición del lenguaje rural argentino (habla gauchesca), a base del poema épico de José Hernández, comparativamente con las demás lenguas regionales de la América española].

J. V. Solá, *Diccionario de regionalismos de Salta.* Buenos Aires, 1950. [Interesante léxico, referente a una provincia norteña argentina, con énfasis sobre el folklore].

M. de Toro y Gisbert, *Americanismos.* París, 1912. [Atribuye demasiada importancia al 'separatismo lingüístico'. Contiene (págs. 169-220) una bibliografía muy completa de diccionarios de americanismos].

Berta Elena Vidal de Battini, *El habla rural de San Luis.* Buenos Aires, 1949. [Valiosos materiales para la fonética, morfología y sintaxis del interior rural de la Argentina (Prov. de Cuyo). Todo trabajado de manera excelente].

Berta Elena Vidal de Battini, *El español de la Argentina.* Buenos Aires, 1954. [Excelente introducción que da informes sobre problemas muy variados en busca de nuevos hallazgos].

H. Toscano Mateus, *El español en el Ecuador.* Madrid, 1953. [Fonética, morfología y sintaxis (págs. 149-367), formación de las palabras (págs. 371-461): una de las obras más valiosas sobre la lengua de Hispanoamérica. Importante para las influencias del quechua].

Extensas referencias bibliográficas sobre el español americano contienen las mencionadas obras de A. Alonso, Kany, Lenz (Diccionario), Malaret, Henríquez Ureña (*El español en Méjico*), Malmberg (*Études*), Toro y Gisbert, y Wagner. Nombramos además las bibliografías sistemáticas de CH. C. MARDEN, *A bibliography of American Spanish (1911-1921)*, en *Homenaje a Menéndez Pidal*, I, págs. 589-605; del mismo autor las *Notes for a bibliography of American Spanish*, en *Studies in honor of A. Marshall Elliot*, Baltimore, 1911, que llegan hasta esta misma fecha; de R. OROZ, *Bibliografía del español en Chile*, en el t. VI de la Bibl. de Dial. Hispanoamericana, Buenos Aires, 1940, págs. 299-324 (ver arriba pág. 185); de G. ROJAS CARRASCO, *Filología chilena: Guía bibliográfica y crítica* (Santiago de Chile, 1940). Una excelente ojeada crítica a todas las publicaciones, con preferencia de la lexicología, da M. L. WAGNER en su *Crónica bibliográfica hispano-americana* publicada en la obra *Os estudos de linguística românica* de M. de Paiva Boléo, I, 1951, págs. 369-398. Muy rica es la *Bibliographical guide to materials on American Spanish* (Cambridge, 1941) de M. W. NICHOLS, aunque carece de todo principio crítico de selección.

Informaciones generales sobre muchos problemas que se refieren al español de América se pueden sacar de la introducción a la *Filología y lingüística (Esencia, problemas actuales y tareas en la Argentina)* de GERARDO MOLDENHAUER (Rosario de Santa Fe, Instituto de Filología, 1952).

Sobre la historia de todos los Estados latinoamericanos hasta el año 1939 trata OTTO QUELLE, *Geschichte von Iberoamerika* (con muchos mapas y rica bibliografía), en la obra general *Die grosse Weltgeschichte*, XV (*Geschichte Amerikas*), Leipzig, 1942.

TOPONIMIA Y ONOMASTICA

Todavía en la segunda mitad del siglo XIX el estudio de los nombres de lugar, carente de un método seguro, seguía siendo teatro de diletante fantasía [152]. El primer progreso notable lo constituyó la monografía de JOH. JUNGFER, *Über Personennamen in den Ortsnamen Spaniens und Portugals* (Progr. Berlín, 1902), que contenía muchas explicaciones (p. e. sobre los elementos germánicos y los nombres de santo) merecedoras aún hoy de consideración [153]. Pero fue sólo MENÉNDEZ PIDAL quien, reconociendo la alta significación del material toponímico, puso la toponimia sobre bases estrictamente científicas (desde 1906). En los *Orígenes del español* (1926) constituyen las formas topónimas documentadas un importante instrumento para la reconstrucción del español preliterario y para la demarcación de los desarrollos regionales. Signo del gran impulso de esta disciplina fue el congreso de toponimia pirenaica celebrado en Jaca en 1948 [154]. Otros

---

[152] Laudable excepción representó en el año 1757 el *Onomástico etimológico de la lengua gallega,* del Padre MARTÍN SARMIENTO, que sólo vino a publicarse en 1923, en la revista gallega *La Integridad.* Trata sobre topónimos gallegos que se derivan de nombres de plantas, de terreno y de poseedores. El autor dispone de un método sorprendentemente avanzado. Es el primero en reconocer la supervivencia de nombres de persona germánicos en los topónimos gallegos.

[153] El trabajo de JUNGFER apareció también en traducción española, *Estudio sobre nombres de lugar hispano-portugueses* (Madrid, 1917).

[154] Las 'comunicaciones' correspondientes están reunidas en las *Actas de la primera reunión de toponimia pirenaica* (Zaragoza, 1949).

congresos internacionales de toponimia y onomástica tuvieron lugar en Bruselas (1949), Upsala (1952) y Salamanca (1955).

Comparados con el lenguaje, representan los nombres de lugar un elemento más constante. Proporcionan valiosos datos para todas las épocas de la historia. Conservan con frecuencia fonetismos exterminados en el lenguaje por la nivelación lingüística. Elementos léxicos prerromanos (p. e. *balsa*) encuentran su confirmación en antiguos nombres geográficos (*Balsa* en Lusitania).

Los nombres compuestos con *briga* 'monte' y *dunum* 'castillo' (*Munébrega, Alpuébrega, Berdún, Verdú, Navardún*) son útiles referencias para la determinación de la colonización celta. Gracias a los topónimos aragoneses terminados en *-ués* (*Anués, Bernués, Urdués*) podemos delimitar el asiento de un pueblo prerromano que debió haber sido pariente cercano de los aquitanos[155]. Fósiles latinos, p. e. ALBUS, BASILICA, FANUM, JANUA, LUCUS, MURCIDUS, QUERCUS, VERVEX y VETUS, conservados en los nombres de lugar (*Terroba, Baselgas, Fano, Jánovas, Lugo, Murcia, Cerceda, Berbegal* y *Murviedro*) nos proporcionan una muestra de las capas primitivas de la Latinidad hispánica. A base de los topónimos podemos enterarnos de la extensión de los cultos de santos. Parte de los nombres correspondientes resistió inclusive la dominación mora, p. e. *Santiponce* (SANCTI PONCII) en la provincia de Sevilla, *Sahagún* ('San Facundo') en la provincia de Valladolid, *Santotís* ('San Tirso') en la provincia de Guadalajara. Por medio de los nombres de lugar ha sido tam-

---

155 Comp. en Gascuña los topónimos *Anòs, Bernòs, Urdòs, Bournòs, Garròs*. Cfr. sobre esto G. ROHLFS, *Sur une couche préromane dans la toponymie de Gascogne et de l'Espagne du Nord*, RFE, XXXVI, págs. 209-256 (reproducido en la miscelánea *Studien zur romanischen Namenkunde*, Munich, 1956, págs. 39-81).

bién posible reconocer el alcance del dominio de la España goda [156].

Problemas de carácter fonético pueden asimismo recibir luces de las formas toponímicas. Nombres de lugar de la antigua España mora (*Purchil* < PORCILE, *Chella* < CELLA) nos atestiguan la primitiva pronunciación *ch* en lugar de la *c* actual. En el antiguo reino de Granada se ha conservado el viejo diptongo (*ai* > *ei*): *Ferreira, Unqueira* 'junquera', *Pampaneira.* El ejemplo completamente aislado en la lengua actual (*llama*) del cambio *fl* > *ll,* halla su confirmación en nombres geográficos, p. e. *Llaves* (Santander), en perfecta correspondencia con el port. *Chaves* < FLAVIUS. Documentos árabes nos hacen ver que los moros oían todavía el nombre de la ciudad de Gerona como *Gerunda,* con lo cual queda reducida *ad absurdum* la presunta base osca del cambio catalán *nd* > *n* (véase pág. 138).

De introducción a los problemas y tareas de la investigación toponímica española quiere servir el artículo de G. ROHLFS, *Aspectos de toponimia española,* BF, XII, 1951, págs. 229-265 [156a]. Sobre el estado de las labores en España, Cataluña y Portugal alrededor del año 1933 informa el artículo de GEORG SACHS, *Die Ortsnamenforschung auf der Pyrenäenhalbinsel,* ZOF, X, 1934, págs. 279-293, quien da asimismo útiles referencias sobre instrumentos de

---

156 G. SACHS, *Die germanischen Ortsnamen in Spanien und Portugal,* Jena, 1932. La gran masa de topónimos germánicos en el extremo Noroeste de la Península no es ninguna prueba de colonización germánica, ni arranca de la época gótica, como lo ha creído Sachs, sino que obedece a un establecimiento más tardío en el período de los reyes asturo-leoneses; de igual manera que su extraordinario número se explica por la mayor densidad de la colonización en este clima rico en lluvias (J. PIEL, *Actes et mémoires du IV Congrès Intern. de Toponymie,* Uppsala, 1952, pág. 417).

156a Reproducido con adiciones en la miscelánea del autor *Studien zur romanischen Namenkunde* (Munich, 1956), págs. 1-38.

trabajo y sobre fuentes. Una compilación de los topónimos de origen árabe en orden alfabético (además, una lista de cerca de 400 nombres aún no explicados), se halla en el libro de M. ASÍN PALACIOS, *Contribución a la toponimia árabe de España* (Madrid, 1944). Un sugestivo resumen de los datos histórico-culturales que se desprenden de los estudios toponímicos presenta J. OLIVER ASÍN, *Iniciación al estudio de la historia de la lengua española* (Zaragoza, 1939), págs. 11-50.

Para la metodología toponímica pueden suministrar los siguientes trabajos útil orientación:

W. MEYER-LÜBKE, *Zur Kenntnis der vorrömischen Ortsnamen der iberischen Halbinsel.* En: *Homenaje a Menéndez Pidal,* I, 1925, págs. 63-84. [Intento provisional de clasificación a base de las terminaciones: *-ova, -ma, -esa, -ena, -arr,* etc. Muchas cosas son aquí bastante problemáticas].

R. MENÉNDEZ PIDAL, *Toponimia prerrománica.* Madrid, 1952. [El libro reúne varios artículos del Maestro, entre ellos las explicaciones de los nombres de *Madrid, Chamartín, Javier* y *Chavarri,* como también las monografías que se ocupan de los sufijos átonos y de los nombres en *-én, -ués, -ué, -uy.* Algunos de estos estudios no satisfacen ya al estado actual de la investigación].

ANTONIO TOVAR, *Cantabria prerromana.* Madrid, 1955. [Examina los elementos de fisonomía vasca y de origen protoindoeuropeo en la toponimia de Cantabria].

GUZMÁN ALVAREZ, *El habla de Babia y Laciana.* Madrid, 1949. [Un buen ejemplo de vinculación de la toponimia con la investigación dialectal].

M. ALVAR LÓPEZ, *Toponimia del alto valle del río Aragón.* Zaragoza, 1949. [Analiza los elementos geográficos y antroponímicos que fueron utilizados para la formación de nombres en una pequeña zona pirenaica].

L. LÓPEZ SANTOS, *Toponimia de la diócesis de León.* En *Archivos Leoneses,* I, 1947, págs. 30-64. [Investiga los nombres de lugar basándose en los documentos de los siglos X-XV, según criterios etimológicos e histórico-culturales].

J. OLIVER ASÍN, *Alijar.* En Al-An., VII, 1942, págs. 153-164. [En su ahonde histórico-cultural puede servir de modelo de identificación de un nombre común árabe: *dišar* 'dehesa'].

C. E. DUBLER, *Über Berbersiedlungen auf der iberischen Halbinsel.* En *Homenaje a J. Jud,* Zurich, 1943, págs. 182-196. [Identificación de las tribus bereberes en los lugares denominados según ellas].

J. M. PIEL, *Os nomes dos santos tradicionais hispânicos na toponímia peninsular.* En *Biblos,* XXV, 1949, págs. 287-353; XXVI, págs. 281-314. [Suministra valiosas observaciones sobre la extensión de los cultos de santos y para la no siempre fácil identificación de los Patronos].

J. M. PIEL, *Os nomes das 'quercus' na toponímia peninsular,* RPF, IV, 1951, págs. 310-341. [Información sobre diversos nombres del roble en los topónimos].

LUIS LÓPEZ SANTOS, *Influjo de la vida cristiana en los nombres de pueblos españoles.* León, 1952. [Analiza los topónimos derivados de nombres de santo].

ABELARDO MORALEJO, *Sobre los nombres toponímicos gallegos en -obre y sus afines.* En: *Estudios dedicados a Menéndez Pidal,* tomo III, 1952, págs. 135-157.

[Extensa lista de tales nombres con el intento de nueva explicación].

José M. Pabón, *Sobre los nombres de la 'villa' romana en Andalucía*. En *Estudios ded. a Menéndez Pidal*, IV, 1953, págs. 87-165. [Monografía fundamental sobre los nombres toponímicos en *-én, -ena, -ina, -án, -ana, -ón,* derivados de 'cognomina' romanos].

J. Coromines, *Toponimia d'Andorra*. En *Homenaje a Clovis Brunel* (París, 1955, tomo I, págs. 288-310). [De importancia metódica por las formas citadas en su pronunciación dialectal].

G. Rohlfs, *Sur une couche préromane dans la toponymie de Gascogne et de l' Espagne du Nord*. En RFE, XXXVI, 1952, págs. 209-256. [Explica los numerosos topónimos formados en Aragón con *-ués* (*Aragüés, Arbués, Barbués, Bernués*) y en Gascuña con *-òs* (*Abidòs, Agnòs, Bernòs, Bournòs, Vidalòs*) como derivados del sufijo aquitano -OSSU, al cual, unido a nombres de persona (*Aracus, Arvus, Barbus, Vernus*), se atribuye la función del latín -ANUS)[156b].

G. Rohlfs, *Le suffixe préroman -ué, -uy dans la toponymie aragonaise et catalane*. En AFA, IV, 1952, págs. 129-152. [Advierte en los nombres aragoneses en *-ué* (*Botué, Gallisué, Martillué, Renanué*) y en los catalanes en *-uy* (*Beranuy, Bretuy, Envonuy*) la presencia del sufijo prerromano (ligur?) -OIU, que, unido a nombres propios (*Bottus, Gallicius, Martilius, Brittus, Ennebonus*), habría expresado la pertenencia en el sentido del lat. -ANUS][156c].

156b Reproducido en la misma miscelánea, págs. 39-81.

156c Reproducido en la misma miscelánea, págs. 82-102.

G. Rohlfs, *Un type inexploré dans la toponymie du Midi de la France et de l'Espagne du Nord*. En *Studien zur romanischen Namenkunde* (München, 1956), págs. 114-126. [Sobre los topónimos en *-iés* (*Apiés, Biniés, Urriés*) de Aragón y *-ès* (*Alès, Argelès, Camarès*) de Francia meridional: se explican por el sufijo prerromano -essu].

Como fuentes primordiales para toda clase de estudios de toponimia española mencionaremos: P. Madoz, *Diccionario geográfico-estadístico-histórico de España*, 16 tomos (Madrid, 1845-50); el *Diccionario geográfico postal de España*, 2 tomos (Madrid, 1942); el *Diccionario corográfico de España*, 4 tomos (Madrid, 1948).

Sobre los topónimos gallegos, véase también en la sección portuguesa la pág. 336.

Por lo que hace a los nombres de persona y de familia[157], también en ellos se refleja el conglomerado étnico de la Península. Con el material de los antiguos nombres de persona dio M. Gómez Moreno la primera base para el conocimiento de la situación etnológica en la Península (en *Homenaje a Menéndez Pidal*, t. III, 1925, págs. 475 sigs.). Junto a los nombres de base latina (*Acevedo, Aguilar, Calderón, Lope, Ortega, Torquemada*), constituyen elementos característicos de la onomástica hispánica los nombres de origen ibérico (*García, Velasco, Íñigo, Gutierre*), de origen germánico (*Alfonso, Álvaro, Elvira, Gonzalo, Ramón, Rodrigo*) y de origen árabe (*Abenámar, Abderramán, Almanzor, Mudarra*). A éstos se agregan los singulares nombres vascos (de procedencia toponímica): *Echegaray* 'casa alta', *Echeverría* 'casa nueva',

[157] En el apellido doble español proviene el primero del padre y el segundo de la madre. Hay, sin embargo, excepciones (*Góngora y Argote, Gaspar Gil Polo*) que siguen la regla inversa, operante en Portugal.

Illarramendi 'montaña de brezo', *Sagastizábal* 'manzanal ancho', *Iruretagoyena* 'cumbre de los campos'.

Una gran proporción de apellidos españoles lleva la terminación *-ez* (*López, Sánchez, Martínez, Velásquez*) [157a]. Esta tiene sin duda un valor patronímico: *López* = hijo de Lope. Sobre su origen han sido propuestas muchas explicaciones, que la hacen descender del ibérico, del vascuence, del celta, del gótico o del latín. El proceso evolutivo que halla mayor aceptación es el siguiente: *Martinus* (abuelo) > *Martínicus* 'el que pertenece a Martinus' (padre) > *Martínici* 'hijo de Martínicus' [158].

No disponemos todavía de una síntesis de la onomástica española que esté a la altura de las modernas exigencias científicas. El libro de J. Godoy Alcántara, *Ensayo histórico, etimológico, filológico sobre los apellidos castellanos* (Madrid, 1871) contiene útiles documentos (p. e. 'inventarios de siervos'), pero es anticuado en lo tocante a la etimología. Una interpretación fidedigna de los elementos que entran en la composición de apellidos vascos debemos a Luis Michelena, *Apellidos vascos* (San Sebastián, 1953, nueva ed. 1955).

Como ejemplo metodológico de investigación onomástica nombramos el artículo consagrado por Menéndez Pidal al nombre *Menendus,* en NRFH, III, 1949, págs. 363-371, donde queda comprobado el origen germánico de tal nombre: *Ermenigildus* > *Menigildus* > **Menegindus.* Para las bases ibéricas de los apellidos hispánicos es importante V. Bertoldi, *Onomastica iberica e matriar-*

157a La forma primitiva de este sufijo es *-iz* (*-ici, -izi*), comp. en los documentos asturianos del Registro de Corias: *Dominguiz, Aluariz, Enequiz, Isidoriz.*

158 Comp. Menéndez Pidal en el *Manual de Gramática hist. esp.* (1941), § 84, 2. — Cfr. además E. C. Hills, *Spanish patronimics in -z,* RH, LXVIII, 1927, págs. 161-173.

cato mediterraneo, RPF, II, 1948, págs. 1-14. De los apelativos cariñosos derivados de los nombres de pila se ocupa el trabajo de J. STRATMANN, *Die hypokoristischen Formen der neuspanischen Vornamen* (tesis, Colonia, 1935).

Un examen filológico de los nombres de persona antiguo-portugueses, a base de sus diversas fuentes, intenta W. MEYER-LÜBKE en *Romanische Namenstudien* (*Sitzungsberichte der Wiener Akad. der Wiss., Phil.-hist. Klasse,* CIL y CLXXXIV, 1904 y 1917). Muchos de los ejemplos dados aquí tienen también valor para la onomástica española. — Reúne y comenta nombres góticos pertenecientes a las provincias gallegas J. M. PIEL, *Nombres visigodos de propietarios en la toponimia gallega* en *Homenaje a Fr. Krüger,* tomo II, Mendoza, 1954, págs. 247-268. Véase también del mismo autor *Sobre a formação dos nomes de mulher medievais hispano-visigodos* (*Estudios dedic. a Menéndez Pidal,* tomo VI, 1956, págs. 111-150).

Muy rica bibliografía trae la revista *Onoma, Bulletin d'Information et de Bibliographie* (Louvain, desde 1950). Es el órgano central del 'Comité International des Sciences Onomastiques' *.

* NOTA ADICIONAL A LA PAGINA 191: Sólo durante la corrección de las pruebas vino a mi conocimiento el profundo estudio de JAIME OLIVER ASÍN, *El nombre Madrid,* en *Arbor,* tomo XXVII, 1954, págs. 393-426. Frente a la opinión de Menéndez Pidal, quien sostiene que *Madrid* viene de un compuesto celta *magetoritu* en el sentido de 'vado o puente grande', aquí se demuestra que la capital de España en la época musulmana bilingüe tuvo dos nombres: *Matriche* y *Macherit,* de los cuales el uno mozárabe *(Matriche)* se refiere a un antiguo canal subterráneo matriz (en Andalucía todavía *almatriche),* mientras que el otro *(Macherit)* sería una exacta traducción del topónimo mozárabe al árabe vulgar *machrà* 'venaje de agua'.

HABLA POPULAR Y ARGOT

Quien ha aprendido el español literario o académico está aún muy lejos de dominar las peculiaridades de la lengua familiar. También en España se diferencia ésta considerablemente del habla culta. Tiene asimismo importancia para aquella clase de literatura en que figuran las clases bajas o populares. Pero tampoco la literatura realista del pasado puede ser comprendida sin conocer el habla popular. Muy crecido es el número de la expresiones que designan la embriaguez: *mona, curda, chispa, turca, trompa, merluza, tranca, papalina, tajada,* etc. Ningún diccionario registra en su totalidad las denominaciones existentes para 'cabeza', 'zurrar', 'tomar las de Villadiego', 'comer mucho', que se emplean en el lenguaje popular de todos los sectores.

Una lograda síntesis de las peculiaridades fraseológicas, sintácticas y estilísticas del español usual nos da W. Beinhauer, *Spanische Umgangssprache* (Berlín - Bonn, 1930); comp. sobre esto las valiosas adiciones relativas a la lengua vulgar de M. L. Wagner en VKR, III, 1930, págs. 109-121 [159]. En un vasto conocimiento de los textos antiguos y de la situación moderna en España y América se basa el estudio de R. J. Cuervo, *Castellano popular y castellano literario* en la miscelánea *Obras inéditas* (Bo-

---

[159] La fraseología española se distancia notablemente de las maneras de expresión francesa e italiana. Piénsese en *no hace falta, siento mucho, cosa más rara, dar un paseo, echar de menos.* Muchos giros parecen provenir de una mentalidad no europea.

gotá, 1944), págs. 1-318 y ahora en *Obras,* I, págs. 1.321-1.660. Sobre incorrecciones del español americano y rasgos singulares del habla popular americana y española trata A. Bello, en sus *Advertencias sobre el uso de la lengua castellana* (en *El Araucano,* 1833 y 1834), reproducidas en el libro de R. Lenz, A. Bello y R. Oroz, *El español en Chile* (Biblioteca de Dialectología Hispanoamericana, VI), Buenos Aires, 1940, págs. 49-77, con anotaciones de R. Oroz y Y. Pino Saavedra. Criticando en sentido purista la 'deficiente educación lingüística' en su libro *Los nuevos derroteros del idioma* (París, 1918), mostró ya hace 35 años M. de Toro y Gisbert cuánto se apartan también del español académico las vías expresivas de buenos escritores (Unamuno, Darío, Baroja, Azorín). Entre los elementos populares del habla usual se cuentan la expresión figurada y disimulada, el juego de palabras y el rodeo chistoso, agudo o eufemista: cfr. al respecto la interesante colección de materiales de M. L. Wagner en ZRPh, IL, 1929, págs. 1-26. Sobre el habla popular de Madrid informa R. Pastor y Molina, *Vocabulario de madrileñismos,* RH, XVIII, 1908.

En las clases inferiores juega el 'argot' un gran papel. En español de otros tiempos se le llamaba *jerigonza* o *germanía,* designando propiamente este último nombre a la hermandad de los mendigos y ladrones. Hoy se llama a esta clase de lenguaje *jerga* o *caló* (ver abajo). Alcanzó rango literario gracias a los *Romances de germanía,* a cuyo autor Cristóbal de Chaves debemos también el *Vocabulario de germanía,* publicado en 1609, junto con los *Romances,* por Juan Hidalgo[160]. Imágenes metafóricas

---

[160] Ha sido reproducido en el *Thrésor* (ver pág. 107) de C. Oudin (1616) y en los *Orígenes* de Mayáns (ver pág. 124). Sus materiales fueron acogidos en el *Diccionario de Autoridades.* Véase también J. M. Hill, *Voces germanescas* (Bloomington, 1949), que comprende el glosario completo del

(*paloma* 'sábana'), deformaciones de palabras (*chepo* = *pecho*) y expresiones disimuladas (*cantar* 'traicionar') constituyen el principal contingente.

Sólo a partir del siglo XVII penetran en la jerga española numerosos elementos gitanos, debido a la fuerte mezcla con este pueblo efectuada en ciertas provincias de España. La atención prestada al gitano por la poesía romántica (Duque de Rivas, García Gutiérrez), como también el arte popular andaluz (cante flamenco), propagaron tales elementos con carácter de moda. El nombre del lenguaje gitano es 'caló', que significa 'negro' en indio (> 'hombre de tez negra'); de aquí pasó el nombre a la antigua jerigonza. Conocidas voces gitanas en el habla diaria española son *camelar* 'requebrar', *chipén* 'excelente,' *lacha* 'vergüenza', *de buten* 'de primera', *gilí* 'lelo'.

Los principales instrumentos para el estudio del argot español son:

RAFAEL SALILLAS, *El delincuente español: El lenguaje*. Madrid, 1896. [Rica colección de argot y habla gitana. Obra de un criminalista].

LUIS BESSES, *Diccionario de argot español o lenguaje jergal, gitano, delincuente profesional y popular*. Barcelona, 1906. [Argot-castellano, págs. 17-173; y castellano-argot, págs. 177-273].

A. DELLEPIANE, *El idioma del delito*. Buenos Aires, 1894.

J. VICUÑA CIFUENTES, *Coa: jerga de los delincuentes chilenos*. Santiago de Chile, 1910.

---

libro del mismo autor *Poesías germanescas* (Bloomington, 1945) y del *Vocabulario del Hidalgo* (1609): 'obra capital para el estudio de la germanía y del caló españoles' (COROMINAS).

M. L. WAGNER, *Mexicanisches Rotwelsch,* ZRPh, XXXIX, 1918, págs. 513-550. [Con valiosas comparaciones; excelente examen etimológico].

M. L. WAGNER, *Ein mexikanisch-amerikanischer Argot: das Pachuco,* RJb, VI, 1954, págs. 237-266.

M. L. WAGNER, *Sobre algunas palabras gitano-españolas y otras jergales,* RFE, XXV, 1941, págs. 161-181 [160a].

RICARDO AMOR, *Diccionario del hampa.* Méjico, 1947. [Rica fuente del lenguaje de los maleantes mejicanos].

C. CLAVERÍA, *Sobre el estudio del 'argot' y del lenguaje popular,* RNE, I, 1941, Nº 12.

C. CLAVERÍA, *Estudios sobre los gitanismos del español.* Madrid, 1951. [Miscelánea de 12 artículos] [160b].

C. CLAVERÍA, *Nuevas notas sobre los gitanismos del español.* En BAE, XXXIV, 1953.

El argot catalán ha sido tratado por:

J. GIVANEL I MAS, *Notes per a un vocabulari d'argot barceloní,* BDC, VII, 1919, págs. 11-68. [Valiosa colección léxica sacada de textos literarios].

M. L. WAGNER, *Notes linguistiques sur l'argot barcelonais.* Barcelona, 1924. [Explicación etimológica de los materiales compilados por Givanel, con delimitación de los elementos gitanos; cfr. la reseña de L. SPITZER, en Lbl., 1927, págs. 125-131].

160a Para otros trabajos del mismo autor sobre palabras jergales y gitano-españolas, véase GIACINTO MANUPPELLA, *Bibliografia di M. L. Wagner,* en BF, XV, 1955, págs. 39-124.

160b Buen diccionario gitano-español y español-gitano es el de J. TINEO REBOLLEDO, *A chipicalli: La lengua gitana* (Barcelona, 1909).

FOLKLORE Y ETNOGRAFIA

Una excelente introducción a todas las cuestiones folklórico-etnográficas, con consejos prácticos e indicaciones metodológicas para el trabajo de compilación, es la de PAOLO TOSCHI, *Guida allo studio delle tradizioni popolari* (Roma, 1941). Un útil 'vademecum' es el libro de RAFFAELE CORSO, *Folklore: storia, obietto, metodo, bibliografia* (Nápoles, 1946).

A causa de su estructura étnica, España constituye para el folklorista y el etnólogo un objeto de estudio especialmente interesante. Entre las reliquias culturales, recuérdense los graneros ibéricos ('hórreos') construídos sobre pilares que se ven en el Noroeste, el carro de ruedas sin rayos, el carro celta con cesto en lugar de caja (Galicia, Asturias), el arado de madera asturiano tirado por un carro de dos ruedas (las 'carretas'), las características vasijas de madera en forma de cubo despuntado ('herrada') usuales en el Norte. Piénsese en la costumbre de la covada (*couvade, Männerkindbett*), conservada hasta el siglo pasado en algunas regiones de la Península [161]. Numerosas son las influencias arábigo-africanas en la arquitectura de las casas, en la irrigación, en el uso de adobes de barro secados al sol, en las formas de cántaros y cestos. Inmensa es la riqueza en canciones folklóricas y refranes. Elementos moros y orientales imprimen un sello especial

---

161 Sobre la difusión de esta singular costumbre véase J. CARO BAROJA, *Los pueblos del Norte de la península ibérica* (Madrid, 1943), págs. 171-181.

a las melodías andaluzas ('cantes flamencos') y baleares. Famosas son las danzas regionales españolas: *fandango, bolero, jota* (Arag.), *rondeña* (Andal.), *muñeira* (Gal.), *riveirano* (Gal.).

En cuanto a obras al servicio del folklore general, mencionamos:

F. Carreras y Candi, *Folklore y costumbres de España.* 3 tomos. Barcelona, 1931-1933. [Abarca el folklore en el sentido más amplio. Se compone de contribuciones de diversos colaboradores. Obra de lujo ricamente ilustrada. En el primer tomo, págs. 1-164, una historia del folklore español].

Luis de Hoyos Sáinz y Nieves de Hoyos Sancho, *Manual de folklore: La vida popular tradicional.* Madrid, 1947. [Introducción general a los medios de trabajo, los métodos de investigación y las posibilidades de presentación. Estudia las creencias, costumbres, idioma y literatura populares, como también la etnografía de la cultura material. Trae rico material gráfico de todas las provincias españolas].

Enrique Casas Gaspar, *Costumbres españolas de nacimiento, casamiento y muerte.* Madrid, 1947. [Interesantes contribuciones sobre los usos populares formados alrededor de la 'trilogía de la vida'].

Félix Coluccio, *Folklore de las Américas.* Buenos Aires, 1949. [Una 'antología folklórica' que informa, por medio de textos escogidos, sobre creencias populares, costumbres, música, bailes y cuentos].

Félix Coluccio, *Diccionario folklórico argentino.* Buenos Aires, 1950. [Recoge, en forma de diccionario, un inmenso material, que traspasa frecuentemente la Argentina. Trae una bibliografía muy extensa y un registro de los folkloristas americanos y de los centros de investigación].

José Ortiz Echagüe, *España: Tipos y trajes*. Madrid, 1953. [Con 280 láminas. La más completa representación del traje regional español].

Obras importantes que se ocupan de determinadas regiones:

J. Caro Baroja, *Los pueblos del Norte de la Península Ibérica*. Madrid, 1943. [Análisis histórico-cultural destinado a aclarar el oscuro problema etnológico del Norte de España].

A. de Llano Roza de Ampudia, *Del folklore asturiano*. Madrid, 1922. [Mitos, creencias populares, usos].

Galicia: Terra de Melide, publicado por el Seminario de Estudos Galegos. Santiago de Compostela, 1933. [Obra ilustrada de lujo, de gran formato. Exposición de prehistoria, historia, folklore, literatura y música populares, cultura rural, tipos de casa].

R. del Arco y Garay, *Notas de folklore altoaragonés*. Madrid, 1943. [Manera de establecimiento, formas de casa, trajes típicos, fiestas religiosas, creencias populares].

E. Serra Rafols, *Tradiciones populares: Palabras y cosas*. La Laguna de Tenerife, 1944. [Obra de varios colaboradores, que presenta una colección de usos populares, bosquejos de las industrias locales y de los trabajos agrícolas e información toponímica de las Islas Canarias, con un pequeño diccionario].

A. Zamora Vicente, *Léxico rural asturiano: Palabras y cosas de Libardón*. Granada, 1953. [Ilustra algunos aspectos de la vida popular con diligente análisis de las palabras dialectales].

C. CABAL, *Contribución al diccionario folklórico de Asturias.* Oviedo, desde 1951. [Corpus planeado en muchos tomos, que recoge valiosos materiales de un sector particularmente arcaico].

R. M. AZKUE, *Literatura popular del País Vasco.* 4 tomos. Madrid, 1935-1947. [Abarca la totalidad del folklore vasco. Especial importancia tiene el tomo I, que estudia las creencias populares].

R. VIOLANT Y SIMORRA, *El Pirineo español.* Madrid, 1949. [Notable síntesis, que trata vida y creencias populares, cultura rural y formas de casa, organizaciones sociales y trajes típicos].

R. VIOLANT Y SIMORRA, *El arte popular español.* Barcelona, 1953.

Fundamentos científicos más serios recibió en la Península el estudio de las condiciones etnográficas en los años 1897-1905 de parte de TELÉSFORO DE ARANZADI, quien se ocupó de los arados españoles, de la hoz dentada, del carro vasco y otros temas [162]. Nuevas metas resultaron de la combinación de la etnografía con la lingüística efectuada (desde 1905) en sus trabajos por H. SCHUCHARDT. Así nació el método investigativo de 'las palabras y las cosas'. FRITZ KRÜGER (desde 1925) impulsó fuertemente, en este terreno, la ciencia española. Como ejemplos relativos a esta materia nombraremos:

FRITZ KRÜGER, *Die Gegenstandskultur Sanabrias und seiner Nachbargebiete.* Hamburgo, 1925. [Traza un cuadro general de la cultura rural de una zona montañosa muy arcaica en León, relacionándolo con la terminología dialectal].

---

162 Cfr. L. DE HOYOS y T. DE ARANZADI, *Etnografía: sus bases, sus métodos y aplicaciones a España* (Madrid, 1917).

FRITZ KRÜGER, *Die nordwestiberische Volkskultur.* En WS, X, 1927, págs. 45-137. [Introducción a la investigación dialectal sobre base etnográfica, ejecutada con excelente método. En traducción española: *El léxico rural del Noroeste Ibérico,* Madrid, 1947].

FRITZ KRÜGER, *Die Hochpyrenäen. Teil A: Landschaften, Haus und Hof.* 2 tomos. Hamburgo, 1936 y 1939. [Extensa obra, que examina penetrantemente la índole cultural del dominio de investigación, combinando la geografía de las cosas con la geografía léxica. El núcleo de la exposición lo constituye lo material. Como continuación de la obra aparecieron: *Teil B (Hirtenkultur)* en VKR, VIII, 1935, págs. 1-103; *Teil C: Ländliche Arbeit,* tomo I (Barcelona, 1936), tomo II (Hamburgo, 1939)].

W. BIERHENKE, *Ländliche Gewerbe der Sierra de Gata. Sach- und wortkundliche Untersuchungen.* Hamburgo, 1932.

J. CARO BAROJA, *La vida rural en Vera de Bidasoa.* Madrid, 1944. [Etnología y folklore de todos los aspectos de la vida de un pueblo de Navarra].

J. CARO BAROJA, *Los arados españoles.* En RDTP, V, 1949, págs. 3-96. [Modelo de investigación material y terminológica de un instrumento agrícola a través de toda España].

W. GIESE, *Los tipos de casa de la Península Ibérica,* RDTP, VII, 1951, págs. 563-601. [Con muchos bosquejos, fotos y planos].

W. GIESE, *Nordost-Cádiz. Ein kulturwissenschaftlicher Beitrag zur Erforschung Andalusiens.* Halle, 1937. [Trata tipos de casa, mobiliario, transportes, instrumentos agrícolas, cultura pastoril, oficios regionales, poesía y usos populares, todo relacionado con la terminología dialectal. Ricamente ilustrado. Cfr. del mismo autor, el artículo *A tradição mourisca na vida actual do povo espanhol*, en *Biblos*, XXIV, 1948, págs. 137-157].

En el terreno de la literatura popular, han sido los refranes objeto de especial atención. Remitimos al lector a las ricas colecciones de G. CORREAS del año 1627 (publicación: Madrid, 1906), F. RODRÍGUEZ MARÍN (Madrid, 1926), con 3 extensos suplementos (Madrid, 1930, 1934 y 1941) y J. M. SBARBI (Buenos Aires, 1943)[163]. Para los cantos populares nombramos la obra clásica (5 tomos) de F. RODRÍGUEZ MARÍN, *Cantos populares españoles* (Sevilla, 1882-83) y (como muestra de una compilación regional) el rico *Cancionero popular murciano* de A. SEVILLA (Murcia, 1921)[163a]. Significativos para la investigación musicológica son KURT SCHINDLER, *Folk-music and poetry of Spain and Portugal* (Nueva York, 1941), con melodías de regiones cuyo folklore había sido poco estudiado hasta aquí, e igualmente I. ARETZ-THIELE, *Música tradicional argentina* (Tucumán, 1946), que clasifica más de 800 melodías populares. Una colección de 1.129 acertijos reunió R. LEHMANN-NITSCHE, *Folklore argentino: Adivinanzas rioplatenses* (Buenos Aires, 1914). Sobre los 'cantes flamencos', sigue siendo digno de lectura el artículo de H.

---

163 Un interesante ensayo de interpretación del alma popular a través de los refranes debemos a W. KRAUSS, *Die Welt im spanischen Sprichwort* (Wiesbaden, 1946), reproducido en la miscelánea del autor *Gesammelte Aufsätze zur Literatur- und Sprachwissenschaft* (Francoforte, 1949). — Confróntese también el *Refranero general ideológico español* de L. MARTÍNEZ KLEISER (Madrid, 1953), que presenta los refranes según conceptos ideológicos en ordenación alfabética.

163a Véanse también el *Cancionero popular de la provincia de Madrid* de M. GARCÍA MATOS (Madrid, 1951-52) y el *Cancionero de Antioquia* de J. A. RESTREPO (Medellín, 1955).

SCHUCHARDT en ZRPh, V, 1881, págs. 249-322. — La investigación comparada de los cuentos recibió en España una base ejemplar —provista de rica bibliografía— con la obra en dos tomos de A. M. ESPINOSA, *Cuentos populares españoles* (Madrid, 1946-47). Muy útil el libro de RALPH STEELE BOGGS, *Index of Spanish folktales,* en *Folklore Fellows Communications,* Helsinki, 1930.

En el artículo *Sobre geografía folklórica,* RFE, VII, 1920, págs. 229-338, trasladó R. MENÉNDEZ PIDAL el método geográfico a la investigación de los romances populares, fijando las diversas capas, zonas arcaicas y centros de irradiación.

Un modelo para la combinación de la etnografía con el trabajo lexicográfico nos da D. ALONSO, *El saúco entre Galicia y Asturias,* RDTP, II, 1946, págs. 3-32. La significación de un conjuro en el origen de un nombre de animal ha sido mostrada por G. ROHLFS en su explicación de la etimología del arag. *paniquesa* 'comadreja', en *Archiv,* CLX, 1931, págs. 243-247, y tomo CLXI, pág. 232; reprod. en la miscelánea del autor *An den Quellen der romanischen Sprachen* (Halle, 1952), págs. 34-39, con adiciones.

En cuanto a las creencias populares, referimos a JOSÉ A. SÁNCHEZ PÉREZ, *Supersticiones españolas* (Madrid, 1948), con ricos materiales del pasado y de la época actual. Para el arte popular: JUAN SUBÍA GALTER, *El arte popular en España* (Barcelona, 1948), obra cuyo valor radica en sus lujosas ilustraciones.

Una bibliografía de las 'Colecciones folklóricas' (cantos y cuentos populares, adivinanzas, refranes, etc.), da SIMÓN DÍAZ, *Bibliografía de la literatura hispánica,* I, 1950, págs. 277-326; de la etnografía gallega *ib.,* págs. 570-573. Una bibliografía de los cuentos populares españoles se halla en BOLTE-POLÍVKA, *Anmerkungen zu den Kinder- und Hausmärchen der Brüder Grimm,* V, 1932, págs.

85-86. Para Chile mencionamos la *Guía bibliográfica para el estudio del folklore chileno* por EUGENIO PEREIRA SALAS en AFCh, año 1952 [164]; para toda América latina, el artículo de W. GIESE, *Märchenforschung in Süd- und Mittelamerika* (1940-1953), en RJb, VI, 1956, págs. 369-377, que se refiere a tradiciones, leyendas, cuentos, mitos.

Un corto bosquejo del folklore en España se encuentra en el tomo *España* de la *Enciclopedia Espasa,* págs. 450-503, con bibliografía, págs. 779-780. Para el folklore de América remitimos a W. GIESE, *Volkskunde der spanisch und portugiesisch sprechenden Völker Amerikas,* BICC, IV, 1948, págs. 516-537.

El órgano central de la etnografía española es la *Revista de Dialectología y Tradiciones Populares* (Madrid, 1945 sigs.) con muy buena bibliografía. Publicación anterior era el *Archivo de Tradiciones Populares* (Madrid, 1925-1934). De América nombramos los *Archivos del Folklore Chileno* (Santiago de Chile, 1951 sigs.), la *Revista de Folklore* (Bogotá, 1946 sigs.), *el Anuario de la Sociedad Folklórica de México* (1938 sigs.) y los *Archivos Venezolanos de Folklore* (Caracas, 1952 sigs.). Sobre revistas folklóricas importantes que se publican en otros países (Francia, Alemania, Suiza, Italia) véase tomo I de G. ROHLFS, *Romanische Philologie* (1950), pág. 40, tomo II, 1952, págs. 74 sigs.

Indispensable para toda investigación folklórica es la *Bibliographie internationale des arts et traditions populaires* (*Volkskundliche Bibliographie*), fundada por John Meier y E. Hoffmann Krayer en el año 1917 y publicada por la Commission Internationale des Arts et Traditions Populaires.

---

164 Desde muy temprano fue objeto el folklore en Chile de intensivo estudio: en el año de 1909 fue fundada en Santiago la Sociedad de Folklore Chileno.

ESTILISTICA

Las fronteras del concepto 'estilo' no se prestan a una clara delimitación [165]. En este concepto se junta la expresión lingüística con componentes provenientes del gusto de la época, la originalidad personal y la naturaleza artística. Para la metodología estilística no existen criterios que puedan ser generalizados. Ora se empleará el método descriptivo o se procederá sólo a una clasificación terminológica, ora habrá que partir de un planteamiento histórico-espiritual, psicológico o estético.

Se ha hecho el intento de determinar, bajo forma de introducción teórica o de manual, las formas y las leyes del estilo, por ejemplo CHARLES BAILLY, *Traité de stylistique française* (Heidelberg, 1921) y E. WINKLER, *Grundlegung der Stilistik* (Bielefeld, 1929) [166]. Más valiosos y útiles son los principios de análisis estilístico desarrollados por WOLFGANG KAYSER, los cuales modelan la individualidad poética por medio de ejemplos prácticos sacados de determinada obra literaria: *Fundamentos da interpretação e da análise literária* (Coimbra 1948), re-

---

[165] Finas observaciones sobre este concepto se hallan en Pío BAROJA, *La intuición y el estilo* (Madrid, 1948).

[166] La obrilla *Introducción a la estilística romance* por K. VOSSLER, L. SPITZER y H. HATZFELD (Buenos Aires, 1932) es una compilación de tres artículos, de los cuales el primero tiene orientación lingüístico-filosófica, el segundo ejemplifica interpretaciones estilísticas a base de poesías francesas y el tercero da un informe crítico sobre esta disciplina.

fundición de la edición alemana *Das sprachliche Kunstwerk* (Berna, 1948, últ. ed. 1954; trad. esp. en la Biblioteca Románica Hispánica, Edit. Gredos, Madrid, 1952). Múltiple orientación sobre la metodología de la estilística dan JULIO CASARES en el libro *Introducción a la lexicografía moderna* (Madrid, 1950), págs. 102-162 y VICENTE GARCÍA DE DIEGO, en *Lingüística general y española* (Madrid, 1951), págs. 288-371; hace falta, sin embargo, para la lengua española, una obra de conjunto, orientadora, como la de Bailly o la de Rodrigues Lapa (véase pág. 215). Hasta no disponer de tal obra puede dar útiles sugestiones, por sus métodos y problemas, el libro de PIERRE GUIRAUD, *La stylistique* (París, 1954).

Especial valor tiene la enseñanza que podemos sacar del material literario concreto. Varios artículos de L. SPITZER tratan cuestiones fronterizas de sintaxis y estilística, p. e. el *que* narrativo (*que de noche le mataron*) en RFH, IV, págs. 105-126, 253-265 y *El posesivo patético de Jorge Manrique* en NRFH, IV, 1950, págs. 1-15. Otros trabajos de SPITZER, reunidos en *Linguistics and Literary History: Essays in stylistics* (Princeton, 1948; trad. esp. en la Biblioteca Románica Hispánica, edit. Gredos, Madrid, 1955), analizan el contenido estilístico de obras literarias. Mencionamos también aquí el artículo de A. ALONSO, *Estilística y gramática del artículo en español* (VKR, VI, 1933, págs. 189-209, reimpreso ahora en los *Estudios lingüísticos,* Madrid, 1951).

De las formas expresivas del lenguaje figurado se ocupan algunos trabajos de W. BEINHAUER, *Beiträge zur spanischen Metaphorik: Der menschliche Körper in der spanischen Bildsprache,* RF, LI, 1941, págs. 1-56, 184-206, 280-336; *Das Tier in der spanischen Bildsprache* (Hamburgo, 1949).

Sobre las primeras acuñaciones del estilo barroco diserta R. MENÉNDEZ PIDAL, *El lenguaje del siglo XVI* (en *La lengua de Cristóbal Colón,* Madrid, 1942). El culteranismo, en sus relaciones con la Antigüedad y en su contenido intelectualista ('agudeza'), es el tema de E. R. CURTIUS en un capítulo del libro *Europäische Literatur und Lateinisches Mittelalter* (Berna, 1948), págs. 275-303; trad. esp. en el Fondo de Cultura Económica, México (2 vols.), 1955. Siguiendo unas ideas de su maestro D. Alonso (véase pág. 212), desarrolla CARLOS BOUSOÑO una teoría estética de los valores estilísticos en *Teoría de la expresión poética* (Madrid, 1952). Lo que se expone aquí teoréticamente, ha sido demostrado con ejemplos por DÁMASO ALONSO y el mismo CARLOS BOUSOÑO en el libro *Seis calas en la expresión literaria española* (Madrid, 1951), en el cual muestran el importante papel que juegan el paralelismo y la correlación como formas estructurales del estilo poético. Ambos libros, a pesar de su lenguaje caprichoso, pueden servir para el entendimiento de la poesía moderna. Una excelente caracterización de la técnica narrativa y del estilo poético, con ejemplos sacados de Dante, Boccaccio, Rabelais, Stendhal, Shakespeare y otros autores, logra ERICH AUERBACH en *Mimesis, Dargestellte Wirklichkeit in der abendländischen Literatur* (Berna, 1946; en versión esp., Méjico, 1953; en versión ingl., Princeton, 1953).

Muchas investigaciones estilísticas se ocupan de poetas determinados:

H. HATZFELD, *Don Quijote als Wortkunstwerk: Die einzelnen Stilmittel und ihr Sinn.* Leipzig, 1927; trad. esp. de M. C. de I., Madrid, 1949. [Da una síntesis ricamente matizada de los medios estilísticos manejados por Cervantes. Algunas interpretaciones son muy subjetivas. Comp. L. SPITZER, Lbl.,

1928, págs. 206 sigs. y TH. HEINERMANN, *Archiv,* CLXII, págs. 263 sigs.[167].

H. DENNER, *Das Stilproblem bei Azorín.* Zurich, 1932.

H. WEISSER, *Sprachliche Kunstmittel des Erzpriesters von Hita.* En VKR, VII, 1934, págs. 164-243, 281-348.

EWALD KULLMANN, *Die dichterische und sprachliche Gestalt des Cantar de Mio Cid* (RF, XXXV, 1931, págs. 1-65).

DÁMASO ALONSO, *La lengua poética de Góngora.* Madrid, 1935. [Magistral análisis de los cultismos; importante para las fuentes del estilo gongorino. — Véanse también del mismo autor los *Estudios y ensayos gongorinos* (Madrid, 1955) en que se tratan importantes cuestiones estéticas e interesantes fenómenos estilístico-poéticos].

R. MENÉNDEZ PIDAL, *El estilo de Santa Teresa.* Madrid, 1941 (Buenos Aires, 1947).

D. ALONSO, *Estilo y creación en el Poema del Cid.* En *Escorial,* 1941, págs. 333-372; también en los *Ensayos sobre poesía española* (Madrid, 1944).

DÁMASO ALONSO, *Estilo y creación en el Poema del Cid.* En *Escorial,* III, 1941, págs. 333-372, reprod. en *Ensayos sobre poesía española,* Madrid, 1944 y Buenos Aires, 1946. [Interesantes observaciones sobre el lenguaje indirecto].

D. ALONSO, *Poesía española. Ensayo de métodos y límites estilísticos.* Madrid, 1950. [Importante metodológicamente para las diversas posibilidades de análisis estilístico, ejemplificadas en Garcilaso, Luis de

---

[167] Varias investigaciones sobre el estilo cervantino, debidas a las plumas de DÍAZ PLAJA, MORENO BÁEZ, BALBÍN LUCAS y otros, se hallan en el tomo dedicado a Cervantes por la RFE, XXXII, 1948.

León, San Juan de la Cruz, Góngora, Lope y Quevedo].

MARÍA ROSA LIDA DE MALKIEL, *Juan de Mena, poeta del prerrenacimiento español.* Méjico, 1950. [Trabajo rico en observaciones sagaces. El análisis del estilo toma como punto de partida las figuras retóricas recomendadas en las poéticas medievales].

M. MUÑOZ CORTÉS, *Aspectos estilísticos de Vélez de Guevara en su 'Diablo cojuelo',* RFE, XXVII, 1943, págs. 48-76. [Valioso aporte al estudio del estilo barroco].

A. ZAMORA VICENTE, *El modernismo en la 'Sonata de primavera',* BAE, XXVI, 1947, págs. 27-62. [Interpreta los diversos elementos que informan la peculiaridad de la prosa poética de Valle-Inclán].

A. ZAMORA VICENTE, *Las sonatas de Ramón del Valle-Inclán. Contribución al estudio de la prosa modernista.* Buenos Aires, 1951.

GUSTAV SIEBENMANN, *Über Sprache und Stil im Lazarillo de Tormes.* Bern, 1953.

LEO SPITZER, *Zur Kunst Quevedos in seinem 'Buscón'.* En AR, XI, 1927, págs. 511-580; reimpreso en *Romanische Stil- und Literaturstudien,* II, págs. 48-125.

PEDRO SALINAS, *Jorge Manrique: Tradición y originalidad.* Buenos Aires, 1947.

ANGEL ROSENBLAT, *La lengua de Cervantes.* En el libro *Cervantes,* Caracas, 1949, págs. 47-129.

C. BOUSOÑO, *La poesía de Vicente Aleixandre: Imagen, estilo, mundo poético.* Madrid, 1950.

M. CRIADO DE VAL, *Análisis verbal del estilo. Indices verbales de Cervantes, de Avellaneda y del autor de la 'Tía fingida'*. Madrid, 1953. [Análisis estilístico, basado en el método estadístico, que sirve aquí al esclarecimiento de una paternidad literaria discutida] [167a].

MAX KOMMERELL, *Beiträge zu einem deutschen Calderón. Etwas über die Kunst Calderóns*. Frankfurt, 1946.

E. NEDDERMANN, *Die symbolistischen Stilelemente im Werke von Juan Ramón Jiménez*. Hamburgo, 1935.

J. GONZÁLEZ MUELA, *El lenguaje poético de la generación Guillén-Lorca*. Madrid, 1953.

GONZALO SOBEJANO, *El epíteto en la lírica española*. Madrid, 1956. [Estudia la función estilística del epíteto y su importancia en el desarrollo de los estilos líricos en España].

Un informe crítico sobre *Romanistische Stilforschung* da H. HATZFELD en GRM, XVII, 1929, págs. 50-67; refundido y continuado hasta el año 1931 en *Introducción a la estilística romance* por K. VOSSLER, L. SPITZER y H. HATZFELD (Buenos Aires, 1932), págs. 153-216. Como continuación a esta obra publicó H. HATZFELD el trabajo *Nuevas investigaciones estilísticas en las literaturas románicas,* BIFC, IV, 1946, págs. 7-77. Estos informes han sido ahora reunidos por su autor y completados hasta formar una bibliografía sistemática: *A critical bibliography of the new stylistics applied to the Romance literatures: 1900-1952* (Chapel Hill, 1953; trad. esp. por E. Lorenzo Criado en la Bibl. Román. Hisp., Edit. Gredos, Madrid, 1955), provista de un registro muy detallado [167b]. Esta

---

167a Con el mismo método este autor trata de individuar los distintos autores de *La Celestina* en *Indice verbal de La Celestina* (Madrid, 1955).

167b La versión española equivale a una segunda edición considerablemente ampliada.

obra, que contiene muchas cosas que poco tienen que ver con la estilística, es un útil libro de consulta que comprende introducción, metodología y bibliografía. Los juicios críticos dados aquí, sin embargo, son frecuentemente algo incoloros y no tocan lo esencial. — Una rica bibliografía contiene el capítulo *Estilística* del *Manual de bibliografía de la literatura española* de H. Serís, I, 1948, págs. 398-409.

De la investigación estilística debe distinguirse el cultivo práctico del estilo. Un número de instrucciones teóricas y prácticas sobre 'cómo se debe escribir' da Martín Alonso, *Ciencia del lenguaje y arte del estilo* (Madrid, 1947). Este extenso libro, que representa al mismo tiempo una introducción a las formas de estilo, contiene un *Vocabulario de sinónimos e ideas,* en las págs. 783-1195. Sobre otras obras (Barcia, Vergara Martín, Ruppert y Ujaravi) que sirven para la distinción de los sinónimos, véase pág. 111.

* * *

La estilística portuguesa cuenta con una sólida base en el mencionado libro de W. Kayser, *Fundamentos da interpretação* (ver arriba pág. 209), que da ejemplos prácticos de interpretación de poetas portugueses. Buenos ejemplos de interpretación moderna de textos, en el sentido de un análisis del estilo, debemos a F. Costa Marqués, *Problemas da análise literária: Principios e exemplificações* (Coimbra, 1948). Fines más prácticos se propone el libro de M. Rodrigues Lapa, *Estilística da língua portuguesa* (Lisboa, 1945): caracteriza los medios y los valores del estilo, atendiendo especialmente a la semántica, sinonimia y sintaxis. Revisa la capacidad expresiva de las categorías gramaticales, señalando también el uso incorrecto. — Ignoro el valor de la *Contribuição à estilística portuguêsa* de J. MATTOSO CÂMARA (Río de Janeiro, 2ª ed. 1953).

Como ejemplos de trabajos que analizan la lengua poética de determinados autores, nombraremos:

M. DE PAIVA BOLÉO, *O realismo de Eça de Queiroz e a sua expressão artística.* Coimbra, 1942. [Anteriormente en *Biblos,* XVII, 1941, págs. 697-731].

C. BASTO, *A linguagem de Fialho.* Porto, 1940.

W. KAYSER, *Strukturanalyse des Frei Luis de Sousa von Almeida Garrett,* RF, LXI, 1948, págs. 89-106.

H. FLASCHE, *Der persönliche Infinitiv im klassischen Portugiesisch,* RF, LX, 1947, págs. 685-718. [Investiga las condiciones estilísticas para el uso del infinitivo flexionado, ejemplificando con las obras de António Vieira].

METRICA

Así como en la primitiva poesía italiana la influencia francesa trajo consigo la extendida preponderancia de tipos de verso trasalpinos [168], también muchos versos españoles muestran una notable concordancia con el arte poético francés [169]. Contrariamente a este último idioma, donde la sílaba final átona (remate 'femenino') no cuenta, la denominación de los metros españoles se basa en el número de sílabas del verso, tomándose como tipo normal el verso que acaba en palabra llana, incluyendo la sílaba final. De modo que al octosílabo y al decasílabo franceses corresponderán, respectivamente, el eneasílabo y el endecasílabo españoles.

En cuanto a metros franceses, que encontramos también en España [170], mencionaremos

el hexasílabo trocaico, 'verso de arte menor' [171]:

> Moça tan fermosa
> non vi en la frontera (*Serranilla*).
> (En Francia: *Si plor ma folie* ...).

---

168 Comp. G. Rohlfs, *Romanische Philologie*, II, 1952, págs. 71 sigs.

169 El autor del *Poema de Alejandro* se precia de dominar, frente a la antigua 'juglaría', el arte más fino de la 'cuaderna vía a sílabas contadas', que (seguramente bajo influjo francés) correspondía más al gusto de la época.

170 Las comparaciones que siguen no quieren decir que los metros españoles mencionados de todos modos provengan de Francia. Pueden, en parte, descender independientemente de las mismas bases latino-vulgares o populares.

171 Las expresiones 'yámbico' y 'trocaico' se emplean aquí en el sentido de la inclinación rítmica (sin consideración a la 'cantidad' de las sílabas), es decir, según que se trate de movimiento ascendente (*nación*) o descendente (*prado*).

El heptasílabo yámbico:

En sueño una fermosa
besava una vegada (Sem Tob).
(En Francia: *Je vois en mainte terre ...*).

El octosílabo trocaico:

Nuestras vidas son los ríos (Manrique).
(En Francia: *Aucassins fu de Biaucaire...*).

El (muy raro) eneasílabo yámbico:

A gran honor la recibieron (S. *María Egipcíaca*).
(Marie de France: *En Bretaigne maneit uns ber...*).

El endecasílabo yámbico:

Señor en toller coitas e doores (Alfonso el Sabio).
(Bertran de Born: *Dolen e trist e ple de marrimen ...*).

El verso yámbico de catorce sílabas:

Ovieron los Troianos || a tornar las espaldas
(*Poema de Alejandro*).
(*Poema de Alej.* fr. : *Puis estendent les napes* || *sor l'erbe a la rosee*).

El verso trocaico de dieciséis sílabas:

Ella dixo: Vuestros dichos || non los preçio dos piñones
(Juan Ruiz) [172].
En París está doña Alda || la esposa de Don Roldane
(*Romance*).
(Guilhem de Peitieu: *Et es tan fers e salvatges* || *que del bailar si defen*).

Una cierta relación parece existir también entre el 'verso de arte mayor' (12 sílabas):

Al muy prepotente || don Juan el segundo
(Juan de Mena).

---

[172] Este verso alcanzó una enorme difusión gracias al Romancero. Su partición en versos cortos octosílabos, como aparece en los primeros textos impresos y como la entienden los especialistas españoles (desde Juan del Encina), no parece ser originaria.

y el decasílabo lírico francés compuesto de dos versos trocaicos de cinco sílabas:

Mon père et ma mère, si m'ont mariée (canto popular).

Mientras que el endecasílabo usado por Alfonso el Sabio (en concordancia con la poesía gallego-portuguesa) desciende probablemente de los provenzales, este mismo metro vino a ser en el siglo XVI, tras largo intervalo y bajo influjo italiano, la forma de moda de la época clásica. También su frecuente combinación con el heptasílabo fue motivada por estímulos italianos:

Cuando contemplo el cielo
de innumerables luces adornado... (LUIS DE LEÓN).

Por lo que hace a los tipos de estrofa, puede tenerse por seguro que la 'cuaderna vía' formada por alejandrinos fue importada de Francia. Tenemos su modelo, por ejemplo, en el *Poème moral,* compuesto alrededor de 1200, como también en muchas otras poesías de carácter moralizador, didáctico y religioso[173]. De origen italiano son el soneto, la canción, la lira, el madrigal, la octava, la sextina y el terceto[174].

Queda la cuestión de cuáles formas métricas puedan ser atribuídas a la poesía española como patrimoniales. Tales formas se buscarán, ante todo, en la época primitiva. Tema de acalorada discusión fue, durante mucho tiempo, el principio métrico que sirve de base al *Cantar del Cid.* La singular irregularidad del verso épico fue ex-

---

173 Véase G. NAETEBUS, *Die nicht-lyrischen Strophenformen des Altfranzösischen* (Leipzig, 1891), págs. 56 sigs.

174 Sobre algunos tipos de estrofa (*quintilla, décima, redondilla, seguidilla*) tratan los artículos de D. C. CLARKE en RFE, XX (1933), XXIII (1936) y HR, VI (1938), VIII (1940), IX (1941), XII (1944).

plicada ora por deficiente destreza de parte del poeta, ora por lamentable transmisión del texto. En la reconstrucción del verso 'deformado' se creyó reconocer ya el alejandrino francés = 14 sílabas en España (F. Wolf, A. Bello, Restori), ya el verso de romance (Cornu, Lang, Cejador) [175]. Otros eruditos, sin embargo, vieron precisamente en el principio irregular lo autóctono-primitivo de la poesía española: Milá y Fontanals (1874), Lidforss, Baist y F. Hanssen. El examen más profundo del problema entero y nuevos hallazgos épicos han conferido a esta tesis un alto grado de verosimilitud. Así pues, el verso de la antigua épica castellana parece obedecer a un principio amétrico todavía insuficientemente determinado en su naturaleza rítmica [176]. Compárese sobre esto R. Menéndez Pidal en su edición del *Cantar de Mio Cid,* I, 1908, pág. 83, con adiciones en la edición de 1944, págs. 1.173-1.176, y luego en RFE, IV, 1917, pág. 123; ib., XX, 1933, págs. 350 sigs.; P. Henríquez Ureña, *La versificación irregular en la poesía castellana* (Madrid, 1920); E. C. Hills, *Irregular epic metres* en *Homenaje a Menéndez Pidal,* I, 1925, págs. 759-777.

Los orígenes de la 'versificación irregular' continúan envueltos en tinieblas. La teoría de la descendencia árabe expuesta por A. Castro (*España en su historia,* 259 sigs.), requiere una comprobación más estricta. Una tesis an-

---

[175] Comp. especialmente las poco convincentes 'reconstrucciones' de H. R. Lang, *Notes on the metre of the Poem of the Cid,* RR, V, 1914, págs. 1-30, 295-349, y *Contributions to the restauration of the Poema del Cid,* RH, LXVI, 1926, págs. 1-509, como también la opinión de Cejador y Frauca en *La verdadera poesía castellana* (Madrid, 1921 sigs.), que no tomó noticia de los modernos resultados de la investigación.

[176] Los códices del Poema del Cid y del fragmento de Roncesvalles de que disponemos hoy nos ofrecen un verso largo, que parece oscilar entre 10 y 20 sílabas. En el *Cantar de mio Cid,* es el verso más frecuente el de catorce sílabas, con una proporción de 14%.

terior había creído reconocer en el verso cidiano el principio de la antigua poesía germánica: tres sílabas tónicas en ambos hemistiquios de cada verso largo, y número oscilante (a voluntad) de átonas [177]. Tal concepción fue impugnada ya con sólidos argumentos por Milá y Fontanals, *De la poesía heroico-popular castellana* (1874) y Restori (1887). También Menéndez Pidal (*Cantar de mio Cid,* I, pág. 78) se expresó en contra de tal idea. Una defensa de la teoría germánica emprendida en época posterior por R. Grossmann [178] no adujo a su favor consideraciones decisivas.

La existencia de una primitiva poesía autóctona popular ha podido ser deducida de la forma del 'zéjel' moro-andaluz y de las estrofas románicas de estribillo que, combinadas con las 'muasajas' clásicas, han sido señaladas en Andalucía (siglos x-xi). Entre ellas y las 'cantigas de amigo', los 'villancicos', las 'cantigas de vilão', etc., existen evidentes conexiones; cfr. especialmente Dámaso Alonso, *Cancioncillas 'de amigo' mozárabes,* RFE, XXXIII, 1949, págs. 297-394 [179].

Característica de la poesía dramática de la época clásica es la extraordinaria abundancia en formas de verso

---

177 Tal opinión fue representada por el filólogo alemán N. Delius, AStNSp., VIII, 1851, pág. 434.

178 R. Grossmann, *Zum metrischen Problem in der älteren spanischen Volksepik,* en *Spanische Philologie und spanischer Unterricht* (Suplemento de la revista *Iberica*), Nos. 6-8 (1926), págs. 8-15.

179 Véanse también las fundamentales investigaciones de J. Rivera, *Discurso leído en la Real Academia Española* (1912) y *La música de las cantigas de Santa María* (Madrid, 1922); R. Menéndez Pidal, *La primitiva poesía lírica española* (Madrid, 1919), *Poesía árabe y poesía europea* (Habana, 1937, Madrid, 1941, en trad. italiana: Bari, 1949); S. M. Stern, *Les vers finaux en espagnol dans les muwaššah hispano-hébraïques,* Al-An., XIII, 1948, págs. 299-346.

y de estrofa. Adaptándose a las diversas situaciones y estados de ánimo, el poeta español (en contraste con la uniformidad del drama francés) ofrece una rica alternancia de formas métricas: redondilla, quintilla, silva, lira, octava, décima y verso de romance. Este arte finamente matizado, que aparece ya en la Edad Media en la *Historia Troyana* (alrededor de 1270), puede contarse entre los 'caracteres fundamentales de la literatura española'[180].

En conexión con los demás romances, discute E. Stengel cuestiones esenciales de versificación en el tomo II del *Gröbers Grundriss der romanischen Philologie* (l. Abteil., 1902, págs. 1-96); tal exposición, sin embargo, presenta muchas lagunas y tiene hoy sólo un valor histórico. El libro *Die Dichtungsformen der Romanen* (Munich, 1951), publicado por A. Bauer del legado de K. Vossler, contiene afortunadas observaciones estético-literarias, en interesante enfoque histórico-cultural; sin embargo, en los problemas históricos relativos al origen, permanece esta obra ajena a los progresos científicos, ante todo musicológicos, de los últimos 30 años (comp. K. Wais, *Archiv,* CLXXXIX, pág. 244).

De Martín de Riquer tenemos un manualillo práctico y metódico que compendia todo lo que atañe a las formas métricas (versos, estrofas y géneros poéticos), ilustrándolo con claros ejemplos: *Resumen de versificación española* (Barcelona, 1950). Completamente anticuadas son las obras de E. Benot, *Prosodia castellana y versificación* (Madrid, 1892) y E. de la Barra, *Nuevos estudios sobre versificación castellana* (Santiago de Chile,

---

180 Véase Menéndez Pidal, *Historia Troyana en prosa y verso* (Madrid, 1934), pág. XIX.

1892)[181]. Todavía se puede consultar con mucho provecho el libro de A. BELLO, *Principios de ortología y métrica de la lengua castellana* (Santiago de Chile, 1835), ilustrado con notas y apéndices por D. Miguel A. Caro, Bogotá, 1882, seg. ed. 1911. — De TOMÁS NAVARRO tenemos un libro de valor extraordinario: *Métrica española* (Syracuse, 1956); dedica especial atención al uso histórico de las formas métricas.

Una orientadora ojeada sobre las opiniones existentes en el pasado, con propia posición y muy extensa bibliografía[182], debemos a E. DÍEZ ECHARRI, *Teorías métricas del Siglo de Oro* (Madrid, 1949). Este libro ha de emplearse, sin embargo, con prudencia crítica. — Una bibliografía de los trabajos sobre métrica, bastante bien hecha, que se refiere a todos los aspectos de la métrica (incluyendo poéticas, prosodias, diccionarios de rima), que no pretende ser completa, es el libro de A. CARBALLO PICAZO, *Métrica española* (Madrid, 1956).

Para la poesía medieval son importantes las consideraciones de MENÉNDEZ PIDAL sobre el verso del *Cantar* en su edición de éste (tomo I, 1908, págs. 76-124), con adiciones en la nueva edición (1944); el detallado análisis de las formas de verso usadas por Juan Ruiz en el *Glosario sobre Juan Ruiz* de J. M. AGUADO (Madrid, 1929, págs. 93-175) y el tratamiento de la métrica de Berceo en la obra de LANCHETAS (ver arriba pág. 129).

---

[181] De siglos anteriores tienen importancia histórica la parte dedicada a las cuestiones métricas en la *Gramática castellana* (1492) de NEBRIJA, el *Arte de poesía castellana* de JUAN DEL ENCINA (en su *Cancionero* de 1496), y *El arte poética en romance castellano* de SÁNCHEZ DE LIMA (1580); esta última obra ha sido publicada de nuevo por R. de Balbín Lucas (Madrid, 1944).

[182] Cfr. también M. MÉNDEZ BEJARANO, *La ciencia del verso. Teoría general de la versificación con aplicación a la métrica española* (Madrid, 1907).

Para problemas particulares damos las siguientes indicaciones[183]:

F. Hanssen, *Sobre el hiato en la antigua versificación castellana,* AUCh, 1896.

F. Hanssen, *Zur spanischen und portugiesischen Metrik,* VWVS, 1900. [Sobre libertades de la versificación en el verso de arte mayor].

R. Foulché-Delbosc, *Etude sur le Laberinto de Juan de Mena,* RH, IX, 1902, págs. 75-138. [Sobre el verso de arte mayor[183a]].

J. Driscoll Fitzgerald, *Versification of the cuaderna via as found in Berceo's Vida de Santo Domingo de Silos.* Nueva York, 1905. [Trata cuestiones del cómputo de sílabas y del hiato; toma posición acerca del problema de los 'versos irregulares'].

F. Hanssen, *Los endecasílabos de Alfonso X,* BH, XV, 1918, págs. 284-299.

F. Hanssen, *La elisión y la sinalefa en el Libro de Alejandro,* RFE, III, 1916, págs. 345-356.

C. Barrera, *El alejandrino castellano,* BH, XX, 1918, págs. 1-26.

P. Henríquez Ureña, *El endecasílabo castellano,* RFE, VI, 1919, págs. 132-157. [Sobre el ritmo del verso y su relación con el endecasílabo italiano. En refundición ampliada, BAAL, XIII, 1944, págs. 725-824].

---

183 Para todo trabajo científico ténganse en cuenta los informes bibliográfico-críticos de E. Stengel en KJb, I, III, IV, V, VI, VII, IX.

183a La medida de este verso ha sido interpretada de varias maneras; véase Hills-Morley, *Modern Spanish Lirics* (New York, 1913) y E. Díez Echarri, *Teorías métricas del siglo de oro* (Madrid, 1949), págs. 186-195.

H. R. Lang, *Las formas estróficas y términos métricos del Cancionero de Baena.* En: *Estudios erud. in memoriam de Adolfo Bonilla y San Martín,* Madrid, 1927, págs. 485-523.

G. J. Geers, *Algo sobre versificación española,* Neoph., XV, 1930, págs. 178-183. [Ve en la predominancia de 4 acentos un principio constante del ritmo poético español, que actúa desde el antiguo verso épico hasta el endecasílabo].

O. Jörder, *Die Formen des Sonetts bei Lope de Vega.* Halle, 1936.

Félix Lecoy, *Recherches sur le Libro de Buen Amor de Juan Ruiz.* París, 1938. [Explica la 'fluctuation du rythme' como proveniente de la oposición entre el principio métrico autóctono (accentuation impaire) y el deseo de imitar el alejandrino extranjero].

H. Janner, *La glosa española. Estudio histórico de su métrica y de sus temas,* RFE, XVII, 1943, págs. 181-232[184].

R. del Rosario, *El endecasílabo español,* Univ. de Puerto Rico, 1944.

J. Saavedra Molina, *El octosílabo castellano.* Santiago de Chile, 1945.

J. Saavedra Molina, *Tres grandes metros: el eneasílabo, el tredecasílabo y el endecasílabo.* Santiago de Chile, 1946.

R. Menéndez Pidal advierte en la *e* paragógica de la poesía española medieval (*trinidade, alaudare*) formas lingüísticas del siglo x, que fueron con fre-

---

184 Sobre probables vínculos entre la glosa y el *tasmīṭ* árabe, ver E. García Gómez, Al-An., VI, 1941, págs. 401-407.

cuencia erróneamente generalizadas en la época del Cantar por querer acentuar poéticamente el estilo épico-arcaico; ver nueva edición del *Cantar de mio Cid* (1944), en las adiciones, págs. 1.177-1.184.

P. Le Gentil, *La poésie espagnole et portugaise à la fin du moyen âge*. Rennes, 1949-1952. [Trae importantes reflexiones acerca de la poesía irregular].

Una compilación bastante completa de todos los libros y artículos que tratan asuntos métricos es la de Dorothy C. Clarke, *Una bibliografía de versificación española* (Berkeley, 1937). La misma autora da una ojeada sobre los versos líricos de la literatura española en el trabajo *A chronological sketch of Castilian versification together with a list of its metric terms* (en: Univ. of Calif. Publ. in Modern Philology, XXXIV, 1952, págs. 279-382): define aquí 755 términos métricos, completando al mismo tiempo la bibliografía de éstos.

Como apéndice señalamos algunos instrumentos para el trabajo con problemas de la métrica portuguesa:

F. Diez, *Die erste portugiesische Kunst- und Hofpoesie*. Bonn, 1863. [Hace un análisis de los principales versos].

A. Mussafia, *Sull'antica metrica portoghese*. En *Sitzungsber. der Wiener Akad., Phil. Hist. Klasse*, CXXXIII, 1895. [Sobre algunos tipos de la estructura métrica en las estrofas de la canción; cfr. para esto C. Michäelis de Vasconcelos, Lbl., 17, 1896, págs. 308-318].

M. Said Ali, *Versificação portuguesa*. Río de Janeiro, 1949. [Analiza los diversos tipos de verso, sin planteamiento histórico].

Importantes referencias sobre las formas métricas de la antigua poesía portuguesa da CAROLINA MICHÄELIS en su exposición de las letras portuguesas contenida en *Gr. Gr.*, II, 2, págs. 129 sigs.

Para el trabajo con la métrica catalana puede prestar útiles servicios el *Resum de poetica catalana (mètrica i versificació)* de ALFONS SERRA I BALDÓ y ROSSEND LLATAS, Barcelona, 1932.

C. FILOLOGIA CATALANA

CATALUÑA Y EL CATALAN

El surgimiento de Cataluña y de un romance propio en la Península Ibérica está condicionado, en sus últimas causas, por la marcha de la Reconquista [185]. La constitución de la 'Marca Hispánica', al Sur de los Pirineos orientales, por Carlomagno en el año 778, fue el punto de partida para la penetración del Cristianismo franco-hispánico a lo largo de la costa mediterránea [185a]. Así se crearon estrechos vínculos con la Latinidad galorromana[186]. Tal parentesco fue sentido como tan cercano, que aún en el siglo XII el geógrafo árabe Edrisi puede designar a Cataluña como *Afranŷa menor* 'Pequeña-Francia'. El mismo nombre *Cataluña* no parece remontar más atrás de los comienzos del siglo XII [187]. De modo que la lengua catalana, originariamente, era sólo el idioma de un distrito fronterizo hispano-provenzal.

El avance de la Reconquista llevó consigo la lengua

---

[185] Causas anteriores representan las especiales circunstancias etnológicas de la época prerromana, la forma de la colonización romana y el establecimiento de la provincia eclesiástica de Cataluña. Comp. al respecto W. MEYER-LÜBKE, *Das Katalanische* (1925), págs. 158-188.

[185a] Para el siglo posterior, decisivo para la formación de un sentimiento nacional en el nuevo país, véase J. CALMETTE, en *Mélanges Lot* (1925), págs. 103-110.

[186] En la época de los emperadores sajones y francos, el principado de Cataluña abarcaba también el condado de Rosellón. Posteriormente perteneció el Rosellón al reino de Aragón (siglos XII-XVII).

[187] Véase P. AEBISCHER, *Autour de l'origine du nom de Catalogne* en ZRPh, LXII, 1942, págs. 49-67, artículo reproducido en los *Estudios de toponimia y lexicográfica románica* (Barcelona, 1948).

catalana hasta la gran llanura de Murcia, de donde fue de nuevo desalojada por la inmigración castellana. Al Norte de los Pirineos, pertenece el Rosellón al dominio lingüístico catalán. Desde la época de la dominación aragonesa (siglo XIV), se conservó aislado en Cerdeña un grupo lingüístico catalán en la ciudad de Alghero[188].

Sobre la prehistoria e historia posterior del país informa la obra clásica de J. BALARI I JOVANY, *Orígenes históricos de Cataluña* (Barcelona, 1899), que constituye asimismo para el lingüista un filón inagotable de valiosas noticias y observaciones filológicas. La historia catalana se halla expuesta de modo fidedigno en las obras de A. ROVIRA I VIRGILI, *Historia nacional de Cataluña* (7 tomos, Barcelona, 1922-34), y FERRÁN SOLDEVILA, *Historia de Catalunya* (3 tomos, Barcelona, 1934-35). Un cuadro más sucinto da A. BORI Y FONTESTÁ, *Historia de Cataluña* (1910)[189]. Un enjuiciamiento objetivo del regionalismo y separatismo catalanes frente al centralismo político y cultural de Madrid contiene el libro de A. SIEBERER, *Katalonien gegen Kastilien: Zur innenpolitischen Problematik Spaniens* (Viena, 1936)[190]. Hizo época el libro de E. PRAT DE LA RIBA, *La nacionalitat catalana* (Barcelona, 1906). Muy imparcial es también el juicio de un castellano: FR. ELÍAS DE TEJADA, *Las doctrinas políticas en la Cataluña medieval* (Barcelona, 1950).

---

188 Un mapa muy exacto del área lingüística catalana se halla en el tomo I del *Diccionari* de ALCOVER (ver pág. 260). Un buen croquis general trae también la *Gramática histórica* de A. BADÍA MARGARIT (ver pág. 249), pág. 51.

189 La clásica obra de V. BALAGUER, *Historia de Cataluña* (1885-87) padece de exaltación romántica.

190 Comp. igualmente los siguientes libros: G. GRAELL, *La cuestión catalana* (Barcelona, 1911) y G. DWELSHAUVERS, *La Catalogne et le problème catalan* (París, 1926). Sobre la geografía política comp. las mencionadas (pág. 15) obras de LAUTENSACH, SORRE y CARACI.

Para una primera orientación general sobre el catalán se utilizará con el mayor provecho la clara exposición de MOREL-FATIO y SAROÏHANDY en *Gr. Gr.*, I, 2ª ed. (1904), págs. 841-877, que trata de manera lúcida los puntos esenciales de la fonética y la morfología. En su libro *Das Katalanische* (Heidelberg, 1925) presenta W. MEYER-LÜBKE un resumen de los principales problemas relativos a la fonética histórica, la morfología, la formación de palabras y la sintaxis, en confrontación con el castellano y el provenzal, al mismo tiempo que plantea la cuestión de las bases históricas del catalán[191].

Más clara y más elemental, limitada a los hechos esenciales, destinada a un público extranjero, es la obrita de J. COROMINES, *El que s'ha de saber de la llengua catalana* (Palma de Mallorca, 1954).

Sobre los distintivos del catalán véase pág. 240.

---

[191] Ténganse presentes las numerosas correcciones de A. GRIERA en ZRPh, XLV, 1925, págs. 198-216, y F. DE B. MOLL en BDLIC, XIV, págs. 305-322.

HISTORIA DE LA FILOLOGIA CATALANA

El estrecho parentesco lingüístico y las íntimas relaciones literarias con la Provenza explican el temprano interés que los filólogos mostraron por el catalán. Excluyendo los diccionarios antiguos de Rosembach (1502), Nebrija (1507), Torra (1653), etc. y la gramática de Ballot (1815), la filología catalana asentada científicamente empieza con las obras de MILÁ Y FONTANALS: *Romancerillo catalán* (1853), *De los trovadores en España* (1861), y *Estudios de lengua catalana* (1875). Tomando un campo de trabajo más amplio, se propuso investigar el activo filólogo provenzal J. B. ALART, de modo más especializado, el catalán antiguo, en sus *Documents sur la langue catalane des anciens comtés de Roussillon et de Cerdagne* (París, 1881). Una edición excelentemente fundamentada de la versión catalana de los Siete Maestros, con glosario, fonética y morfología, fue publicada por A. MUSSAFIA (Viena, 1876).

En la siguiente generación de investigadores se distinguieron particularmente, por sus estudios históricos, trabajos de archivo y colecciones lexicográficas, los catalanes J. BALARI I JOVANY y M. AGUILÓ. Del primero tenemos la obra clásica *Orígenes históricos de Cataluña* (Barcelona, 1899), que presta notable ayuda a lingüistas y toponimistas. Ambos eruditos nos dejaron valiosos materiales léxicos (ver págs. 260 y 261).

Con el Congrès de la Llengua Catalana [192] celebrado en Barcelona en 1906, comenzó un nuevo período en la historia de la filología de este romance. Bajo la dirección espiritual de A. M. Alcover, dio esta reunión un fuerte impulso al movimiento lingüístico-patriótico y condujo a una modernización del trabajo científico. Sólo un año más tarde tuvo lugar en Barcelona, por iniciativa de E. Prat de la Riba, la fundación del Institut d'Estudis Catalans [193]. En el año 1913 (todavía un año antes de la aparición de la *Revista de Filología Española*) se funda en Barcelona el *Butlletí de Dialectología Catalana.*

También en el extranjero había crecido poderosamente, desde algunos decenios atrás, el interés por el catalán. En el *Grundriss der romanischen Philologie* de Gröber, I, 1888, hallamos una exposición del idioma (I, 1888, págs. 669-688) y de la literatura (II, 2, 1897, págs. 70-128) catalanes a cargo del erudito francés A. Morel-Fatio. Desde 1890 trae el *Kritischer Jahresbericht über die Fortschritte der romanischen Philologie* los informes críticos de B. Schädel (ver pág. 237) sobre el catalán. De Schädel tenemos también el *Manual de fonética catalana* (Cöthen, 1908), de Otto Denk una *Einführung in die Geschichte der altkatalanischen Literatur* (Dresden, 1893).

En la misma Cataluña se formaron, desde la fundación del Instituto, en Barcelona, las dos escuelas de Alcover y Griera, que desafortunadamente permanecieron separa-

---

192 Sobre las labores del Congreso informa el extenso volumen *Primer Congrès de la Llengua Catalana* (Barcelona, 1908). Sobre su significación escribió B. Schädel: 'May encara aquest renaxement s'havia presentat d'una manera tan clara, potent y brillant als ulls d'Espanya y d'Europa' (KJb, X, 1, pág. 165).

193 Sobre miembros y tareas de este Instituto véase el completo informe *L'Institut d'Estudis Catalans: Els seus primers 25 anys* (Barcelona, 1935); contiene cuidadosas bibliografías de los miembros de la entidad.

das por marcadas diferencias. Ambas han cumplido labor muy meritoria. Entre los investigadores catalanes haremos especial mención de los siguientes: J. Amades, R. Aramón i Serra, A. Badía Margarit, P. Barnils, J. Corominas, P. Fabra, F. de B. Moll, M. de Montolíu, A. Par y M. Sanchis Guarner. Crecido es el número de los romanistas extranjeros que se han ocupado intensivamente con el catalán: P. Aebischer, P. Fouché, W. Giese, J. Hadwiger, J. Huber, F. Krüger, H. Kuen, H. Meier, W. Meyer-Lübke, M. Niepage, P. Rokseth, L. Spitzer, J. Saroïhandy y O. J. Tallgren.

INSTRUMENTOS BIBLIOGRAFICOS Y REVISTAS

Información sobre el catalán proporcionan, para los años 1890-1908, los informes bibliográficos de A. Rubió y Lluch en KJb, I, 545-581 y de B. Schädel en KJb, VI-XI. Una rica bibliografía lingüística y folklórica, con toma de posición crítica, fue publicada por A. Griera, RLiR, I, 1925, págs. 35-113 [194], quien separa aquí las obras anteriores de los trabajos realizados después de 1900. Esta bibliografía fue completada por su autor hasta el año 1946 (aunque no con toda la exactitud que fuera de desear): *Bibliografía lingüística catalana* (Barcelona, 1947). Griera se limita aquí a la mención de los títulos. Un informe sobre los primeros pasos de la filología catalana y sobre sus últimos progresos proporciona A. Griera en el artículo *Les études sur la langue catalane,* AR, XII, 1928, págs. 530-551.

Muy extensa y concienzuda es la *Bibliografía de la llengua i literatura catalana* por R. Aramon i Serra, AOR, II, III, IV, V, VII, que comprende los años 1929-34 e incluye pequeños juicios críticos. Su núcleo lo constituyen los capítulos dedicados a la edición de textos y a la literatura. Del mismo autor tenemos también una ojeada crítico-bibliográfica, *La philologie romane dans les pays catalans* (1939-1948), publicada en el volumen *Os*

---

194 Cfr. también la *Bibliografía filológica de la lengua catalana* por A. M. Alcover en RABM, IX, 1919, págs. 265-280.

estudos de linguística românica, I, 1951, págs. 248-274, editado por Paiva Boléo. Indispensable es también el muy detallado informe bibliográfico sobre los estudios catalanistas (1939-1949) rendido por A. Kuhn en su *Romanische Philologie,* t. I: *Die romanischen Sprachen* (Berna, 1951), págs. 343-353 [195]. Utiles referencias bibliográficas se encuentran en *A tentative bibliography of Hispanic linguistics* de H. C. Woodbridge y P. R. Olson (Urbana, 1952), págs. 35-43.

Las siguientes revistas están al servicio de los estudios catalanes:

Butlletí de Dialectología Catalana. Barcelona, desde 1913. Organo central de la lingüística catalana. Clausurado en el año 1936, con el tomo XXIV. El tomo XXI (1933) contiene los "Indexs generals dels vint primers volums", con registro gramatical de materias y un completo índice de palabras (págs. 37-355) [196].

Anuari de l'Oficina Romànica de Lingüística i Literatura. Barcelona, 1928-1934. Interesante y valiosa publicación, con una bibliografía bien dirigida.

Anuari de l'Institut d'Estudis Catalans. Barcelona, desde 1907. Importante para todas las ramas científicas en Cataluña. Contiene biografías de los miembros fallecidos del Instituto.

Estudis Universitaris Catalans. Barcelona, 1916-1936. Fomentaba especialmente los estudios históricos y literarios.

---

[195] Ver arriba pág. 56.

[196] Como continuación de esta revista aparece, desde 1941, el *Boletín de Dialectología Española.*

Bolletí del Diccionari de la Llengua catalana. Palma de Mallorca, 1901-1906. Organo de la reunión de materiales lingüísticos catalanes para la preparación del Diccionari de Alcover.

Estudis Romànics. Barcelona, desde 1947. Se interesa por todos los romances, con especial acentuación del catalán. Amplia sección de reseñas críticas. Una serie anterior de esta revista apareció en Barcelona, 1916-1917.

En cuanto a obras colectivas con contribuciones variadas e importantes, haremos mención de las siguientes: el informe sobre la reunión catalanista de 1906 *Primer Congrés de la llengua catalana* (Barcelona, 1908), la *Miscelánea filológica dedicada a D. A. M. Alcover* (Palma de Mallorca, 1932), los tres tomos del *Homenatge a Antoni Rubió i Lluch: Miscel.lània d'estudis literaris, històrics i lingüístics* (1936) [197], y la *Miscel.lània Fabra: Recull de treballs de lingüística catalana i romànica dedicats a Pompeu Fabra* (Buenos Aires, 1943).

Una lista muy extensa de textos catalanes y de trabajos filológicos da ALCOVER en la bibliografía de su *Diccionari català-valencià-balear,* I (Palma de Mallorca, 1930), págs. XXII-LXVII.

Valiosas bibliografías especiales contiene el ya mencionado informe sobre los primeros 25 años del Institut d'Estudis Catalans (ver arriba pág. 235).

---

197 Los tomos I y III corresponden a los tomos XXI y XXII de la EUC, y el tomo II, al XII de los *Analecta Sacra Tarraconensia.*

LA POSICION DEL CATALAN

Objeto de agitada controversia es, desde decenios atrás, la ubicación del catalán dentro de la familia de lenguas románicas. Punto esencial del problema es la cuestión de si deba contarse al catalán entre el grupo galorrománico o entre el iberorrománico. Un tratamiento objetivo del litigio no es tarea fácil —por lo menos en la propia Península—, debido a las diferencias políticas y culturales existentes entre Madrid y Barcelona. Las dificultades del problema crecen con el hecho de que el llamado iberorrománico no constituye en manera alguna un grupo lingüístico homogéneo que contraste nítidamente con el galorrománico: ya el aragonés, que colinda con el catalán, muestra muchos rasgos que lo emparientan con el provenzal o con el gascón. Pero también otras hablas norteñas, como el leonés y el asturiano, ofrecen, frente al castellano, una fuerte individualidad. A esto se agrega que tampoco el catalán, ni temporal ni espacialmente, es completamente homogéneo, lo mismo que hay dialectos provenzales que se acercan, ya menos, ya más (p. e. el gascón), al tipo iberorrománico.

Un hecho, sin embargo, debe aparecer absolutamente claro a todo observador imparcial: comparando el catalán con el castellano y con el provenzal, no se puede dudar del estrecho parentesco que presentan el catalán y el provenzal.

Ilustramos esta relación con algunos refranes, colocando la forma catalana entre la provenzal y la castellana[198]:

1. L' ome per la paraula e 'l biòu per la bano.
   L' home per la paraula y 'l bou per la banya.
   Al hombre por la palabra y al buey por el cuerno.
2. A qui noun vòu sella Diéu ié douna bast.
   A qui no vol sella Déu li dona bast.
   A quien no quiere silla Dios le da albarda.
3. De bon aubre sort bon frut.
   De bon abre surt bon fruyt.
   De buen árbol sale buen fruto.
4. L' ase per fam manja l' agram.
   L' ase per fam menja l'agram.
   El burro (asno) por hambre come la grama.
5. Mai vau un aucèu a la man qu' un' agla voulan.
   Mes val un ocell a la mà qu' un àliga volant.
   Más vale pájaro en la mano que águila volando.
6. Bram d' ase noun pouja au cèu.
   Bram d' ase no puja al cel.
   Voz de asno no sube al cielo.
7. Lou gous que vòu pan, dèu lipà la man.
   Lo gos que vol pa, deu llepar la mà.
   El perro que quiere pan, debe lamer la mano.
8. Aiga que courre noun porta verin.
   Aigua que corre no porta verí.
   Agua que corre no trae veneno.

Según esta confrontación aparece el catalán como un idioma que no se diferencia del provenzal más de lo que un habla provenzal del Este se distingue de una del Limousin. Hay que decir, inclusive, que el catalán está más cerca del provenzal que el gascón. Frente al castellano, en cambio, las discrepancias son considerables, tanto cuantitativa como cualitativamente. Esencialmente más

[198] Los textos provenzal y castellano deben considerarse como simples traducciones. Para el provenzal nos hemos basado en el tipo lingüístico languedociano.

estrechos son los vínculos con el aragonés[199]. Pero hay que tener en cuenta que el aragonés (por lo menos en sus hablas más arcaicas) presenta muchos rasgos galorrománicos, pudiendo incluso ser considerado (junto con el gascón) como un puente entre el galorrománico y el castellano (ver pág. 243).

Entre los rasgos fonéticos substanciales que unen estrechamente al catalán con la Galorromania, nombramos la ley especial que rige la diptongación en este romance (véase pág. 254), la caída de la *n* final románica (*mà, pà, plè, molí*), que está naturalmente en relación con la *n* móvil del provenzal antiguo (*pa* junto a *pan*), y la vocalización de la *-v* final románica: cat. *la clau* = prov. *clau* 'llave'. En el cambio *nd* > *n* vemos una íntima concordancia con el gascón: cat. *espona* = gasc. *espouna* < SPONDA. De la morfología, señalamos el pronombre interrogativo *quin,* p. e. *quina taula* = gasc. *quina taula,* frente a cast. *cuál mesa;* el artículo sacado de *ipse,* p. e. *sa ma* = prov. ant. *za ma;* la supervivencia de la conjugación en *ĕ:* cat. *beure, creure, moure, traure* = prov. *béure, crèire, mòure, traire,* frente a cast. *beber, creer, mover* y *traer*. Muy notable es también el cat. *a*(*m*)*b* en vez del *con* hispánico de acuerdo con el prov. ant. *ab* (*am, ambe*) < APUD, y el perfecto *va contar* 'ha contado', en concordancia con prov. ant. *va comtar,* gasc. mod. *ba i* 'ha ido'. También la partícula afirmativa *och* (cat. ant.) junta al catalán con la 'lengua d'oc'. Profundas son las divergencias léxicas entre el catalán y el español, frente al estrecho parentesco del catalán con el provenzal y el

---

[199] Una comparación sistemática entre el catalán y el aragonés (como la ha pedido A. Alonso) es cosa difícilmente realizable, pues el aragonés de Zaragoza ya se encontraba fuertemente castellanizado alrededor del año 1200, mientras que las arcaicas hablas actuales del Alto-Aragón muestran entre sí notorias diferencias dialectales.

francés. Véase F. de B. Moll, *Gramática histórica del catalán* (Madrid, 1952), págs. 38 sigs.; G. Rohlfs, *Die lexikalische Differenzierung der romanischen Sprachen* (Munich, 1954), págs. 89 sigs.

En cuanto a elementos comunes al catalán y al castellano, habrán de nombrarse: la mutación *au* > *o* (cat. *cosa,* prov. *causa*), las palatalizaciones *ll* > *ł* y *nn* > *ñ* (illa > *ella, canna* > *canya*) y la conservación de *ū* latina (prov. *ü*).

El estrecho parentesco del catalán con el provenzal fue ya señalado por Diez (*Grammatik der romanischen Sprachen,* I, 1856, pág. 112). La misma opinión fue más tarde expuesta por Milá i Fontanals (1861), Morel-Fatio (*Gr. Gr.,* I, 1888, pág. 673) y Meyer-Lübke (*Rom. Gramm.,* I, 1890, pág. 14). Bourciez designó al catalán, con una expresiva fórmula, como 'le prolongement géographique du provençal' (*Eléments de ling. rom.,* ed. 1923, § 262). A base de una detenida confrontación con el castellano y el provenzal pudo comprobar Meyer-Lübke en 1925 'que el sistema fonético del catalán no es iberorrománico, sino completamente galorrománico' (*Das Katalanische,* pág. 149). El conocido romanista catalán A. Griera llama al catalán 'llengua gallo-romànica' (*Gram. hist.,* 1931, pág. 1). En *The Spanish language* (1936) destaca también Entwistle los muy cercanos vínculos catalano-provenzales (pág. 61), anotando, sin embargo, en relación con la cultura independiente de Barcelona: "Catalan is a trans-Pyrenean language, and not a dialect of Provençal". Como resultado de su libro *Le gascon* (Halle, 1935) señala Rohlfs la "corrélation surprenante entre le gascon et les idiomes de l'Espagne du Nord (aragonais, catalan)", añadiendo: "Surtout entre le gascon et le catalan, l'accord est beaucoup plus étroit qu'on n'a osé le croire jusqu' à présent" (pág. 2); véase del mismo autor el artículo *Concordancias entre catalán y gascón* en las Actas del VII Congreso Intern. de Lingüística Románica (Barcelona, 1953). Significativo es asimismo el juicio emitido por los autores de las últimas gramáticas históricas del catalán. Para ANTONIO BADÍA MARGARIT se trata de "una lengua hispánica con mayoría de rasgos lingüísticos ultrapirenaicos" (*Gramática histór.,* 1951, pág. 30), mientras que F. DE B. MOLL se expresa aún con mayor claridad: "en la mayoría de los casos en que el español y el galorrománico discrepan, el catalán se agrupa con el galorrománico" (*Gram. hist.,* 1952, pág. 37).

Otros investigadores consideran al catalán como 'lengua iberorrománica' o lo acercan más a la Romania hispánica, basándose generalmente en la tesis de que el catalán y el aragonés tienen entre sí muchas semejanzas que no fueron tenidas en cuenta en el libro de Meyer-Lübke [200].

Recientemente, siguiendo unas ideas de Amado Alonso (véase la nota 200), A. M. BADÍA MARGARIT en su discurso académico *Fisiognómica comparada de las lenguas catalana y castellana* (Barcelona, 1955) defendió la tesis de que el catalán es una lengua que pertenece al grupo de los romances occidentales, al que no pertenece el francés, de los cuales se apartó posteriormente el castellano por su dinamismo, alejándose más que el catalán del romance hispánico común.

La teoría más convincente me parece ser la de H.

---

[200] Cfr. particularmente la crítica de A. ALONSO, *La subagrupación románica del catalán* en RFE, XIII, 1926, págs. 1-38, ahora también en *Estudios lingüísticos* (1951), págs. 11-57; FRITZ KRÜGER en Lbl., 1927, págs. 195-203; P. FOUCHÉ en RH, LXXVII, 1929, págs. 88-120; H. MEIER, *Die Entstehung der romanischen Sprachen und Nationen* (1941), pág. 87. Véase también la opinión de WARTBURG, p. e. en los mapas 1 y 5 de su libro *Die Entstehung der romanischen Völker* (Halle, 1939).

Kuen, quien considera que el catalán estuvo hasta el siglo ix en estrecha comunidad lingüística con el provenzal, tras lo cual, hasta el siglo xvi, fueron verificándose una serie de desarrollos peculiares del catalán, hasta que, finalmente, el influjo del castellano se fue imponiendo cada vez más [201]. Independientemente de esta concepción y a base de un examen muy concienzudo de textos de los siglos xiii-xix, con ayuda del método estadístico, llegó H. Bihler a los resultados siguientes en su tesis doctoral *Die Stellung des Katalanischen zum Provenzalischen und Kastilischen* (Munich, 1950, manuscrito): desde el siglo xiii ha disminuído el 'elemento provenzal' de 45% a 35% en el siglo xix, mientras, simultáneamente, el elemento catalán independiente ha aumentado de 10% hasta 19% y el elemento castellano de 10% a 30% [202].

Al examinar el estado actual del catalán en conexión con el aragonés (es decir, con sus escasas reliquias) y el gascón, no está sin duda completamente fuera de lugar el concebir estas tres formas lingüísticas como un estadio intermedio entre los tipos galorrománico y castellano-hispánico —como una especie de Romania galoibérica (o celtibérica) [203].

Sobre las diferencias existentes en las fronteras lingüísticas catalano-aragonesa y catalano-languedociana informan las extensas listas de materiales de comparación publicadas por Griera en la ZRPh, XLV, 1925, págs. 217-254. Compárese también la larga compilación hecha por

---

201 *Die sprachlichen Verhältnisse auf der Pyrenäenhalbinsel* en ZRPh, LXVI, 1950, págs. 108-113.

202 Las proporciones restantes corresponden a rasgos comunes al castellano, al catalán y al provenzal: este elemento ha disminuído, desde la Edad Media, de 35% a más o menos 10%.

203 Cfr. G. Rohlfs, *Archiv*, CLXXV, 1939, pág. 271.

Griera de *Mots catalans modernes commençant par B- et C- qui sont inconnus de l'espagnol moderne,* RLi, V, 1929, págs. 213-239.

Una teoría de A. Griera, defendida en el artículo *Afro-romànic o ibero-romànic,* BDC, X, 1922, págs. 34-53, coloca al catalán dentro del marco de la Latinidad galorrománica, mientras que, para el resto de la Península, afirma estrecha unión con la Latinidad africana y sur-italiana. Importante es aquí que de este modo se niega, ya para los primeros siglos de la colonización romana, la existencia de una Ibero-Romania homogénea. Los fundamentos de esta tesis, en lo relativo a los vínculos sur-románico-africanos, fueron declarados altamente dudosos por Meyer-Lübke, ZRPh, XLVI, 1926, págs. 116-128; véase también la reseña de J. Jud, Rom., LI, págs. 291-pág. 176.

Arriesgadas hipótesis contiene también el abarcador intento de H. Meier de hacer remontar los comienzos de la diferenciación lingüística, entre el Este (territorio del Ebro) y las demás partes de la Península, hasta la primera época de la colonización romana; atribuye especial importancia a una corriente romanizadora que penetró a lo largo de la cuenca del Ebro, proveniente del Mediterráneo, para ciertos puntos de contacto entre el catalán y las hablas de Aragón, León, Asturias y Galicia; véase arriba pág. 176.

Un resumen de las diversas teorías fue intentado por Maria Hagedorn, *Die Stellung des Katalanischen auf der iberischen Halbinsel,* ZNU, XXXVIII, 1939, págs. 209-217, pero la autora se muestra, en su toma de posición crítica, prevenida en favor de la tesis iberorrománica, no estando suficientemente familiarizada con el provenzal para garantizar una apreciación objetiva y científica.

GRAMATICAS CATALANAS

En cuanto a gramáticas que faciliten al novicio el acceso a la lengua catalana, recomendaremos particularmente las siguientes:

P. FABRA, *Gramática de la lengua catalana.* Barcelona, 1912, con muchas ediciones posteriores. [Gramática descriptiva y claramente dispuesta del lenguaje culto de Barcelona, que da ejemplos para todas las categorías. Comprende fonética, morfología y valiosos materiales para la sintaxis. Muy fidedigna. Representa tendencias lingüísticas puristas. Se presenta en la forma de escritura que era usual antes de la reforma ortográfica realizada en 1911 [204]. Nueva edición en catalán: 1918].

P. FABRA, *Grammaire catalane.* París, 1947. [Dispuesta especialmente para lectores franceses. Excelente exposición de la pronunciación. Particularmente valioso el tratamiento de la morfología] [205].

P. FABRA, *Gramática catalana.* Barcelona, 1956. [Dispuesta y terminada por J. COROMINAS a base de los materiales dejados por el autor y destinados a una nueva

204 Cfr. el *Diccionari ortogràfic... segons el sistema de l'Institut d'Estudis Catalans.* Redactat sota la direcció de P. FABRA. Barcelona, 1918 (última ed. 1938).

205 Por esta Gramática quedó superado el *Abrégé de grammaire catalane* (Barcelona, 1902) por FOULCHÉ-DELBOSC, obra muy utilizada en el pasado.

edición. Gramática descriptiva, muy bien elaborada con nuevos ejemplos. Valiosa presentación de la formación de las palabras. Escrita en catalán].

P. Puiggarí, *Grammaire catalane-française*. Perpiñán, 1910.

T. Forteza y Cortés, *Gramática de la lengua catalana*. Palma de Mallorca, 1915. [Le hace falta un método estrictamente filológico; contiene útiles materiales].

E. Vallés, *Curso práctico de gramática catalana*. Barcelona, 1950. [Para interesados de lengua española. Claro y fidedigno].

Josep Miracle, *Gramática catalana*. Barcelona, 1951. [Escrita en catalán para catalanes. Orientación práctica].

J. Huber, *Katalanische Grammatik*. Heidelberg, 1929. [Quiere servir principalmente de introducción científica a la lengua catalana. Exposición descriptiva; abarca ortografía, pronunciación, morfología y sintaxis. La exposición de la formación de palabras es muy anticuada. También en otros campos contiene el libro muchas lagunas e inexactitudes; cfr. la reseña de H. Kuen, ZRPh, LII, págs. 494-502].

Joan Gili, *Introductory Catalan grammar*. Oxford y New York, 1952. [Gramática elemental para la enseñanza universitaria. Corto bosquejo de la morfología con antología literaria y diccionario].

Al servicio de la lingüística histórica están:

P. Fouché, *Essai de grammaire historique de la langue catalane*. Perpiñán, 1918. [Se ocupa del catalán rosellonés].

A. Griera, *Gramàtica històrica del català antic*. Barcelona, 1931. [Puede prestar, como colección de materiales, notorios servicios. En sus explicaciones históricas es poco segura; contiene teorías dudosas].

W. MEYER-LÜBKE, *Das Katalanische.* Heidelberg, 1925. [No es una gramática completa, sino un análisis lingüístico-comparativo del catalán, en confrontación con el castellano y el provenzal, y con atención especial a la fonética histórica, la morfología y el léxico. Contiene valiosas explicaciones. Desgraciadamente no es muy seguro en los detalles, ver pág. 233].

FRANC. DE B. MOLL, *Gramática histórica catalana.* Madrid, 1952. [Muy digna de confianza; comprende fonética, morfología, teoría de la formación de palabras y sintaxis. Excelente sistematización. Se limita en lo esencial a la lengua culta].

A. BADÍA MARGARIT, *Gramática histórica catalana.* Barcelona, 1951. [Contiene fonética y morfología. Muy detallada y concienzuda. Especialmente profunda es la exposición de la fonética histórica. Se presta atención a la evolución particular en los dialectos. Todas las formas lingüísticas citadas vienen en transcripción fonética].

De la prehistoria del valenciano, sus fuentes léxicas y la importancia del elemento árabe, se ocupa el libro de M. SANCHIS GUARNER, *Introducción a la historia lingüística de Valencia* (Valencia, 1949). Del mismo autor tenemos una *Gramática valenciana* (Valencia, 1950), dedicada especialmente al estado fonético y a los problemas ortográficos.

Una larga lista de gramáticas antiguas y modernas da A. GRIERA en RLiR, I, 1925, págs. 39-44, y en su *Bibliografía lingüística catalana* (1947), págs. 11-15, 31-35.

Para fonética, morfología y sintaxis, cfr. los capítulos correspondientes.

Tiene el valor de una iniciación, destinada al público extranjero el opúsculo de JOAN COROMINES, *El que s'ha de saber de la llengua catalana* (Palma de Mallorca, 1954).

FONETICA Y PRONUNCIACION

Como toda lengua, también el catalán posee ciertos sonidos característicos. Señalamos particularmente la *l* velar, que aparece al fin de palabra y ante consonante (*maL, soL, moLto, gaLta* 'mejilla') y la *s* apical en variante sorda y sonora (*sol, casa*). El primer fonema (*L*) une al catalán con el provenzal, en el cual las voces actuales *mau* y *gauta* suponen las formas anteriores *maL* y *gaLta*. Por otro lado, con su peculiar *s* marcha el catalán junto al castellano o a los otros idiomas norteños de España. También es un sonido catalán típico el resultado que aparece en lugar de *a* y *e* átonas, p. e. en *nòra, home:* es un fonema 'neutro', que, comparado con la *e* átona francesa, suena más sordo que ésta[206]. En la clasificación científica es ésta una vocal mediopalatal abierta.

Desde el punto de vista fonológico es importante que el catalán posee el mismo sistema vocálico de cuatro grados que rige en la Galorromania, mientras que las vocales castellanas se reparten en tres grados[207]. En castellano no existe ya (en sentido fonológico) diferencia entre las vocales latinas ǫ y ọ, ę y ẹ (comp. *sol* junto a *costa, verde* junto a *gente,* siempre con el mismo sonido abierto), al paso que el catalán, de acuerdo con el provenzal, distingue cuidadosamente entre ọ y ǫ antiguas, p. e. *mọsca,*

---

[206] En el habla mallorquina este fonema aparece también en vez de *e* tónica (lat. *ē*), p. e. en *cadena* (kaδənə), *candela* (kəndələ), *bleda* (ƅləδə).

[207] Comp. arriba pág. 149.

bǫca, gǫla, frente a *fòk, nòra, sògra*[208]. Deseable trabajo sería un análisis del sistema de sonidos del catalán desde el punto de vista de la fonología.

Una introducción a la fisiología de los sonidos catalanes, con indicaciones relativas a la transcripción fonética, nos da B. Schädel en su *Manual de fonética catalana* (Cöthen, 1908), usando un sistema de transcripción bastante complicado. Textos transcritos fonéticamente contienen también la crestomatía de J. Arteaga Pereira, *Textes catalans avec leur transcription phonétique,* ordenats y publicats per Pere Barnils (Barcelona, 1915), y la *Gramática histórica catalana* de Badía Margarit (1951, págs. 115 sigs.). Meritoria labor ha realizado, en el análisis y descripción de los sonidos catalanes, P. Barnils. Sus estudios, publicados generalmente en los tomos del BDC, han sido reunidos y vueltos a imprimir en el tomo VI (1933) del AOR: *Escrits de P. Barnils.* Un análisis científico muy detallado de los fonemas catalanes ofrece A. Badía Margarit en su *Gramática histórica catalana,* § 23-40.

En el trabajo *Análisis fonético del valenciano literario,* RFE, XXI, 1934, págs. 113-141, presentan T. Navarro Tomás y M. Sanchis Guarner investigaciones de fonética experimental sobre los fonemas del habla de Valencia. Valiosas observaciones sobre el vocalismo, basadas en un magistral dominio de la situación catalana general, se hallan en la monografía de H. Kuen, *El dialecto de Alguer y su posición en la historia de la lengua catalana,*

---

208 Una singular perturbación vino a modificar la relación entre las antiguas ẹ y ę, cfr. sobre esto K. Brekke, Rom., XVII, 1888, págs. 89-95; P. Fabra en RH, XV, 1906, págs. 9-23; B. Schädel en KJb, X, 1, págs. 171-176; Meyer-Lübke, *Das Katalanische* (1925), págs. 14-18; A. Badía Margarit, *Gram. histór.* § 49; H. Kuen, AOR, VII, 1934, págs. 99 sigs. y ZRPh, LXVI, 1950, pág. 112.

AOR, V, 1932, págs. 121-178 y VII, págs. 41-112. Interesantes observaciones sobre modificaciones de fonética sintáctica, a base de canciones folklóricas, nos comunica F. DE B. MOLL en AOR, VII, 1934, págs. 9-39. Con exactas medidas trabajan A. DE LACERDA y A. BADÍA MARGARIT en sus *Estudios de fonética y fonología catalanas* (Madrid, 1948), pero sin que los resultados obtenidos correspondan al minucioso y demasiado pedante método investigativo que emplean.

Textos transcritos fonéticamente, en pronunciación mallorquina, fueron publicados por F. DE B. MOLL con notas sobre fonética sintáctica, en AOR, VII, 1934, págs. 9-39.

FONETICA HISTORICA

Hay en el desarrollo fonético del catalán algunos fenómenos que distinguen nítidamente a este romance de los idiomas vecinos. A ellos pertenece la palatalización de la *l* inicial, p. e. *llana, llengua, llop, llum*. En la Península hay que ir hasta Asturias para volver a encontrar este cambio: *llobo, llado, lluego, llume* [209]. Muy original es, asimismo, el resultado *u* en lugar de la *d* (> δ) o *dz* (> δ) que hubiera sido de esperar en la posición final, p. e. CADIT > *cau*, PEDE > *peu*, PLACET > *plau*, PACE > *pau*, PALATIU > *palaδ* > *palau*. La transformación *nd* > *n*, p. e. *segona, estona* 'rato' (got. STUNDA), *manar, fona* 'honda', enlaza a Cataluña con la Francia aquitánica [210]. Estrecho parentesco con el provenzal y el aquitano muestra también el catalán en las leyes especiales que rigen su diptongación. Esta está aquí ligada exclusivamente a la existencia de una palatal siguiente, p. e. COCTU > *cuyt*, NOCTE > *nuit* > *nit*, MORIO > *muyr*, FOLIA > *fuilla* > *fulla*. El desarrollo pasa por una etapa anterior *uei*, que se redujo a *ui* o *i* exactamente igual que, en pro-

---

209 Condición para este cambio es que la *l-* inicial haya sido pronunciada como una consonante larga (*llupus*), así como la *r-* inicial fue articulada en la Latinidad hispánica como una rr- (RRIDERE). El fenómeno más cercano a éste lo hallamos en las colonias galoitalianas de Sicilia, p. e. *ḍḍana* 'lana' con el mismo fonema que aparece en *cavaḍḍu* 'caballo'; véase G. ROHLFS, *Historische Grammatik der ital. Sprache* (Berna, 1950), § 159, y el mismo autor en ZRPh, LXXI, 1955, págs. 408-413.

210 La aparición del mismo fenómeno en Aragón es dudosa y está muy escasamente documentada; ver págs. 115 y 138.

venzal, de la antigua *fueilha* resultaron *fuilha, felha* y *fulha* en algunas de las hablas modernas. De manera semejante se explica la *i* catalana actual en *mig* (MEDIU), *pit* (PECTUS), *ix* (EXIT) y *fira* (FERIA) a partir de un *iei* prehistórico (cfr. franc. *lit* < **lieit*). No es completamente acertado equiparar esta diptongación catalana con lo que sucede en Aragón, León y Asturias, regiones en las que la diptongación ante palatal está igualmente difundida. Lo decisivo es aquí que Cataluña, en concordancia con el provenzal, conoce sólo este género de diptongación, mientras que las demás regiones españolas cuentan asimismo con la diptongación en posición no condicionada: *luego, miel, puerta, fiesta,* frente a cat. *lloc, mel, porta* y *fèsta.*

Una concisa exposición de fonética histórica se halla en el bosquejo de MOREL-FATIO y SAROÏHANDY en *Gr. Gr.*, I², págs. 849-867. Más pormenorizada es la presentación de esta misma disciplina en la Gramáticas de F. DE B. MOLL y A. BADÍA MARGARIT (ver pág. 249), de las cuales especialmente la segunda se distingue por sus muy concienzudos análisis fonéticos. En una perspectiva más amplia están tratados los principales fenómenos fonéticos en el libro de W. MEYER-LÜBKE, *Das Katalanische* (1925), págs. 5-68 [211]. Sobre la situación en catalán antiguo informa la gramática histórica (ver pág. 248) de GRIERA (1931), págs. 42-74. A algunos problemas se limita la *Untersuchung zur katalanischen Lautentwicklung* de B. SCHÄDEL (Halle, 1904). De la diptongación se ocupa un artículo de P. ROKSETH publicado en Rom., XLVII, 1922, págs. 533-546. Importantes observaciones sobre el mismo problema comunica P. FOUCHÉ, *La diphtongaison en ca-*

[211] Opiniones divergentes sobre la fonética histórica expresan P. FOUCHÉ en RH, LXXVII, 1929, págs. 88-120, y F. KRÜGER en Lbl., 1927, págs. 195-203.

talan, BDC, XIII, 1925, págs. 1-46: aquí se demuestra que la diptongación causada por palatal es un fenómeno de fecha anterior a la diptongación espontánea en sílaba libre [211a]. Una explicación digna de tenerse en cuenta acerca de los desarrollos PACE > *pau* y CADIT > *cau* presenta H. KUEN en ZRPh, LXVI, 1950, pág. 110. Acerca de las tendencias generales de la evolución de los sonidos árabes al ser introducidos en catalán orienta F. DE B. MOLL en su *Gramática histórica catalana* (1952), págs. 151-160.

211a Véase FR. SCHÜRR, *La posición del catalán en el conjunto de la diptongación románica,* en Actas y memorias del VII Congr. Intern. de Ling. Románica, tomo II, Barceolna, 1955, págs. 151-163.

MORFOLOGIA Y SINTAXIS

Sobre la estructura morfológica del catalán se halla la mejor información en las gramáticas descriptivas de P. Fabra (ver pág. 247) y J. Huber (ver pág. 248) y en las Gramáticas históricas de A. Badía Margarit y de F. de B. Moll (véase pág. 249). Una corta exposición de la evolución histórica dan Morel-Fatio y Saroïhandy en *Gr. Gr.*, I², 1904, págs. 868-874. Sobre la flexión verbal trata ampliamente P. Fabra, *La conjugació dels verbs en catalá* (Barcelona, 1926). Desde un elevado punto de vista discute Meyer-Lübke en *Das Katalanische* (ver pág. 249), págs. 68-90, los problemas esenciales de la morfología, en confrontación con el castellano y el provenzal. Muy ricos materiales sobre las variadas formas de la conjugación, especialmente de los verbos 'irregulares', provenientes de todos los sectores del dominio lingüístico catalán, han sido reunidos por F. de B. Moll en el estudio *La flexió verbal en els dialects catalans* publicado en los tomos II, III, IV y V del AOR (1929-32).

Elementos muy ilustrativos desde el punto de vista histórico encontramos en la formación de palabras. Al diminutivo galorrománico *-on* (*aiglon*) corresponde, en la misma función *-ó*, p. e. *cabaló* 'caballito', *cadenó* 'cadenita' [212]. Galorrománico es, igualmente, el sufijo *-enc*, p. e. *estivenc, Deyanenc* 'de Deya', comp. prov. *maienc,*

[212] El diminutivo *-ón* lo encontramos también en Aragón: *anadón* 'patito', *vallón, Pedrón, Pablón.*

estivenc, Toulousenc 'de Tolosa'. Extraordinariamente difundido es el aumentativo *-arro,* p. e. *canarro, camparro, cabrarra, cadenarra,* que también es muy característico del gascón: *gatàrrou* 'gatazo', *picarra* 'picazo'. Común a ambos idiomas es, asimismo, el diminutivo cariñoso *-oy,* p. e. cat. *petitoy, menudoy, alegroy, garridoy,* gasc. *titoy* 'pequeñuelo', *beroy* 'bonito' (*bell-*), *amistoy* 'amable'. Una buena ojeada sobre los sufijos usados en catalán y sobre otros medios de la formación de palabras contiene la gramática histórica de MOLL (págs. 265-309). En la gramática de HUBER se halla expuesta la teoría de la formación de palabras en forma poco satisfactoria desde el punto de vista científico, págs. 187-224. De la función semántica de los sufijos se ocupa el trabajo de BERNHARD ORION, *La formación de nombres por sufijos en catalán* (tesis doct., Zurich, 1943).

En cuanto a fenómenos notables en el campo de la sintaxis señalaremos el artículo construído sobre IPSE (todavía hoy en la Baleares y en el Ampurdán), p. e. *es cavall, sa dona, ses arbres.* El influjo literario de Barcelona hizo triunfar a ILLE sobre IPSE; cfr. A. GRIERA, BDC, V, 1917, págs. 50-60. Sobre el singular perfecto *vaig cantar* en el sentido de 'canté', que tampoco es desconocido en provenzal (ver pág. 242), trata M. DE MONTOLÍU en *Estudis Romànics,* I, 1916, págs. 71-84; véase también, sobre el cambio de función, H. KUEN en ZRPh, LXVI, 1950, págs. 110-112. El acusativo preposicional ha sido estudiado por H. MEIER, BF, VIII, 1947, págs. 237-260, quien demuestra que es ésta una auténtica construcción catalana, investigando sus usos estilísticos finamente matizados.

Buen análisis de las construcciones y medios sintácticos se halla en las Gramáticas de FABRA (Barcelona 1912) y MOLL (1952). *La Sintaxi catalana* (Halle, 1923) de A.

PAR investiga la prosa de Bernat Metge en forma muy prolija, poco precisa y puramente descriptiva, sin llegar a nuevas interpretaciones científicas. Un estudio muy detenido sobre las funciones de las conjunciones subordinantes tenemos de O. KLESPER, *Beiträge zur Kenntnis altkatalanischer Konjunktionen*, BDC, XVIII, 1930, págs. 321-421: el trabajo muestra los estrechos vínculos que unen al catalán con el provenzal.

Muchas observaciones especiales de carácter sintáctico y estilístico ofrece L. SPITZER en sus *Syntaktische Notizen zum Katalanischen*, RdiR, VI, págs. 81-138 y 237-240.

DICCIONARIOS CATALANES

Para los estudios catalanes existen los siguientes diccionarios [213].

DICCIONARI AGUILÓ, *Materials lexicogràfics aplegats per Mariàn Aguiló i Fuster, revisats i publicats soto la cura de Pompeu Fabra i Manuel de Montoliu.* 8 tomos. Barcelona, 1914-1934. [Materiales dejados por el conocido catalanista. Colección completamente independiente, cuyas fuentes son, principalmente, textos medievales y las hablas modernas. Importante instrumento de trabajo para el catalán antiguo].

A. M. ALCOVER y F. DE B. MOLL, *Diccionari català-valencià-balear.* Palma de Mallorca, 1930 sigs. [El léxico más rico del catalán (con inclusión de toponimia y onomástica), cuyo valor particular radica en el muy completo aprovechamiento de todo el vocabulario dialectal. Trae las formas dialectales en transcripción fonética. La obra es también notable por la exactitud de sus citas históricas, por sus interesantes materiales folklóricos y por sus cuidadosas indicaciones etimológicas. Actualmente (1956) ha llegado hasta la letra O].

---

213 Entre los intentos más antiguos señalaremos el diccionario latino-catalán de A. NEBRISSA (Nebrija) del año 1507, y el *Vocabulari català-alemany* del impresor ROSEMBACH (Perpiñán, 1502, reeditado por Barnils, Barcelona, 1916), que no merece confianza en su parte catalana.

DICCIONARI BALARI, *Inventario lexicográfico de la lengua catalana compilado por José Balari y Jovany, dispuesto para su publicación por M. de Montolíu.* Barcelona, 1927-1936. [Obra póstuma, cuyo valor radica en sus citas históricas de la lengua literaria de la Edad Media y moderna. No se ocupa del léxico regional. Inconclusa, llega sólo hasta la palabra *gutaperxa.* Se ha perdido el resto del manuscrito].

POMPEU FABRA, *Diccionari general de la llengua catalana.* Barcelona, 1932. [Mucho más rico que el *Dicc. Balari,* pero sin citas históricas. Persigue fines normativos y puristas. Vale por sus definiciones exactas].

A. GRIERA, *Tresor de la llengua, de les tradicions i de la cultura popular de Catalunya.* 14 tomos. Barcelona, 1935-1947. [Reúne una enorme masa de materiales, no trabajados completamente, cuya importancia reside más en lo folklórico y en las costumbres, que en lo completo de su contenido lexicográfico. Sus materiales provienen de una encuesta por correspondencia y del empalme de los glosarios y listas léxicas publicados por el BDC. Estas últimas fuentes no están utilizadas de una manera completa y segura].

P. LABERNIA, *Diccionari de la llengua catalana ab la correspondencia castellana y llatina.* Barcelona, 1839, 5ª ed. 1909. [Contiene muchas voces que no son auténticamente catalanas. La obra fue escrita sobre la base de un léxico castellano, teniendo así muchísimos castellanismos y muchas lagunas en cuanto a vocabulario catalán legítimo. De valor dudoso. No se lo debe usar para propósitos científicos].

DICCIONARI SALVAT *enciclopedic catalá amb la correspondencia castellana.* Barcelona, ed. Salvat, 1938.

[Abarca el léxico de todas las regiones catalanas, con atención particular a la técnica y a la industria. Influencias castellanizantes, por lo cual debe usarse con prudencia. Nombres de lugar y datos biográficos. La obra está ricamente ilustrada].

E. Vallès, *Pal.las. Diccionari català il.lustrat amb etimologies i equivalències en castellà, francès i anglès. Vocabularis castellà-català, francès-català i anglès-català. Vocabulari de noms patronímics.* Barcelona, 1947. [Diccionario normativo de la lengua moderna culta, que hace especialmente sitio a la técnica y a los neologismos. Valioso por sus léxicos suplementarios, que, a través del castellano, el francés y el inglés, facilitan el acceso al catalán. Las explicaciones etimológicas son, por desgracia, completamente anticuadas].

A. Rovira i Virgili, *Diccionari català-castellà i castellà-català.* Barcelona, 1914. [Util para la comparación de las dos lenguas; no muy digno de confianza].

A. Bulbena y Tosell, *Diccionari català-francès-castellà.* Barcelona, 1905. [Del mismo autor poseemos también un *Diccionari castellà-català.* Barcelona, 1913].

J. Civera Sormani, *Nou diccionari castellà-català i català-castellà.* Barcelona, s. f.

E. Vogel, *Taschenwörterbuch der katalanischen und deutschen Sprache.* Parte I: Katalanisch-deutsch, parte II: Deutsch-katalanisch. Barcelona, 1911 y 1916. [Muy rico y digno de confianza].

Sobre el valenciano tenemos el *Diccionario valenciano-castellano* por J. Escrig y Martínez (3ª ed., Valencia, 1887).

Entre los léxicos especializados merecen mención:

JOAN AMADES, *Vocabulari dels pastors.* En BDC, XIX, 1931, págs. 64-240. [Valiosa compilación léxica, interesante también desde el punto de vista folklórico].

FRANCESCH MASCLANS I GIRVÉS, *Els noms vulgars de les plantes a les Terres Catalanes.* Barcelona, 1954. [Muy ricos materiales, reunidos de muchas fuentes y de encuestas personales].

A. GRIERA, *Els noms dels peixos.* En BDC, XI, 1923, págs. 33-79.

R. PONS, *Vocabulari català de les indústries tèxtils i llurs derivades.* En BDC, IV, págs. 59-164.

E. ROIG I J. AMADES, *Vocabulari de la pesca,* BDC, XIV, 1926, págs. 1-88.

Una muy extensa lista de diccionarios catalanes publica A. GRIERA en RLiR, I, 1925, págs. 50-56; en forma ampliada, en su *Bibliografía catalana* (Barcelona, 1947), págs. 24 sigs. y 65 sigs.

ETIMOLOGIA CATALANA

A falta de un diccionario etimológico especial, se consultará también para el catalán, de preferencia, el *Romanisches etymologisches Wörterbuch* de Meyer-Lübke (ver pág. 119) [213a]. Muchas adiciones y correcciones a la primera edición debemos a F. de B. Moll en el *Suplement català al Romanisches etymologisches Wörterbuch,* AOR, I, II, III y IV (1928-1931), y a O. J. Tallgren, *Glanures catalanes et hispano-romanes,* NMi, XIII, XIV y XVI (1911-1914). Importantes contribuciones a la historia léxica catalana tenemos de Leo Spitzer, p. e. *Katalanische Etymologien* (Hamburgo, 1918), *Etymologisches aus dem Katalanischen* (NMi, XV, 1913, págs. 157-179) y *Lexikalisches aus dem Katalanischen und den übrigen iberoromanischen Sprachen* (Ginebra, 1921) [214]. De arcaísmos léxicos se ocupa P. Barnils, *Fòssils de la llengua* (en los tomos II, III, IV del BDC; los artículos se encuentran ahora reunidos en AOR, VI, 1933, págs. 275-297). Buenos hallazgos debemos al olfato lexicográfico de M. Montolíu en sus *Estudis etimològics catalans,* EUC, VI y VII, y BDC, III y IV. Una gran parte del léxico catalán es objeto de examen en el *Diccionario crítico etimológico*

213a Está bastante adelantada la preparación de un diccionario etimológico catalán por J. Corominas.

214 Un registro de las voces tratadas por Spitzer da Griera en RLiR, I, 1925, págs. 102-103. Observaciones críticas sobre las etimologías de Spitzer expresa J. Brüch en la *Miscellanea linguistica dedicata a Hugo Schuchardt,* Ginebra, 1922, págs. 26-74.

de la lengua castellana de J. COROMINAS (véase pág. 120).

En el valioso trabajo *Mots catalans d'origen arábic* (BDC, XXIV, 1936, págs. 1-67) muestra J. COROMINAS que los elementos árabes del catalán se distinguen con frecuencia claramente de los arabismos castellanos, p. e. *taleca* : *talega, albergina* : *berenjena, gerra* : *jarra, balda* : *aldaba, garrofa* : *algarroba.* El mismo filólogo investiga los influjos griegos en el estudio *Les relacions amb Grècia reflectides en el nostre vocabulari,* en *Homenatge a Antoni Rubió i Lluch,* III, 1936, págs. 283-315. En la misma miscelánea (I, págs. 33-67) se halla el artículo de W. GIESE, *Waffengeschichtliche und terminologische Aufschlüsse aus katalanischen literarischen Denkmälern des 14. und 15. Jahrhunderts.* De importancia metodológica para la significación de Cataluña como puerta de las influencias provenzalo-francesas es el cuidadosamente documentado estudio de P. AEBISCHER, *Par quelle voie 'bosque' est entré en espagnol,* ER, I, 1948, págs. 69-74.

Sobre las diversas fuentes del léxico catalán (latín, substrato prerromano, griego, germánico, árabe, provenzal, castellano y francés) se hallan útiles comprobaciones en las Gramáticas históricas de BADÍA MARGARIT (págs. 31-49) y de F. DE B. MOLL (págs. 36-57).

DIALECTOLOGIA

La exploración de los dialectos catalanes es importante por haber conservado éstos muchos rasgos arcaicos perdidos en la lengua culta desde mucho tiempo atrás. Sólo con ayuda de las hablas regionales podemos reconstruir, por ejemplo, las circunstancias primitivas que, en la zona costera de Barcelona, invirtieron completamente la relación entre las antiguas ẹ y ę románicas, p. e. *llębra* (LĔPORE), *fẹr* (FĔRU), *cadęna* (CATĒNA), *cresta* (CRĬSTA) [215]. Sólo dialectalmente se mantiene aún el viejo artículo *es, sa* (IPSE). Sólo en la frontera lingüística catalano-aragonesa, en Ribagorza, se ha conservado en los grupos *pl, bl, fl* y *ḳl* aquella *l* palatal que debe suponerse como etapa previa a los desarrollos castellano (*llano, llamar*) e italiano (*piano, chiamare*): *plloure* 'llover', *bllau* = cat. *blat, fllama* 'llama', *cllau* 'llave'. Sólo en Mallorca se presenta esa palatalización de *ḳ* y *g* ante *a* que es rasgo característico de los idiomas galorrománicos (fr. *chat, géline,* retorr. *chavra* 'cabra', *gial* 'gallo'), p. e. *ḳyaβra, vaḳya, ḳya* (CANE), *ḳyama* (CAMBA), *gyat* 'gat', *fogyaña* = *fogaña* 'hogar', *flo grogya* = *flor groga.*

En el libro *Dialectología catalana* (Barcelona, 1949), presenta A. GRIERA una ojeada sobre las diferencias regionales existentes entre los distintos dialectos, desde el punto de vista de la fonética y la morfología y con extractos de textos en transcripción fonética. Una exposición fu-

---

215 Véase la bibliografía registrada en la pág. 252, nota 208.

tura del problema no debería limitarse a la presentación de los distintivos, sino que debería tratar de extraer, de tales diferencias, nuevos datos para los orígenes del catalán. La frontera lingüística occidental, desde los Pirineos hasta el Ebro, ha sido investigada por A. GRIERA, *La frontera catalano-aragonesa* (Barcelona, 1914); cfr. la opinión divergente de MENÉNDEZ PIDAL en RFE, III, págs. 73-88. Estudian el curso exacto de la frontera lingüística frente al Languedoc, a base de criterios fonéticos, las monografías de FRITZ KRÜGER, *Sprachgeographische Untersuchungen in Languedoc und Roussillon,* RDiR, III, 1911, págs. 134-183, 287-338; IV, págs. 1-15; V, págs. 1-8, y de KARL SALOW, *Sprachgeographische Untersuchungen über den östlichen Teil des katalanisch-languedokischen Grenzgebietes* (Halle, 1912). Interesantes materiales sobre la zona fronteriza entre Cataluña y Aragón en el Pirineo contiene la tesis de G. HAENSCH, *Beiträge zur Kenntnis der aragonesisch-katalanischen Sprache: Die Mundarten der oberen Ribagorza* (Munich, 1954, inédito).

Una fonética, morfología y textos fonéticos del catalán oriental y occidental nos da A. GRIERA en BDC, VIII, 1920, págs. 1-60; el mismo autor trata el mallorquín en BDC, V (1917), págs. 1-33, y VI, págs. 1-14[216]. Sobre Menorca tenemos el trabajo de F. DE B. MOLL, *Estudi fonetich y lexical del dialecte de Ciutadella* (en la *Miscelánea Alcover,* 1932, págs. 397-460) y la monografía, más extensa, de H. GUITER, *Étude de linguistique historique du dialecte minorquin* (Montpellier, 1943). Sobre el valenciano del Sur informa convenientemente el trabajo de P. BARNILS, *Die Mundart von Alacant* (Barcelona, 1913); también en AOR, VI, 1939, págs. 189-256.

---

[216] Comp. asimismo M. NIEPAGE, *Laut- und Formenlehre der mallorkinischen Urkundensprache,* RDiR, I, 1909, págs. 300-385 y II, págs. 1-55; B. SCHÄDEL, *Mundartliches aus Mallorca* (Halle, 1905).

Sobre el catalán del Rosellón disponemos de dos excelentes estudios de P. FOUCHÉ, *Phonétique historique du roussillonnais* y *Morphologie historique du roussillonnais* (ambos, Tolosa, 1924), que aportan una valiosa aclaración a la historia del catalán. En este sentido, corresponde también una especial significación a la colonia lingüística catalana de Alghero (Cerdeña), que se originó en el siglo XIV. A ella le ha dedicado H. KUEN un sondeador estudio, que debe tenerse presente para todos los problemas fonéticos; desafortunadamente, y a causa de la guerra civil española, este trabajo no llegó más allá del tratamiento del vocalismo tónico[217].

El más importante instrumento de trabajo para toda cuestión de geografía lingüística lo constituye el *Atlas lingüístic de Catalunya* (Barcelona, 1923-1926; llevado sólo hasta la letra E) constituído por A. GRIERA. En esta obra sorprende la extraordinaria uniformidad de los materiales reunidos, lo cual se explica, en parte, por el hecho de haberse servido Griera generalmente de informantes cultos y de haber preferido para sus encuestas los sitios más grandes, cuyo lenguaje se encuentra fuertemente influído por el habla culta[218]. Con prudencia crítica hay que utilizar los *Études de géographie linguistique* del mismo GRIERA (AOR, V, 1932, págs. 73-119), en los cuales ha sido cruelmente generalizado el punto de vista del conflicto de homónimos, proveniente de los trabajos de Gilliéron.

217 *El dialecto de Alguer y su posición en la historia de la lengua catalana,* AOR, VII, 1934, págs. 41-112. Más completo es el tratamiento en el trabajo de P. E. GUARNERIO, *Il dialetto catalano d'Alghero,* AGI., IX, 1886, págs. 261-364.

218 Sobre la seguridad que ofrecen los materiales reunidos han sido expresadas, de parte catalana, considerables dudas. Comp. también los comentarios de L. SPITZER en ZRPh, XLV, 1925, págs. 614 sigs. y de K. JABERG, Rom., L, págs. 278 sigs.

Muchos otros trabajos sobre temas más especiales nombra A. Griera en su *Bibliografía lingüística catalana* (1947), págs. 44-49; hasta el año 1924, en RLiR, I, 1925, págs. 70-79.

Sobre el valenciano, véase pág. 249.

TOPONIMIA Y ONOMASTICA

Sobre la importancia de la investigación toponímica hemos dicho ya lo esencial en otro capítulo (pág. 188 y siguientes).

Los nombres de lugar fueron por primera vez, en Cataluña, objeto de una clarificación histórica y científica en la obra de José Balari y Jovany, *Orígenes históricos de Cataluña* (Barcelona, 1899). En la primera parte de esta obra (*Geografía*) se ordena y se analiza etimológicamente un apreciable contingente de nombres geográficos. Muchas cosas son aquí de valor duradero. Meyer-Lübke, siguiendo las huellas de Balari, reunió las diversas capas (elementos prerromanos, nombres romanos, formaciones románicas) en grupos, en su aprovechamiento de los documentos de la catedral del Urgell, del siglo ix: *Els noms de lloc en el domini de la diòcesi d'Urgell,* BDC, XI, 1923, págs. 1-32. Una agrupación muy sumaria de los topónimos catalanes por capas y fuentes se halla en la *Gramàtica històrica del català antic* (1931), págs. 20-36, de Griera. Muchas arriesgadas combinaciones contiene el artículo de M. de Montolíu, *Els noms de rius i els noms fluvials en la toponimia catalana,* BDC, X, 1922, págs. 1-33. La *Introducción a la toponimia valenciana* de J. Giner (Valencia, 1948) es poco fidedigna y padece de defectos metodológicos.

Muchos méritos en la toponimia catalana corresponden al filólogo suizo P. Aebischer. Entre sus trabajos mencionamos los *Études sur la toponymie catalane* (Barcelona, 1928), que tratan los topónimos constituídos con nombres de persona y con los sufijos -ANUM, -ACUM, o -ASCUM[219]. Otra capa toponímica ha sido investigada por J. COROMINAS en el artículo *Noms de lloc d'origen germànic* (en la *Miscel.lânia Fabra,* Buenos Aires, 1944, págs. 108-132), señalando nombres germánicos de persona que no habían sido identificados aún en los nombres de lugar.

Un informe sobre las investigaciones referentes a Cataluña ha sido publicado por A. GRIERA, en las *Actas de la primera reunión de toponimia pirenaica* (Zaragoza, 1949), págs. 149-157. Utiles referencias bibliográficas dan G. SACHS en ZOF, X, 1934, págs. 282-286; A. GRIERA en RLiR, I, 1925, págs. 49-50, 105-109, y en la *Bibliografía lingüística catalana* (1947), págs. 72-75. Sobre las fuentes principales (diccionarios geográficos), ver pág. 194.

En el terreno de la onomástica habrá de indicarse, ante todo, el artículo de P. AEBISCHER, *Essai sur l'onomastique catalane du IXe au XIIe siècle,* AOR, I, 1928, págs. 43-118. A base de los documentos de San Cugat se muestra aquí cómo, desde el siglo X, los nombres germánicos predominantes hasta entonces se ven desalojados por nuevos tipos de nombres románicos. Muy diletante y de problemático mérito es el libro de J. CLAPÉS I CORBERA, *Els cognoms catalans: origen i evolució* (Barcelona, 1929).

---

219 Cfr. igualmente la explicación dada por AEBISCHER del nombre 'Cataluña' a partir de *Mons Catanus* (Montcada) publicada en ZRPh, LXII, 1942, págs. 49-67 (también en la *Misc. Fabra,* 1943, págs. 1-26) e ib., LXVI, 1950, págs. 356-358.

FOLKLORE

Una extensa bibliografía de la literatura folklórica catalana da SIMÓN DÍAZ en la *Bibliografía de la literatura hispánica,* I, 1950, págs. 538-549. Un gran número de 'obras de etnografía y folklore relacionadas con la lingüística catalana' nombra GRIERA en su *Bibliografía lingüística catalana* (1947), págs. 75-78. Valiosas indicaciones da también R. ARAMON I SERRA en su *Bibliografía de llengua i literatura catalana* (ver arriba pág. 237), nos. 88-91, 425-438, 676-689, 959-976, 1.521-1.577.

Interesantes materiales sobre literatura, usos y creencias populares contiene la obra *Arxiu de tradicions populars* (Barcelona, 1928), editada por V. SERRA I BOLDÚ. Una rica fuente de materiales folklóricos (literatura, leyendas, refranes, acertijos y creencias populares) constituyen los 42 tomos de la *Biblioteca de tradicions populars* (Barcelona, 1933-36) publicados por JOAN AMADES.

Entre las colecciones de cuentos populares catalanes (*rondalles*) merece sitio de honor el *Aplec de rondaies mallorquines* (13 tomos, Barcelona, 1896-1935) reunido por A. M. ALCOVER. Una más pequeña compilación de cuentos muy populares se encuentra en el tomo XXIV de las *Obres completes* de J. VERDAGUER (Barcelona, s. f.). Una bibliografía de los cuentos populares catalanes contiene la obra de BOLTE-POLÍVKA, *Anmerkungen zu den Kinder- und Hausmärchen der Brüder Grimm,* V, 1932, págs. 84-85.

En cuanto a colecciones de cantos populares, nombraremos el *Romancerillo catalán* de M. Milá i Fontanals, en las *Obras completas* (tomo VIII), las *Cançons feudals cavalleresques* (Barcelona, 1893) por Maria Aguiló, las canciones amorosas compiladas por F. de B. Moll: *Cançons populars mallorquines* (Mallorca, 1934) y las *Cançons populars amoroses i cavalleresques* (Tárrega, 1935) de J. Amades. Indispensables para cualquier investigación científica son los materiales contenidos en la *Obra del Cançoner popular de Catalunya* (3 tomos, Barcelona, 1926-29), que también comunica muchos datos nuevos a la historia de la música; cfr. la reseña de W. Giese en Lbl., 1931, págs. 295 sigs. Una tesis doctoral hamburguesa de M. Barrelet presenta *Mallorkinische Volkslieder und Tänze* de la colección de A. J. Pont (1922). Valiosas indicaciones sobre las variantes de los cantos compilados por Milà y Verdaguer da J. M. de Casacuberta, ER, I, 1948, págs. 89-129. Un libro de particular valor debemos al maestro de la etnografía catalana: Joan Amades, *Folklore de Catalunya* (Barcelona, 1951-1952); el primer tomo contiene 'rondalles, tradicions, llegendes' y el segundo 'cançons, refranys, endevinalles'.

Para lo que atañe a las creencias populares referimos al lector, especialmente, a los importantes materiales reunidos por J. Amades: *Astronomia i meteorologia populars* (en BDC, XVIII, 1930, págs. 105-138, 217-313) y *Essers fantàstichs* (ib. XV, 1927, págs. 1-80). Igualmente fructífero para el folklore y dialectología es el artículo de A. Griera, *Tríptic: la naixença, les esposalles, la mort,* BDC, XVII, 1929, págs. 79-135.

Para la dirección investigativa, marcadamente etnográfica, de 'las palabras y las cosas', referimos a las mencionadas obras de Fritz Krüger, *Die Hochpyrenäen* (ver pág. 205), y de R. Violant i Simorra, *El Pirineo espa-*

ñol (ver pág. 204). Son, asimismo, dignos de mención el artículo de A. Griera, *La casa catalana,* BDC, XX, 1932, págs. 13-329, el trabajo de R. Violant i Simorra, *Instrumentos músicos de construcción infantil y pastoril en Cataluña* (RDTP, X, 1954, págs. 331-399), y la tesis doctoral (Hamburgo) de W. Spelbrink, orientada esencialmente hacia la historia de la cultura: *Die Mittelmeerinseln Eivissa und Formentera,* BDC, XXIV, 1936, págs. 184-281, y XXV, págs. 1-147.

D. FILOLOGIA PORTUGUESA

INSTRUMENTOS BIBLIOGRAFICOS

En cuanto a obras de consulta importantes de carácter bibliográfico y biográfico, referentes a todas las ramas científicas, nombraremos:

DIEGO BARBOSA MACHADO, *Biblioteca lusitana histórica, crítica e cronológica.* 4 tomos. Lisboa, 1930-1935. [Reimpresión. Primera edición: 1741].

INNOCÊNCIO FRANCISCO DA SILVA, *Dicionário bibliográfico português.* 22 tomos. Lisboa, 1858-1923. [Los tomos VIII-XXII son volúmenes suplementarios agregados a la obra, que había sido concluída originalmente en el año 1862].

A. F. G. BELL, *Portuguese Bibliography.* Oxford, 1922. [Importante para toda clase de estudios literarios].

A. SIMÕES DOS REIS, *Bibliografia nacional.* Río de Janeiro, 1942-1954. [Llega hasta el año 1946].

Grande enciclopédia portuguesa e brasileira. Lisboa-Río de Janeiro, 1935 sigs. [Junta propósitos lexicográficos con las tareas de una obra de consulta general, que abarca historia, geografía, literatura, historia del arte y sociología. En 1953 llegó hasta la letra S, con 27 tomos].

Se limitan al terreno de la filología:

Bibliografia filológica portuguesa. Lisboa, 1935 sigs. [Bibliografía constituída en fichas y editada por el Centro de Estudos Filológicos (Lisboa, Travessa do

Arco a Jesus 13), bajo la dirección de Sá Nogueira. Abarca diccionarios, gramáticas, monografías filológicas y artículos sueltos. Las fichas aparecieron sin ninguna ordenación sistemática. Esta compilación bibliográfica, que contiene 1.494 hojas, fue suspendida en 1949, inconclusa, por estar organizada con demasiada amplitud. Las referencias bibliográficas están acompañadas frecuentemente de una indicación sobre el contenido y de un juicio crítico. Falta a esta bibliografía un índice alfabético de las obras registradas].

JACINTO DO PRADO COELLO, *Dicionário das literaturas portuguesa, galega e brasileira.* Porto, desde 1956. [El primer diccionario que abarca autores, obras, revistas, temas, géneros, personajes, movimientos, formas poéticas de las tres literaturas].

J. DA SILVA CORREIA, *O movimento filológico em Portugal nos últimos tempos,* RLiR, IV, 1928, págs. 201-208. [Bibliografía de títulos de las principales obras de Leite de Vasconcelos, Carolina Michaëlis de Vasconcelos, J. J. Nunes, J. M. Rodrigues, D. Lopes, R. Dalgado, A. E. da Silva Dias, F. E. Pereira y C. Basto. Se limita al período 1910-1927].

GIACINTO MANUPPELLA, *Gli studi di filologia portoghese negli ultimi venti anni* (1930-49). En: *Estudos italianos em Portugal,* fasc. IX-XI (1950), págs. 70-169. [Se limita (con excepciones ocasionales) a obras aparecidas en Portugal o Brasil. Ordenada por dominios de estudios: Bibliografia, Miscellanee di studi vari, Dizionari generali e speciali, Grammatica, Fonetica, etc. Valioso instrumento de trabajo. La segunda parte de esta bibliografía no ha aparecido aún. Por esto falta todavía un registro alfabético].

H. C. Woodbridge y P. R. Olson, *A tentative bibliography of Hispanic linguistics*. Urbana, 1952 (University of Illinois): el capítulo VI está dedicado al portugués.

Joseph H. D. Allen, *Portuguese studies in the United States*. En: *Hispania,* XXV, 1942, págs· 94-100.

Gerard Moser, *Recent publications on portuguese language and literature* (1945-1947). En *Hispania* XXXI, 1948, págs. 163-174, 387-397.

G. Moldenhauer, *Bibliografía de D. Carolina Michaëlis de Vasconcelos*. En la *Miscelânea de estudos em honra de D. Carolina Michaëlis de Vasconcelos* (Coimbra, 1933), págs. VII-XXIII.

Orlando Ribeiro, *Vida e obras de José Leite de Vasconcelos*. En *Portucale,* XV (1942), págs. 3-17, 41-62.

B. X. C. Coutinho, *Bibliographie franco-portugaise. Essai d'une bibliographie chronologique de livres français sur le Portugal*. Porto, 1939.

Silvio Pellegrini, *Repertorio bibliografico della prima lirica portoghese*. Modena, 1939.

María Adelaide Valle Cintra, *Bibliografia de textos medievais portugueses publicados,* BF, XII, 1951, págs. 60-100. [Para cada edición se indica si trae o no glosario].

Sobre el *Manual de filologia portuguêsa* (1952) de S. Silva Neto, muy importante desde el punto de vista bibliográfico, véase pág. 285.

En cuanto a informes críticos sobre el estado de la investigación, mencionaremos:

Car. Michaëlis de Vasconcelos, KJb, I (1895), págs. 582-608; IV (1900), págs. 321-347.

J. J. Nunes, KJb, XII (1913), págs. 228-240.

Serafim Silva Neto, *A filologia portuguesa no Brasil.* En: M. de Paiva Boléo, *Os estudos de linguística românica* (Coimbra, 1951), págs. 340-368. [Comprende los años 1939-1948].

Alwin Kuhn, *Romanische Philologie. Teil I: Die romanischen Sprachen* (Berna, 1951), págs. 416-454: Portugués. [Abarca la época 1939-1949].

Valiosos resultados de investigación encierran también las grandes misceláneas aparecidas como Homenaje. Nombraremos aquí, brevemente, las *Miscelâneas em honra de Carolina Michaëlis de Vasconcelos* (Coimbra, 1933), J. Leite de Vasconcelos (Coimbra, 1934), Manuel Said Ali (Río de Janeiro, 1938), y F. A. Coelho (= BF, X y XI, 1949-50). Además, la miscelánea *Portugal-Festschrift der Universität Köln* (Colonia, 1940), constituída principalmente por contribuciones alemanas (véase pág. 284).

Notables instrumentos de trabajo representan igualmente los artículos sueltos de importantes investigadores, reunidos en misceláneas, p. e. los *Opúsculos* de J. Leite de Vasconcelos (Coimbra, 1928-1929), las *Lições de filologia portuguesa* de Carolina Michaëlis de Vasconcelos (Lisboa, 1946), las misceláneas de Sá Nogueira, mencionadas en la pág. 307 y los *Ensaios de filologia românica* de Harri Meier (Lisboa, 1948).

Utiles indicaciones da la bibliografía contenida en el *Altportugiesisches Elementarbuch* (Heidelberg, 1933), págs. 1-15, de J. Huber.

Por lo demás, hacemos referencia a los instrumentos bibliográficos nombrados en nuestra sección española (pág. 49 sigs.), de los cuales muchos tienen también importancia para Portugal.

Sobre bibliografías referentes a las literaturas portuguesa y brasileña, ver también pág. 49 sigs.

HISTORIA DE LA FILOLOGIA PORTUGUESA

Los primeros intentos de un tratamiento filológico de la lengua portuguesa datan del siglo XVII. Simultáneamente a la obra del español Aldrete (ver pág. 124) publica DUARTE NUNES DE LEÃO su estudio *Origem da lingua portuguesa* (Lisboa, 1606): reconoce las diversas fuentes del vocabulario portugués y da ejemplos de las principales leyes fonéticas [220]. En el siglo XVIII la labor filológica se concentra, en sus mejores resultados, alrededor de las tareas lexicográficas. En el año 1712 se publica el diccionario portugués-latino de Bluteau y en 1798 el léxico ('elucidario') de palabras antiguas de SANTA ROSA DE VITERBO (ver págs. 299 y 300). También la fundación de la Academia Real das Sciênçias (1779), que comprende igualmente las Letras, perseguía fines semejantes.

En la primera mitad del siglo XIX no se ve todavía en Portugal una actitud más profunda en la explicación histórica de la lengua lusitana. Las concepciones del cardenal Saraiva (1837) y del lexicólogo Constancio (1836) son aún completamente diletantes. Sólo los progresos hechos en el extranjero llevan a un adelanto. En el año 1868 inaugura F. A. COELHO una nueva etapa de investigación filológica con su estudio *A língua portuguesa,* proporcionando sólidos fundamentos a la fonética histó-

220 La nueva edición comentada hecha por J. P. Machado (Lisboa, 1945) ha sido objeto de agudas críticas a causa de sus muchas inexactitudes: cfr. M. DE PAIVA BOLÉO, RPF, I, 1947, págs. 252-265.

rica y a la etimología. Coelho ha sido considerado como el Diez portugués [221]. La ciencia fonética halla en Gonçalves Viana (desde 1883) un eminente representante.

Las primeras investigaciones de la literatura portuguesa se limitan a la impresión de textos y al registro biográfico (Almeida-Garrett, Carvalho, Costa e Silva). Un nuevo espíritu penetra en este terreno con las obras de TH. BRAGA, cuya jugosa *Historia da litteratura portugueza* (1870 sigs.) ofrece múltiples perspectivas.

También fuera de Portugal crece el interés por la lengua y la literatura lusitanas. En la Gramática y en el Diccionario etimológico de las lenguas románicas de F. DIEZ (1836 sigs. y 1854) tiene el portugués su debido rango. Una valiosa contribución aportan eruditos extranjeros con sus ediciones de los manuscritos de los antiguos cancioneros: el inglés C. Stuart (1823), el alemán Kausler (1846 sigs.) y el italiano Monaci (1873 sigs.). Etapas relevantes en la profundización de nuestros conocimientos sobre las antiguas letras lusitanas marcan los *Studien zur Geschichte der spanischen und portugiesischen Nationalliteratur* por FERDINAND WOLF (1859) y *Die erste portugiesische Kunst- und Hofpoesie* de FRIEDRICH DIEZ (1863).

El auge posterior de la filología portuguesa está íntimamente ligado a los nombres de Coelho, Gonçalves Viana, Carolina Michaëlis y Leite de Vasconcelos. COELHO amplía su estudio del año 1868 en un extenso manual (1887). Al diccionario de Domingos Vieira (1871 sigs.) acompaña él una ojeada histórica que ilustra el desarrollo del portugués a partir del latín. Muchas ideas nuevas en-

---

221 En honor suyo publicó el Centro de Estudos Filológicos una *Miscelânea* en dos tomos (= BF, X y XI, 1949-50). Un encomio de su obra fue publicado por M. DE PAIVA BOLÉO en *Biblos,* XXIII, 1947, págs. 607-691; allí mismo se halla (págs. 801-834) una bibliografía de los trabajos de Coelho.

cierran sus *Questões de língua portuguesa* (1874). Los méritos especiales de CAROLINA MICHAËLIS (1851-1925) residen en sus aportes etimológicos y en la edición crítica de textos primitivos. Para el *Grundriss der romanischen Philologie* suministró ella (junto con Th. Braga) una muy completa historia de la literatura portuguesa (1897). Su obra maestra será siempre la monumental edición del *Cancioneiro da Ajuda* (Halle, 1904). Una serie de nuevas sugestiones trajo consigo la labor de LEITE DE VASCONCELOS (1858-1941). El funda la dialectología portuguesa, muestra la importancia de la onomástica y la toponimia y señala caminos decisivos al estudio del folklore y de la etnografía. También es obra suya la fundación de la *Revista Lusitana* (1889) [222]. — En Alemania aporta J. CORNU, como contribución al *Grundriss der romanischen Philologie* de GRÖBER, una exposición bien fundamentada de la fonética y la morfología (1888). De Wilhelm Storck recibimos una cuidadosa biografía de Camões (Paderborn, 1890).

En los años que siguieron a la primera guerra mundial trabajaron, junto a las dos grandes figuras de Leite de Vasconcelos y Carolina Michaëlis, otros eruditos, entre los cuales se hicieron conocer especialmente J. J. Nunes como lingüista, J. M. Rodrigues y F. de Figueiredo como historiadores de la literatura, D. Lopes como arabista, R. de Sá Nogueira como fonetista y etimologista y M. Rodrigues Lapa como investigador de la poesía medieval.

El nuevo y grande impulso de que gozan los estudios románicos en Portugal está estrechamente vinculado a la fundación de algunas sobresalientes revistas: *Biblos* (desde

---

[222] De LEITE tenemos también una ojeada a la historia de la filología lusitana hasta el año 1888 (Lisboa, 1888); vuelta a publicar en sus *Opúsculos*, IV, págs. 841-919.

1925), *Língua Portuguesa* (desde 1929), *Boletim de Filologia* (desde 1932), *Revista de Portugal* (desde 1942) y *Revista Portuguesa de Filologia* (desde 1947). Desde 1931 actúa en Lisboa el Centro de Estudios Filológicos con excelentes medios de trabajo. Grandes planes científicos maduran bajo la iniciativa de M. de Paiva Boléo. La toponimia ha tomado, gracias a J. Piel, un activo desarrollo, lo mismo que la etnología se halla en gran auge bajo la influencia del diligente investigador J. Dias.

Un notable incremento de la investigación científica ha comenzado en Brasil desde 1920. Como índices del nuevo desarrollo señalamos la gramática de Said Ali (1921), el diccionario etimológico de Nascentes (1932) y la *História da língua portuguêsa* de Silva Neto (1952).

Entre los eruditos extranjeros que se han ocupado del portugués en los últimos decenios, merecen honorífica mención los siguientes nombres: J. Dunn, J. Huber, S. Pellegrini, F. Krüger, M. L. Wagner, F. Schürr, E. B. Williams, H. Meier y Y. Malkiel[223].

Una buena ojeada sobre la evolución de la filología portuguesa en Portugal y Europa trae S. Silva Neto en su *Manual de filologia portuguêsa* (Río de Janeiro, 1952), págs. 1-175.

[223] La *Portugal-Festschrift* organizada por la Universidad de Colonia en 1940 (y publicada por F. Schalk) contiene trabajos científicos de 4 colaboradores portugueses y 11 alemanes.

OBRAS INTRODUCTORIAS

La *Introdução ao estudo da filologia portuguesa* (Lisboa, 1946) por MANUEL DE PAIVA BOLÉO, escrita para la enseñanza universitaria portuguesa, puede prestar también valiosos servicios a los estudiantes no portugueses a causa de sus fines metodológico-pedagógicos. Esta obra da, con detallada bibliografía, una excelente ojeada sobre problemas y tareas de la fonética, la lexicografía, la etimología y la explicación de antiguos textos portugueses. Aclaraciones sobre los métodos científicos de trabajo e indicaciones sobre temas dignos de ser investigados hacen el libro especialmente valioso. Más sistemático en el resumen de los resultados alcanzados hasta ahora es el *Manual de filologia portuguêsa* de SERAFIM SILVA NETO (Río de Janeiro, 1952): presenta en retratos bibliográficos a todos los filólogos que se han ocupado preferentemente del portugués, dando igualmente una introducción crítica en problemas y métodos, fines y medios de trabajo. Es un instrumento indispensable, cuyo índice de nombres registra alrededor de 600 investigadores.

Como especie de introducción a la historia lingüística lusitana pueden también utilizarse con provecho las *Lições de filologia portuguesa* de CAROLINA MICHAËLIS DE VASCONCELOS (separata póstuma de la *Revista de Portugal,* Lisboa, 1946). Tratan las fuentes del léxico portugués, cuestiones de la formación de palabras, los rasgos distintivos del portugués antiguo e introducen a la explicación de textos antiguos lusitanos.

De FRANCISCO DA SILVEIRA BUENO tenemos, *Estudos de filologia portuguesa* (tomo I, São Paulo, 1946), una guía muy práctica sobre muchas cuestiones de la filología lusitana (romanización de la Península Ibérica, latín vulgar, evolución fonética, etimología, semántica, crítica de textos, técnica de trabajo, terminología y métodos de investigación).

A la información de un amplio público está destinado el artículo sintético sobre el portugués escrito por CARLO TAGLIAVINI para la *Enciclopedia Italiana,* XXVIII, págs. 49-51.

Ideas de programa relativas al plan de fundación de un Instituto da Língua Portuguesa desarrolla M. DE PAIVA BOLÉO en el escrito *Defesa e ilustração da língua* (Coimbra, 1944): tal Instituto deberá ocuparse de la elaboración de normas regularizadoras de la ortografía y la gramática, de la composición de diccionarios científicos, de un Atlas lingüístico portugués, etc.

PAIS E HISTORIA

El primitivo nombre Lusitania, contrariamente a Hispania, no se conservó. En la época de la dominación mora el país se llamaba *Al-garb* 'el Oeste', designación que hoy día ya no se aplica sino al extremo Sur (*Algarbe*). El nombre moderno Portugal se explica por el del antiguo puerto *Portus Cale* (hoy Oporto), sobre el cual se basó, en los comienzos de la Reconquista, la denominación del primer condado cristiano[224].

Sobre el país portugués proporcionan información[225]:

H. Lautensach, *Portugal auf Grund eigener Reisen und der Literatur.* Gotha, 1932 y 1937. [La obra científicamente más rica y sólida sobre el país lusitano. Se ocupa, entre otras cosas, también de condiciones de terreno, clima, flora, antropogeografía y colonización].

H. Lautensach, *Spanien und Portugal.* En: *Handbuch der geographischen Wissenschaft.* Potsdam, 1934, págs. 426-537. [Sobre Portugal, págs. 501-511].

P. Herre, *Spanien und Portugal.* Berlín, 1929. [Economía y comercio].

H. Lautensach, *Bibliografia geográfica de Portugal.* Lis-

---

224 Cfr. Paulo Meréo, *De Portucale (civitas) ao Portugal de D. Henrique,* en *Biblos,* XIX, 1943, págs. 45-62.

225 Véase igualmente la buena síntesis de Maria Modigliani en la *Encicl. Italiana,* XXVIII, págs. 32-41.

boa, 1948. [Abarca principalmente la época 1935-1946. Valiosa bibliografía con juicios críticos] [226].

M. SORRE, *La péninsule ibérique.* En la *Géographie universelle,* VII, págs. 69-228. París, 1934. [Presentación monográfica de las regiones portuguesas: págs. 202-228].

G. CARACI, *La penisola iberica.* En la *Geografia universale illustrata,* I, 1940, págs. 601-838. [Orientación histórico-cultural. Sobre Portugal, págs. 797-836].

A. DE AMORIM GIRÃO, *Geografia de Portugal.* Lisboa, 1942. [Con muchos mapas y fotografías. Obra excelente. Nueva edición aumentada, 1949].

ORLANDO RIBEIRO, *La formation du Portugal.* Bruselas, 1941 [227].

JORGE DIAS, *Minho, Trás-os-Montes, Douro.* Lisboa, 1949. [Guía de viaje etnográfico-geográfica para las regiones portuguesas situadas al Norte del Duero].

Una ojeada sobre la historia de Portugal da el tomo de la colección Göschen *Portugiesische Geschichte* por GUSTAV DIERCKS (Leipzig, 1912). Exposiciones más completas tenemos de los siguientes autores: A. HERCULANO, *História de Portugal* (8ª ed., Lisboa, 1858-64); J. P. OLIVEIRA MARTINS, *História de Portugal* (Lisboa, 1894); FORTUNATO DE ALMEIDA, *História de Portugal* (Coimbra, 1922-29); DAMIÃO PERES, *História de Portugal* (Barcelos, 1928 sigs.). La individualidad geográfica y étnica de Portugal resalta en el libro de FRAN PAXECO, *Portugal*

---

[226] Un informe bibliográfico anterior de LAUTENSACH sobre las investigaciones de los años 1915-1930 se halla publicado en el *Geographisches Jahrbuch,* XLV, 1930, págs. 178-203.

[227] Sobre problemas de geografía económica da información el *Atlas de Portugal* de ARISTIDES DE AMORIM GIRÃO (Coimbra, 1941).

não é ibérico (Lisboa, 1932). — Más referencias bibliográficas sobre la historia y la prehistoria nos da H. LAUTENSACH en su *Bibliografia geográfica* (ver arriba), págs. 96-104.

Las siguientes obras contienen impresiones sobre Portugal, sobre la idiosincrasia del hombre portugués, la peculiaridad de la vida lusitana, paisaje y arte:

GONZAGUE DE REYNOLD, *Portugal.* París, 1937. [La más sólida caracterización del país y el pueblo. Contiene notables apreciaciones sobre el temperamento y la concepción de la vida que distinguen al portugués frente al español. Existe también en lengua alemana: Salzburgo, 1938].

REINHOLD SCHNEIDER, *Portugal: ein Reisetagebuch.* Munich, 1931. [Reportaje periodístico. Contiene buenas observaciones].

FRIEDRICH SIEBURG, *Neues Portugal.* Frankfurt, 1937. [Libro escrito de manera fascinante, rico en sugestivas impresiones; 'síntesis impresionista de un gran escritor' (M. L. Wagner). En los detalles, sin embargo, no es absolutamente seguro].

G. POMMERANZ-LIEDTKE y G. RICHERT, *Portugal: aufstrebender Staat am Atlantik.* Berlín, 1939. [Da una imagen fidedigna y variada].

CHRISTIAN DE CATERS, *Portrait du Portugal.* París, 1940. [Ilustrado, abarca igualmente las colonias portuguesas].

ANN BRIDGE y SUSAN LOWNDES, *The selective traveller in Portugal.* Londres, 1949. [Una introducción acertada y estimulante para turistas que quieran penetrar más profundamente en el país].

H. V. LIVERMORE, *Portugal and Brasil, an introduction.* Oxford, 1953. [Colección de ensayos de valor desigual].

R. MACAULAY FABLED SHORE, *They went to Portugal.* London, 1946. [Impresiones de viajeros ingleses].

V. SACHEVERELL SITWELL, *Portugal and Madeira.* London, 1954. [Turismo intelectual y artístico].

Muchas valiosas contribuciones sobre todo lo relacionado con Portugal, expuestas de manera sumaria, contiene la miscelánea *Portugal: Breviario da Pátria para os Portugueses ausentes* (Lisboa, 1946). En el artículo *Portugal* de la *Enciclopedia Espasa,* XLVI, págs. 670-746, se puede obtener una buena información general sobre Portugal (geografía política, etnografía, economía, industria, administración, colonias, historia, lengua, literatura, arte, música y ciencias), acompañada de buena bibliografía.

La heterogeneidad de las corrientes espirituales en la Península Ibérica ha sido destacada por FIDELINO DE FIGUEIREDO en el libro *As duas Espanhas* (Coimbra, 1932). MENÉNDEZ Y PELAYO planteó importantes cuestiones de la historia espiritual lusitana en la obra *Historia de los heterodoxos españoles* (1881), en la cual presupone, con algún dogmatismo, la unidad de la cultura peninsular sin apreciar debidamente el carácter propio de la vida espiritual lusitana [228]. Las repercusiones del enciclopedismo del siglo XVIII en Portugal fueron investigadas por HERNANI CIDADE, *Ensaio sôbre a crise mental no século XVIII* (Coimbra, 1927).

---

[228] Comp. E. SCHRAMM, *Portugal in den 'Heterodoxos' von Menéndez y Pelayo,* en la *Portugal-Festschrift* de la Univ. de Colonia (1940), págs. 68-82.

La tesis de los 'dois Portugais', expuesta por primera vez por Oliveira Martins en su *História de Portugal* (I, 1894, págs. 11-12), ha sido defendida principalmente por Alberto Sampaio en algunos artículos reproducidos en *Estudos históricos e económicos* (I, 1923). Contra ella se ha expresado, entre otros, Torquato de Sousa Soares en el escrito *Formação do espírito nacional português,* publicado en la revista *Estudos,* Coimbra, 1949 [229].

Un importante libro de consulta, que informa eficazmente sobre todas las cuestiones de orden geográfico, histórico y cultural-histórico, es la *Grande Enciclopédia Portuguesa e Brasileira* (Lisboa y Río de Janeiro, desde 1935) editada por João de Eça, cuya primera parte llegó en el año de 1953, con 27 tomos, hasta la letra S [230].

---

229 Cfr. M. de Paiva Boléo en BF, XII, 1951, págs. 1 sigs.

230 La segunda parte de esta obra contendrá artículos que se refieren de manera especial al Brasil.

POSICION E HISTORIA DEL PORTUGUES

Comparado con la forma castellana del español, el portugués ha conservado una fase más antigua del desarrollo lingüístico hispánico, asumiendo así, en cuanto a idioma arcaico y periférico, una especial importancia científica para toda la Romania. Esta posición del portugués se manifiesta claramente en la evolución fonética; véanse, sobre esto, los ejemplos dados en la pág. 315. De la morfología nombraremos como ejemplo el género femenino de *árvore* (comp. lat. ARBOR ALTA), frente al carácter masculino de esta voz en español, francés e italiano. Como único entre los romances ibéricos ha conservado el portugués la flexión mezclada del verbo IRE formada en el latín vulgar (a partir del siglo v): *vou, vais, vai, imos, ides, vão*. A diferencia de todas las demás lenguas neolatinas, sólo en portugués subsiste aquella forma de construcción románica primitiva, según la cual un pronombre átono no puede iniciar una frase: *levou-me para casa, lembra-se, parece-me, conhece-a*[231]. Rasgo arcaico es también la divisibilidad, que se usa hoy todavía, del futuro y del condicional: *sustentá-lo-ei, far-lhe-ia ver*. Muy antigua es asimismo la expresión verbal de la afirmación y de la negación (en correspondencia con el habla popular latina), p. e. *¿fala português?* (respuesta: *falo*), *¿há vinho?* (respuesta: *não ha*).

---

231 También se ha conservado en los bables del Noroeste español (ver pág. 156).

Por otro lado, sin embargo, no faltan los fenómenos que, frente al castellano, revelan una etapa más avanzada de evolución lingüística. Tal carácter tienen las formas reducidas del artículo determinado (*o lobo, a lebre*), la desaparición de *l* y *n* intervocálicas, el muy reciente cambio de *s* final de sílaba a *š* (*fešta, aš feštaš*) y el reemplazo de *hei comprado* por *tenho comprado*. Como único entre los romances borró el portugués, en la denominación de los días de la semana, todo recuerdo del antiguo sistema pagano, adoptando los nombres cristianos recomendados por la Iglesia a fines de la Antigüedad (*segunda feira,* etc.).

Los distintivos que caracterizan al portugués frente a su vecino español, con atención predominante al estado fonético, se hallan bien analizados en el artículo de FRIEDRICH SCHÜRR, *Die Stellung des Portugiesischen in der Romania* (en: *Portugal Festschrift der Universität Köln,* 1940, págs. 107-118). HARRI MEIER, en el artículo *A formação da língua portuguesa* (en la obra *Ensaios de filologia românica,* Lisboa, 1948), nos da un cuadro del romance lusitano basado en una visión más amplia, que destaca especialmente los centros de fuerza de la colonización romana, apoyándose extensamente en consideraciones de geografía lingüística; una redacción anterior de este trabajo apareció en *Biblos,* XVIII, 1942, págs. 497-515. Una corta pero muy penetrante caracterización del portugués se encuentra en el artículo de H. KUEN, *Die sprachlichen Verhältnisse auf der Pyrenäenhalbinsel,* ZRPh, LXVI, 1950, págs. 104 sigs. HOLGER STEN, *Les particularités de la langue portugaise* (Copenhague, 1944), hace una interesante interpretación de problemas particulares de fonética, fonología, morfología y sintaxis, aunque con empleo algo unilateral del 'método estructural'.

Las circunstancias precisas que condujeron a la forma actual del portugués, requieren aún un examen más exacto. Bastante seguro es que la lengua de Lisboa y del Sur no fue simplemente importada del Norte, que había seguido siendo cristiano. Parece más bien que el romance no se extinguió bajo el dominio árabe. En esos territorios debió, pues, haberse realizado una especie de compromiso entre tendencias del Norte y del Sur, o entre capas diferenciadas de tradición lingüística románica[232].

Sobre las bases celtas e ibéricas y la formación del latín vulgar regional trata JOSÉ PEDRO MACHADO, *As origens do português* (Lisboa, 1945), de manera más compilatoria que profunda y con muchas opiniones hoy día inaceptables. Interesante información sobre el bajo latín que sirve de base al portugués da CAROLINA MICHAËLIS DE VASCONCELOS en las *Lições de filologia* (Lisboa, 1946), págs. 186-255. Un intento de iluminar la prehistoria latino-vulgar del portugués hace NORMAN P. SACKS en el estudio *The latinity of dated documents in the Portuguese territory* (Filadelfia, 1941), aunque de manera poco crítica y sin traer casi nada nuevo. También es poco digno de confianza el libro de DUARTE NUNES DE LEÃO, *Origem da língua portuguêsa*, 'com estudo preliminar e anotações de J. P. Machado' (Lisboa, 1945); cfr. la reseña de M. PAIVA BOLÉO (RPF, I, 1947, págs. 252-265). Igualmente contiene muchas cosas dudosas el libro de FRANCISCO DA SILVEIRA BUENO, *A formação histórica da língua portuguêsa* (Río de Janeiro, 1955).

La misma lengua diaria de los portugueses cultos no es unitaria. En la vacilación sobre si se deba preferir el

---

232 Cfr. LEITE DE VASCONCELOS en *Opúsculos*, IV, págs. 799 sigs. y H. MEIER en ZRPh, LVII, 1937, pág. 632. Sobre la significación lingüística del problema de los 'dois Portugais' se expresa M. DE PAIVA BOLÉO en BF, XII, 1951, págs. 1 sigs.

lenguaje de Lisboa o el de Coimbra, la opinión pública parece inclinarse hacia el segundo. Sobre problemas que conciernen a la corrección en el habla discute MANUEL DE PAIVA BOLÉO en *Defesa e ilustração da língua* (Coimbra, 1944); este escrito se halla también reproducido en *Biblos,* vol. XIX.

Sobre Gramáticas históricas del portugués y la importantísima *Historia da língua portuguêsa* de SILVA NETO, véase pág. 312 sigs.

DICCIONARIOS

El interesado alemán que quiera servirse de un léxico bilingüe, consultará con el mayor provecho el *Neues Wörterbuch der portugiesischen und deutschen Sprache* por H. MICHAËLIS (portugués-alemán y alemán-portugués, en dos tomos, Leipzig, décimacuarta ed., 1934). Está cuidadosamente elaborado y, para su mediana extensión, es sorprendentemente completo, si bien no corresponde ya exactamente a las necesidades modernas. Sólo en un nivel más modesto puede dar satisfacción el *Taschenwörterbuch der portugiesischen und deutschen Sprache* por LOUISE EY, publicado por la editorial Langenscheidt (Berlín-Schöneberg, 1942-44). El fondo primordial del portugués está reunido en el pequeño diccionario *Langenscheidts Universal-Wörterbuch. Portugiesisch-Deutsch* por F. MOREIRA, *Deutsch-Portugiesisch* por P. QUINTELA (Berlín-Schöneberg, Langenscheidt, 1939). Bastante incompleto y poco seguro es el pequeño léxico *Portugiesisch-deutsch und Deutsch-portugiesisch* (Berlín, s. f.) elaborado por Georg Eilers y publicado en la editorial Junker.

Para exigencias de más alcance y particularmente para todo trabajo científico es altamente aconsejable utilizar los léxicos portugueses monolingües[233]. Recomendamos de manera especial los siguientes:

233 No son recomendables los diccionarios de F. SOLANO CONSTANCIO (París, 1836) y EDUARDO DE FARIA (Lisboa, 1849). De valor científico carecen los léxicos de NORONHA y CORRÊA (1933 sigs.). Sobre el *Dicionário* de COELHO, ver pág. 303.

CÂNDIDO DE FIGUEIREDO, *Novo dicionário da língua portuguesa.* Lisboa, 1ª ed. 1889. [El diccionario portugués más seguro y completo. Deberá utilizarse, en cuanto sea posible, en una de las últimas ediciones, que han sido notablemente ampliadas (5ª ed., 1939, 10ª ed., 1949-50). Aquí hallan también cabida los 'brasileirismos' y muchas voces del habla popular].

CÂNDIDO DE FIGUEIREDO, *Pequeno dicionário da língua portuguesa.* Lisboa, 1924. [Léxico de pequeño formato. Contiene aproximadamente la mitad del material de la edición grande].

F. J. CALDAS AULETE, *Dicionário contemporâneo da língua portuguesa.* Lisboa, 1925, 3ª ed., 1944 sigs. [Uno de los mejores léxicos. En su fondo fraseológico es más rico que la edición grande del Figueiredo].

ANTÓNIO DE MORAIS SILVA, *Grande dicionário da língua portuguesa.* Lisboa, 1948 sigs. [Esta obra, publicada por primera vez en el año 1813, goza en Portugal y en Brasil de muy buena reputación. La última refundición, a cargo de A. Moreno, C. Júnior y J. P. Machado, ha ampliado tanto la obra que la nueva edición (aún inconclusa) comprenderá cerca de 10 volúmenes. Desgraciadamente ésta padece de una redacción bastante superficial, siendo anticuada en relación con el adelanto de nuestra disciplina. Las etimologías ofrecidas no corresponden al estado actual de los conocimientos. A esto se agregan muchos errores de impresión; cfr. la reseña de H. MEIER en BF, IX, 1948, págs. 396 sigs].

LAUDELINO FREIRE y J. L. DE CAMPOS, *Grande e novíssimo dicionário da língua portuguesa.* Río de Janeiro, 1939-1944. [Abarca 5 tomos. Digno de recomendación].

J. T. da Silva Bastos, *Diccionário etymológico, prosódico e orthográphico da língua portuguesa.* Lisboa, 1928. [Util].

Artur Bivar, *Dicionário geral e analógico da língua portuguesa.* Porto, 1948 sigs. [El valor particular de este léxico consiste en que junta las expresiones emparentadas de un campo conceptual. Importante para la sinonimia y para toda clase de estudios onomasiológicos. Está aún inconcluso].

Grande enciclopédia portuguesa e brasileira. Río de Janeiro, 1935 sigs. [Es la combinación de una obra de consulta enciclopédica con un detallado diccionario, que da también amplia cabida al vocabulario arcaico y regional (ver pág. 277)].

J. Mesquita de Carvalho, *Dicionário prático da língua nacional.* Puerto Alegre, 1945. [En los títulos de sus artículos encierra sólo la parte más usual del vocabulario lusitano, pero trae, para cada palabra, indicaciones sobre flexión, valor estilístico, empleo gramatical, sinonimia, etc.].

Augusto Magne, *Dicionário da língua portuguêsa.* Río de Janeiro, 1950 sigs.

Vasco Botelho de Amaral, *Novo dicionário de dificuldades da língua portuguesa.* Porto, 1943. [Precisa el empleo de voces foráneas, formas verbales difíciles, sinónimos, brasileñismos, dialectalismos, etc.].

José da Silva Bandeira, *Dicionário de sinónimos da língua portuguesa.* Coimbra, 1931. [Da para cada artículo, en orden alfabético, las expresiones sinónimas, sin hacer distinciones].

Alfredo Leite Pereira de Melo, *Dicionário de sinónimos da língua portuguesa.* Lisboa, 1949 [Registro sin la menor precisión].

Para estudios lexicográficos especiales no se pueden pasar por alto algunas otras obras.

Rafael Bluteau, *Vocabulário português e latino.* 8 tomos. Coimbra, 1712. [Para cada concepto general (p. e. *moinho, arado, roda*) trae toda la terminología especial, lo cual hace a esta obra valiosa aún hoy].

Eduardo de Faria, *Novo Diccionário da língua portugueza.* Lisboa, primeramente en 1849. Nueva redacción por José de Lacerda (1859); véase pág. 296.

F. Domingos Vieira, *Grande diccionário portuguez ou thesouro da língua portugueza.* Porto, 1871-1874. [En el tomo I contiene una extensa introducción sobre el desarrollo del portugués a partir del latín (págs. IX-CCVII) escrita por F. A. Coelho].

A. A. Cortesão, *Subsídios para um dicionário completo (histórico-etymológico) da língua portuguêsa.* Coimbra, 1900-1901. [Diccionario suplementario de los léxicos existentes entonces, particularmente del de Figueiredo, basado en los documentos antiguos. Valiosa la exactitud de las citas para cada término].

Gonçalves Viana, *Apostilas aos dicionários portugueses.* Lisboa, 1936. [Da adiciones y puntualizaciones sobre una parte relativamente pequeña del vocabulario portugués. Las adiciones posteriores del autor, consignadas en su ejemplar de la obra, fueron publicadas por J. P. Machado en BF, VII, 1940, págs. 49-112, 121-160, 293-356].

Para el estudio del portugués antiguo carecemos de una obra satisfactoria, que esté a la altura de las exigencias modernas[233a]. Sigue siendo imprescindible, aunque esté muy atrás con respecto al estado actual de los conocimientos, el *Elucidário de palavras, têrmos e frases que em Portugal antigamente se usaram e que hoje regularmente se ignoram* por J. DE SANTA ROSA DE VITERBO (Lisboa, 2ª ed., 1865)[234]. Notable ayuda prestan algunos glosarios y compilaciones de términos, surgidos como complemento a determinadas obras, p. e. el glosario del *Liederbuch des Königs Denis von Portugal* (Halle, 1894), págs. 143-170, de H. R. LANG; el *Glossário do Cancioneiro da Ajuda* por CAROLINA MICHAËLIS DE VASCONCELOS en RL, XXIII, 1920, págs. 1-95; el detallado glosario (455 págs.) compuesto por AUGUSTO MAGNE como tercer tomo de su edición de la *Demanda do Santo Gràal* (Río de Janeiro, 1944); el corto glosario para las *Cantigas de Santa Maria de Alfonso X* por R. RÜBECAMP, BF, II, 1933, págs. 141-152; el vocabulario de la *Crónica da Orden dos Frades Menores,* ed. J. J. NUNES (1918); del mismo erudito, el glosario para su *Crestomatia arcaica* (3ª ed., 1944) y la *Contribuição para um dicionário arcaico* en RL, XXVII, 1929, págs. 5-79; el vocabulario de los *Textos arcaicos* (Lisboa, 1922) editados por LEITE DE VASCONCELOS; el léxico a las *Poesías de Sá de Miranda* por CARLOTA DE ALMEIDA CARVALHO en BF, VI, 1940, págs. 351-401, que no pasó, sin embargo, de la letra A.

Indispensable para todo trabajo de edición de manuscritos medievales es el libro de S. DA SILVA NETO, *Textos medievais portuguêses e seus problemas* (Río de Janeiro, 1956).

233a Ha empezado a salir un *Dicionário do português arcaico* de JOSÉ CRETELLA JUNIOR en el *Jornal de Filologia* (São Paulo), II, 1954, págs. 41 sigs., que, hasta el día de hoy, abarca sólo los comienzos de la letra *A*.

234 Ténganse presentes las correcciones y anotaciones críticas de LEITE DE VASCONCELOS en RL, XXVI, págs. 111-146 y XXVII, 1929, págs. 243-276.

La lexicografía moderna ha emprendido también la tarea de reunir sistemáticamente el vocabulario de determinados oficios:

D. A. TAVARES DA SILVA, *Esbôço dum vocabulário agrícola regional.* Lisboa, 1942. [La mejor contribución léxica al vocabulario rural, con localización exacta, cuidadosa descripción e indicaciones folklóricas].

ANTÓNIO MARQUES ESPARTEIRO, *Dicionário ilustrado de marinharia.* Lisboa, 1943. [Reúne la terminología del habla marina lusitana. Material muy interesante para la historia de la cultura].

R. DE SÁ NOGUEIRA, *Subsídios para o estudo da linguagem das salinas,* LP, IV, 1935, págs. 75-144. [Terminología de la industria de sal].

JÚLIO DE LEMOS, *Pequeno dicionário luso-brasileiro de vozes de animais.* Lisboa, 1946. Con suplemento en la *Revista de Portugal,* XV y XVI (1950-51).

***

Más indicaciones sobre léxicos generales y especiales da MANUPPELLA (ver arriba pág. 278) en su *Bibliografia,* págs. 90-96. Comp. también la bibliografía crítica de G. CHAVES DE MELO, *Dicionários portugueses* (Río de Janeiro, 1947).

ETIMOLOGIA Y SEMANTICA

En sus condiciones léxicas sigue el portugués vías extraordinariamente semejantes a las del español. Ejemplos de tal concordancia, que contraponen al español-portugués claramente frente al catalán y a la Galorromania, hemos visto ya en la pág. 12.

Naturalmente se dan también oposiciones léxicas que no pueden ser pasadas por alto. Nos limitamos a algunos ejemplos sacados de la terminología de las partes del cuerpo: *face* (*mejilla*), *anca* (*cadera*), *queixo* (*barba*), *rim* (*riñón*), *joelho* (*rodilla*), *fontes* (*sienes*), *miolo* (*seso*), *virilha* (*ingle*). Del campo de los adverbios notamos: *cedo* (*temprano*), *ontem* (*ayer*), *ainda* (*aún*), *perto* (*cerca*) y *longe* (*lejos*). Ciertas diferencias están condicionadas por el especial substrato étnico (p. e. *carvalho* frente a *roble*) y por la acción diferente del superstrato, p. e. *alfaiate* frente a *sastre, luva* frente a *guante*[235].

Los léxicos lusitanos del siglo pasado se esforzaban ya por dar una explicación sobre el origen de los vocablos. Completamente diletantes son las etimologías que traen los diccionarios de Constancio, Faria y Faria-Lacerda. Poco dignos de confianza en este terreno son igualmente los diccionarios de Vieira, Figueiredo, Cortesão y Caldas Aulete (ver arriba pág. 297 sigs.).

---

[235] Sobre los elementos prerromanos del portugués, ver pág. 89 sigs. en este tomo; sobre los componentes árabes, pág. 97 sigs.

Notorios comienzos de una explicación científica de las palabras se hallan ya, ciertamente, en las obras de Duarte Nunes de Leão (1606) y de Bluteau (1712). Pero sólo con los conocimientos difundidos por Diez a través de su *Etymologisches Wörterbuch der romanischen Sprachen* (1854) recibió la investigación léxica del portugués un fundamento seguro. Todavía llevan el sello de esta obra las opiniones etimológicas del laudable *Dicionário manual etimológico da língua portuguesa* (Lisboa, 1890) de F. ADOLFO COELHO, aunque la historia léxica románica había hecho entretanto progresos considerables. Muchas de las explicaciones de Coelho eran ya entonces anticuadas. Su diccionario da sólo cortas indicaciones. Se tiene de él la impresión de una precipitada compilación, carente de un método crítico [236].

Los verdaderos progresos fueron alcanzados alrededor del cambio de siglo, en muchos pequeños trabajos que arrojaron nuevas luces sobre cuestiones particulares de etimología. En este sentido deben nombrarse honoríficamente los nombres de Leite de Vasconcelos, Carolina Michaëlis, Jules Cornu, Gottfried Baist y Hugo Schuchardt. Valiosas comprobaciones encerraban también las *Apostilas aos dicionários portugueses* de GONÇALVES VIANA (1906). En sus *Lições de filologia* (impresas: Lisboa, 1946), págs. 257-326, analizó CAROLINA MICHAËLIS las diversas fuentes del vocabulario lusitano, es decir, los elementos ibéricos, celtas, griegos, orientales, germánicos y árabes, como también los préstamos modernos (sin las bases latinas).

Una nueva síntesis de los conocimientos alcanzados hasta entonces fue intentada por ANTENOR NASCENTES en el *Dicionário etimológico da língua portuguesa* (Río de

---

[236] Cfr. SERAFIM SILVA NETO en BF, X, 1949 (=*Miscelánea Coelho*, I), pág. 5.

Janeiro, 1932). Esta obra se basa en el estado de las investigaciones correspondiente a la primera edición del *Romanisches Etymologisches Wörterbuch* (REW) de W. MEYER-LÜBKE (1911 †). Es una obra de consulta, útil, pero los propios frutos críticos del autor son muy limitados. Investigaciones modernas, que habían sido hechas entre 1910 y 1930, fueron casi siempre desconocidas por el autor [237]. Para el estado actual de las investigaciones no se puede desatender la nueva edición del REW del año 1935: trae, frente al diccionario de Nascentes, considerables progresos. Muchas correcciones y adiciones al respecto fueron suministradas por J. PIEL, *Notas à margem do 'Romanisches etymologisches Wörterbuch'*, en *Biblos,* VIII (1932), págs. 379-392; IX, págs. 244-262 y X, págs. 124-140.

De PIEL tenemos, además, toda una serie de valiosas misceláneas y estudios sueltos sobre problemas etimológicos, en *Biblos,* XIV, XX y XXI; en RPF, I; en BF, X; en LP, XIV, XV y XVI [237a]. Importantes principios metodológicos para la investigación etimológica discute RODRIGO DE SÁ NOGUEIRA en *Crítica etimològica,* BF, VIII, 1947, págs. 1-56; IX, págs. 197-228 y 321-339 y X, págs. 197-228; publicadas también independientemente como libro (Lisboa, 1949). Esta serie de artículos es también importante para la aclaración de voces españolas de origen portugués. Otras valiosas observaciones debemos a los estudios de M. L. Wagner, J. Corominas, Y. Malkiel, J. Inés Louro y J. da Silveira.

---

[237] Ver sobre esto EDUARDO DE LISBOA, *O dicionário do Sr. Nascentes e o REW* (Río de Janeiro, 1937); MANUEL DE PAIVA BOLÉO, en *Introdução ao estudo da filologia portuguesa* (Lisboa, 1946), pág. 50.

[237a] Estos estudios, aumentados por otros artículos, todos revisados, se encuentran reproducidos en la *Miscelânea de etimologia portuguesa e galega* (Coimbra, 1953).

Sobre los elementos presumiblemente prerromanos, bastante numerosos en portugués, véase S. DA SILVA NETO, *História da língua portuguêsa* (Río de Janeiro, 1952, págs. 277-307), donde el autor da una lista de 78 voces que sobreviven de lenguas desaparecidas.

Para los elementos germánicos del portugués referimos especialmente —fuera de la *Romania Germanica* de E. GAMILLSCHEG, I (ver arriba pág. 96)— al estudio de J. M. PIEL, *Westgotisches Spracherbe in Spanien und Portugal,* DKLV, XVIII, 1943, págs. 171-188, también en versión portuguesa, *O património visigodo da língua portuguesa* (Coimbra, 1942). — Sobre los elementos árabes se deben consultar las mencionadas obras de Dozy-Engelmann y A. Steiger (véase pág. 102). Nuevos resultados comunicaron los trabajos de M. L. WAGNER, *Sôbre alguns arabismos do português,* en *Biblos,* X, 1934 (con los correspondientes *Aditamentos,* ib., XVII, 1941), del CONDE DE FICALHO, *O elemento árabe na linguagem dos pastores alentejanos,* en la revista *A Tradição,* I, 1900, y de JOSÉ PEDRO MACHADO, *Comentários a alguns arabismos do dicionário de Nascentes,* BF, VI, 1940, págs. 225-328[238]. Defectuosa en su método y en sus bases científicas es la obra en dos tomos de MIGUEL NIMER, *Influências orientais na língua portuguêsa: Os vocábulos árabes, arabizados, persas e turcos* (São Paulo, 1943). Por su excelente método científico se distingue la citada monografía de M. L. WAGNER (*Biblos,* X). — Una corta catalogación de los préstamos franceses se halla en la monografía de ELZA PAXECO, *Galicismos arcaicos* (Lisboa, 1949), cuyo valor reside más en el examen de las influencias literarias que en el análisis del material lingüístico.

[238] Comp. del mismo autor el artículo *Influência arábica* en RP, XVI y XVII (1950-51).

Un análisis muy substancioso de las diversas fuentes del léxico portugués (substrato prerromano, elementos latinos, germánicos y árabes) se halla en la *História da língua portuguêsa* de S. DA SILVA NETO (Río de Janeiro, 1952 sigs.), págs. 275 sigs.

Una fructífera actividad se ha desarrollado en los últimos 10 años en el terreno de la onomasiología. Al respecto destacamos: K. JABERG, *Les noms de la balançoire en portugais,* RPF, I, 1948, págs. 1-43; el estudio de J. DA SILVEIRA sobre los nombres portugueses de la tolva de molino (*moega*) en RPF, I, 1948, págs. 391-405 [239], y el de CLAUDIO BASTO sobre las designaciones de las pinochas en RL, XIX, 1916, págs. 258-269; el artículo de J. M. PIEL sobre los nombres de la codorniz en RP, XIV, 1949, págs. 58-63; el artículo de HEINZ KRÖLL, *Ein Beitrag zur portugiesischen Wortgeschichte,* RF, LXII, 1950, págs. 32-66, que investiga la gama extraordinariamente rica de las expresiones para 'zurrar' (*bater, sovar*) y 'zurra' (*sova, pancada*).

FRANCISCO DA SILVEIRA BUENO, en su *Tratado de semântica geral aplicada à língua portuguesa do Brasil* (São Paulo, 1947), trata de manera expresiva los motivos que conducen a la renovación del vocabulario, como también las causas de las modificaciones semánticas, a base de las teorías expuestas para otros idiomas, valiéndose de un interesante material ilustrativo. Carácter más elemental tiene la introducción a la evolución semántica de M. SAID ALI, *Língua portuguesa: Meios de expressão e alterações semânticas* (Río de Janeiro, 1930), que pone de relieve los medios de expresión metafóricos. Un terreno especial de la semántica investiga M. DE PAIVA BOLÉO

---

[239] Cfr. el estudio de M. L. WAGNER, citado en la pág. 117, que extiende el tema tratado por Silveira a todo el dominio iberorrománico.

en su trabajo *A metáfora na língua portuguesa corrente*, en *Biblos*, XI, 1935, págs. 187-223. Sobre la despersonalización de los nombres propios de persona tenemos el trabajo de MARIA DO CÉU NOVAIS FARIA, *Passagem de nomes de pessoas a nomes comuns em português* (Coimbra, 1943).

Las fuentes onomatopéyicas de la creación de palabras son investigadas en el fundamental trabajo de R. DE SÁ NOGUEIRA, *Estudos sobre as onomatopeias* (Lisboa, 1950), que reúne, en su mayor parte, artículos que habían aparecido antes en BF (IV y IX). En el libro *As onomatopeias e o problema da linguagem* (Lisboa, 1950) ha proseguido el mismo autor sus estudios, en un plano más teórico y desde el punto de vista de la lingüística general.

Sobre el origen de los nombres portugueses de los días de la semana (*segunda feira*, etc.) tuvo lugar una interesante discusión entre W. GIESE (BF, VI, 1939, págs. 197-203 y *Biblos*, XVI, págs. 655 sigs.), M. DE PAIVA BOLÉO, *Os nomes dos dias da semana em português* (Coimbra, 1941) y G. ROHLFS, BF, X, 1949, págs. 88-94.

Muchas indicaciones sobre artículos que se ocupan de determinados problemas etimológicos de la lengua lusitana contiene la mencionada (pág. 278) bibliografía de Manuppella, págs. 131-152.

De fundamental importancia metódica es el artículo de M. L. WAGNER, *Disquisições etimológicas sobre algumas palavras portuguesas* (RPF, VI, 1953, págs. 1-35). Sobre los métodos de la investigación etimológica, véase también pág. 116 sigs.

MANUALES DE ENSEÑANZA

Como primera introducción práctica al idioma portugués es especialmente recomendable, en Alemania, la pequeña *Portugiesische Sprachlehre* por LUISE EY, revisada por FRITZ KRÜGER (Heidelberg, 1949). Quien se quiera familiarizar de manera más seria con la lengua lusitana encuentra un manual de enseñanza más completo en la *Portugiesische Konversations-Grammatik* de LUISE EY, reelaborada por FRITZ KRÜGER (Heidelberg, 1939). Ambas obras toman como base el uso del portugués, pero también ambas dan indicaciones sobre las divergencias que rigen en Brasil. La *Konversations-Grammatik* se distingue —fuera de su gran veracidad práctica— por un notable espíritu científico. Una introducción al portugués culto hablado en Brasil, para fines comerciales, es *O Brasileiro, Lehrbuch der portugiesischen Sprache* por G. EILERS (Heidelberg, 1930). Sin embargo, la obra no destaca nítidamente las diferencias lingüísticas entre el Brasil y Portugal, ni tampoco corresponde a la realidad la autonomía idiomática del 'brasileiro' afirmada aquí (cfr. pág. 333).

En cuanto a textos de enseñanza destinados a otros países, nombraremos:

PILAR VÁZQUEZ CUESTA y MARÍA ALBERTINA M. DA LUZ, *Gramática portuguesa.* Madrid, 1949. [Muy digna de recomendación].

R. Foulché-Delbosc, *Abrégé de grammaire portugaise.* París, 1894. [Contiene una buena exposición de la pronunciación].

Joseph Dunn, *A grammar of the Portuguese language.* Londres, 1930. [Una de las mejores gramáticas para extranjeros. Trae mucho material descriptivo. Segura y de clara disposición. Presta también atención a fenómenos del habla popular. Caracteriza eficazmente las diferencias entre la lengua de Portugal y la del Brasil].

Carlo Tagliavini, *Grammatica elementare della lingua portoghese.* Heidelberg, 1938. [No sólo sirve, de modo muy seguro, para el aprendizaje práctico del idioma, sino que ofrece igualmente una visión del nacimiento del portugués a partir del latín].

Carlo Tagliavini y Alberto Menarini, *Il portoghese per l'italiano autodidatta: come si parla in Portogallo e in Brasile.* Florencia, 1952. [Método claro y seguro].

El buen uso de la lengua portuguesa está prescrito en la muy extensa *Gramática normativa da língua portuguêsa* (Curso superior) por Francisco da Silveira Bueno (São Paulo, 1944). Fines prácticos persigue el *Manual da língua portuguesa* (Lisboa, 1931) de José Guerreiro Murta: este libro ofrece un bosquejo de la gramática lusitana, seguido de observaciones sobre terminología, dificultades gramaticales, ortografía y formas de la exposición estilística y de la correspondencia. De orientación análoga, pero de fundamentos científicos más estrictos son las *Questões de linguagem* (3 tomos, Lisboa, 1934-36) de Rodrigo de Sá Nogueira, que instruyen, en tono de charla filológica, sobre litigios lingüísticos, incorrecciones, peculiaridades sintácticas y finezas estilísticas. El mismo objeto se propone I. XAVIER FERNANDES, *Estudos de linguística* (Porto, 1939) [240]. También las *Lições de linguagem* (3 tomos, Porto, 1937-38) de AUGUSTO MORENO contienen prescripciones sobre muchos puntos lingüísticos y ortográficos, en forma de preguntas y respuestas.

Muy de lamentar es la falta de una introducción a los recursos idiomáticos expresivos del portugués (fraseología), apropiada para extranjeros.

---

240 Cfr. también, VASCO BOTELHO DE AMARAL, *Subtilezas, máculas e dificuldades da língua portuguesa* (Lisboa, 1946).

GRAMATICAS CIENTIFICAS

Entre las obras antiguas de fines científicos, la *Grammatik der portugiesischen Sprache auf Grundlage des Lateinischen und der romanischen Sprachvergleichung* (Estrasburgo, 1878) por K. VON REINHARDSTÖTTNER estaba ya desde su aparición por debajo del nivel alcanzado entonces por la investigación. Tampoco la *Grammática portugueza elementar fundada sobre o méthodo histórico-comparativo* (Porto, 1877) de THEOPHILO BRAGA, publicada poco tiempo antes, correspondía a las exigencias de su época. Sobre un plano más alto, en sentido metodológico y científico, están los trabajos de F. ADOLFO COELHO. Mérito suyo es, en la monografía *A língua portugueza* (Coimbra, 1868), haber aplicado por primera vez a la fonética histórica portuguesa los nuevos conocimientos lingüísticos, siguiendo las huellas de Friedrich Diez. Posteriormente dio el autor horizontes más amplios a esta investigación, en una nueva edición completamente refundida: *A língua portugueza, Noções de glottologia geral e especial portugueza* (Porto, 1887), en la cual trae una introducción a la lingüística general, bosquejando asimismo la historia del portugués culto y analizando las fuentes del léxico. Son importantes también sus *Questões da língua portuguesa* (Porto, 1874) [241], que contienen interesantes y modernas observaciones lingüísticas.

241 El tomo II de esta obra abarca una antología de documentos medievales latinos y textos portugueses antiguos.

Más sistemática, crítica y completa es la exposición (fonética y morfología) de la lengua lusitana hecha por JULES CORNU en *Gr. Gr.*, I, 1888, págs. 715-803; en la segunda edición de esta obra (1904 sigs.), págs. 916-1.037. Esta síntesis lingüística fue, para su época, una labor muy apreciable; aún hoy continúa poseyendo todo su valor. Para la enseñanza secundaria está destinada la algo elemental *Gramática histórica da língua portuguesa* (Lisboa, 1901) por ANTÓNIO GARCIA RIBEIRO DE VASCONCELOS. Una *Historia da língua portuguesa* proyectada por LEITE DE VASCONCELOS no llegó a ver la luz. Fragmentos preliminares de esta obra aparecieron en los tomos XXV, XXXII, XXXIII, XXXVII, y XXXVIII de la RL (1923-1940). Las *Lições de filologia portuguesa* (Lisboa, 2ª ed., 1926) del mismo autor tienen el valor de una introducción a la historia lingüística lusitana y a los diversos campos de trabajo filológico (fonética histórica, onomástica, onomasiología, dialectología y etimología). Cuestiones de las lenguas culta y popular, de etimología y de lingüística general ha tratado Leite de Vasconcelos en los tomos I y IV (*Filologia*) de sus *Opúsculos* (Coimbra, 1928-29). También CAROLINA MICHAËLIS DE VASCONCELOS discute, en sus *Lições de filologia portuguesa* (Lisboa, 1946), problemas fundamentales de la historia lingüística portuguesa (relación con el latín vulgar, formación de palabras, fuentes del léxico). Fines de enseñanza secundaria persiguen las *Lições de português* por A. F. DE SOUSA DA SILVEIRA (Río, 1934), de orientación lingüístico-histórica.

Un alto nivel científico distingue al *Compêndio de gramática histórica portuguesa* (Lisboa, 1919, 3ª ed., 1945) de JOSÉ JOAQUIM NUNES: ofrece el tratamiento más extenso y digno de confianza de la fonética (págs. 19-206) y de la morfología (págs. 209-429) sobre base histórica [242]. Una clara exposición de las conquistas seguras de la fonética histórica y de la morfología nos da E. B. WILLIAMS, *From Latin to Portuguese* (Filadelfia, 1938). Carácter predominantemente descriptivo tiene la *Gramática histórica da língua portuguesa* (San Paulo, 1921; 2ª ed., 1931) por M. SAID ALI [243]. El núcleo de esta obra —cuyos fines históricos se limitan a incluir (con citas exactas) los siglos anteriores— lo constituye el análisis de la morfología y de la sintaxis. A la enseñanza secundaria está también destinada la muy útil *Gramática histórica da língua portuguesa* por F. J. MARTINS SEQUEIRA (Lisboa, 1936).

El *Altportugiesisches Elementarbuch* de J. HUBER (Heidelberg, 1933) trata la fonética, la morfología, la sintaxis y algunas pocas cosas relativas a la formación de palabras. Da, además, una pequeña selección de textos medievales. La obra registra las formas documentadas y las construcciones gramaticales, pero sin ahonde científico, es decir, sin ordenarlas dentro de la historia evolutiva del portugués [244]. No muy alto nivel tienen los *Aspectos do português arcaico* por F. J. MARTINS SEQUEIRA (Lisboa, 1943), reproducidos en la revista *Liceus de Portugal,* años 1943-1945.

Todas estas obras están hoy día superadas por la *História da língua portuguêsa* (Río de Janeiro, 1952 sigs.)

---

242 Cfr. también, del mismo autor, el corto bosquejo de gramática histórica publicado en la *Crestomatia arcaica,* 3ª ed., Lisboa, 1943, págs. XIX-CXXVII.

243 El libro anterior de SAID ALI, *Formação de palavras e sintaxe do português histórico* (1923), ha sido incluído en la nueva edición de la *Gramática histórica.*

244 Comp. sobre esto los comentarios de H. MEIER en ZRPh, LVII, 1937, págs. 629-633 y R. LAPA en RL, XXXIV, 1936, págs. 301-312; este último aporta muchas correcciones.

de Serafim da Silva Neto, que examina críticamente, a base de un muy extenso material, todas las fuentes e influencias que han conducido al surgimiento y desarrollo de la lengua lusitana. El valor particular de este libro —equipado ricamente con referencias bibliográficas, si bien aún inconcluso— radica en que coloca al portugués dentro de la evolución románica general, ofreciendo importantes comprobaciones a través de la confrontación con los demás romances.

FONETICA HISTORICA

El fonetismo portugués se diferencia del castellano por haberse quedado detenido, en muchos fenómenos, en una etapa lingüística anterior, p. e. *eira* < AREA (*era*), *sóuto* < SALTU (*soto*), *feito* (*hecho*), *teixo* (*tejo*), *filho* (*hijo*), *caṡa* (*casa*). En otros casos ha escogido el portugués vías evolutivas individuales, p. e. en la desaparición de *l* y *n* intervocálicas. En cuanto a la *l*, el desarrollo parte de una *l* velar, que pasó primero a *w* (*celo* > **cewo* > *ceo*); en el segundo caso, hay que suponer como resultado intermediario nasalización de la vocal precedente: MONETA > **mõeda* > *moeda*. Otro rasgo arcaico del portugués, frente al español, lo constituye el hecho de haber guardado, junto a los resultados de la inflexión por *i*, todavía algunas huellas de una vieja inflexión por *u*, p. e. los neutros *isso* (junto a *esse* masc.), *isto* (junto a *este* masc.), *tudo* (junto al masc. *todo*), *jôgo* y *ôsso* al lado de *jǫgos* y *ǫssos*, *mêdo* y *Pêdro* al lado de *sęga* y *pędra*[245].

La carencia de excepciones, postulada en el pasado por los neo-gramáticos a propósito de las leyes fonéticas, aparece hoy como ilusoria, según lo ha comprobado la investigación moderna. Actualmente sabemos que precisamente en la Península Ibérica se llegó a importantes concesiones entre el habla popular y el antiguo latín culto, con provecho ya de una tendencia, ya de la otra.

---

245 No toda *-u* final latina ejercía esta acción; véase al respecto H. LAUSBERG en ZRPh, LXVII, 1951, págs. 319 sigs.

La evolución de la *l* ante consonante ilustra la inestabilidad de la ley fonética: aquí tenemos el desarrollo regular en *outro, souto, poupa,* frente al tratamiento conservador en *alçar, algum, salvo, alto* (aunque en topónimos *Montouto, Valouta*). También la amplia conservación de la *u* latina en *mundo, segundo, curto, surdo* y *urso* (frente a los it. *mondo, secondo, corto, sordo* y *orso*) debe hallar su explicación en las influencias cultas.

Las coincidencias y divergencias fundamentales en la evolución fonética de los romances ibéricos han sido examinadas, en una clara ojeada, por A. R. Gonçalves Viana en la RH, I, 1894, págs. 1-21, en un artículo aún hoy digno de lectura. Una exposición sistemática del desarrollo fonético se halla en los mencionados (pág. 312 sigs.) trabajos de Cornu, Nunes, Williams y Silva Neto. La fonética histórica contenida en el *Altportugiesisches Elementarbuch* (Heidelberg, 1933) de Joseph Huber padece de un rígido esquema de reglas; el autor atribuye demasiada significación a las leyes fonéticas y, en cambio, no concede la suficiente atención a los factores sociales. El artículo de Joseph M. Piel, *Da evolução dos grupos consonânticos com l em português* (*Biblos,* VII, 1931, págs. 512-521), refleja los progresos alcanzados en los últimos decenios en la explicación de procesos fonéticos, sobre la base de las múltiples dependencias de la marcha lingüística.

En cuanto a artículos especiales de importancia, señalemos aún:

J. M. Piel, *Considerações sôbre a metafonia portuguesa,* en *Biblos,* XVIII, 1942, págs. 365-371.

Friedrich Schürr, *Beiträge zur spanisch-portugiesischen Laut- und Wortlehre,* RF, LIII, 1939, págs. 27-40.

[Trata cuestiones relativas a la inflexión y a la diptongación].

Rodrigo de Sá Nogueira, *Subsídios para o estudo das consequências da analogia em português.* Lisboa, 1937. [Ofrece expresivos ejemplos de la acción de asociaciones lingüísticas de carácter fonético, morfológico y sintáctico].

Rodrigo de Sá Nogueira, *Subsídios para o estudo da assimilação em português,* BF, I, 249-272; II, 153-172, 241-274 y III, 77-98.

Rodrigo de Sá Nogueira, *Subsídios para o estudo da dissimilação em português,* BF, V, 1937, págs. 114-162.

PRONUNCIACION PORTUGUESA

La mayor dificultad en el aprendizaje del portugués la constituye la pronunciación. Su carácter acústico general, comparado con los sonidos duros y agudos del español, es el de una lengua sumamente blanda y melodiosa, que puede adaptarse con particular efusión a los estados afectivos y sentimentales[246]. Ya esta cadencia especial, que supone una constitución propia de la voz (*'Umlegstimme'*), hace difícil para el extranjero el manejo de tal idioma[247].

A esto se agrega que la pronunciación portuguesa se ha alejado considerablemente de la ortografía tradicional, p. e. en el cambio de las vocales átonas *o* y *e* a *u* e *i*, respectivamente, y en el paso de la *s* final a *š*. De manera que en realidad *os tejolos*, por ejemplo, se pronuncia *uš tižóluš*. A pesar de que este idioma no realizó los antiguos diptongos románicos (esp. *bueno, tierra,* it. *uovo, piedi*), es extraordinariamente rico en fenómenos diptongales (posteriores), que frecuentemente no se reflejan en la escritura, p. e. *muito* (*mũĩtu*), *feijão* (*faižãu*), *jóvem*

---

246 Comp. la caracterización dada por GONZAGUE DE REYNOLD (Portugal, 1937): "Le tempérament portugais est plus faible, plus féminin et plus influençable que l'espagnol et surtout le castillan ... Le génie portugais est peu critique, lyrique en revanche, et sentimental".

247 El hecho de que los portugueses hablan relativamente bajo y no se esfuerzan por articular claramente es un obstáculo para la comprensión de esta lengua por parte de los extranjeros.

(*žòvãi*), *Belem* (*belãi*) [248]. La grafía *l* tiene tres pronunciaciones completamente diferentes: *l* postdental al comienzo de palabra (*lobo*) y tras consonante (*flor*), *l* alveolar entre vocales (*falar*), y *l* velar ante consonante (*alto*) y al fin de palabra (*sol*).

Por otra parte, el debilitamiento de las vocales átonas produce contracciones que dificultan, frente a la escritura, la comprensión de la palabra hablada, p. e. *set štoiš* (*sete tostões*), *fliš* (*feliz*), *sk̡èriš* (*se queres*). La caída de la vocal átona final ocasiona desonorización de la consonante sonora precedente: *ubrigát* (*obrigado*), *ǐšpošènt* (*Esposende*). Las asimilaciones embrollan el aspecto de las palabras que es corriente en la escritura; p. e. *urríuš* (*os rios*), *mai naδa* (*mais nada*).

Entre las vocales notables del portugués, las formadas en el paladar central ('Mittelzungenlaute'), especialmente, ofrecen al extranjero una cierta dificultad. Un timbre claro distingue a la *a* ante nasal intervocálica (*cantamos, cama, manha*). Una vocal palatal media de carácter acústico reducido es también la *a* átona en posición pretónica o final (*fraqueza, maneira, filha*).

El fundador de la fonética científica en Portugal fue A. DOS REIS GONÇALVES VIANA. De él tenemos una descripción muy exacta de los sonidos portugueses y un análisis de las modificaciones fonéticas: *Essai de phonétique et de phonologie de la langue portugaise d'après le dialecte actuel de Lisbonne,* Rom., XII, 1883, págs. 29-98; vuelto a publicar en BF, VII, 1941, págs. 161-243. En el manual *Portugais: Phonétique et phonologie, morphologie, textes* (Leipzig, 1903) ofreció el mismo autor una

---

248 En el Norte del país (Minho) se oyen *vierde* (*verde*), *vivier* (*viver*), *sieda* (*seda*), *puoço* (*poço*), *tuoda* (*toda*). Para estos comienzos de una ola de diptongación, véase H. LÜDTKE en VR, XIV, 1954, págs. 230 sigs.

refundición de este estudio completada con textos en transcripción fonética, que reflejan fielmente los fenómenos de fonética sintáctica [249]. Sin embargo, sus transcripciones ya no corresponden hoy exactamente al estado de la pronunciación. Sobre las modificaciones en el timbre de las vocales átonas causadas por fonemas vecinos trata G. ROLIN, *Beiträge zur Kenntnis portugiesischer Orthoepie, Archiv,* CXXV, 1911, págs. 373-392.

Las siguientes obras contienen los modernos resultados de la investigación:

JOAQUIM JOSÉ DE OLIVEIRA GUIMARÃES, *Fonética portuguesa.* Coimbra, 1927.

RODRIGO DE SÁ NOGUEIRA, *Elementos para um tratado de fonética portuguesa.* Lisboa, 1938. [Trata asuntos de fonética, de fonética histórica y de creación onomatopéyica de vocablos. Desatiende las finezas del portugués familiar moderno. El alfabeto fonético en que se basa el autor padece de distinciones minuciosas y exageradas].

RODRIGO DE SÁ NOGUEIRA, *Tentativa de explicação dos fenómenos fonéticos em português.* Lisboa, 1941. [Introducción a la fonética general, unida a un análisis de las principales mutaciones fonéticas].

HEINRICH WENGLER, *Bemerkungen zur Aussprache des heutigen Portugiesischen,* NSp, XXXIV, 1926, págs. 456-459. [Contiene buenas observaciones].

ARMANDO DE LACERDA, *Características da entoação portuguesa.* Coimbra, 1941-1948, también en *Biblos,* XVI, XVII, XIX, XX, XXI, (1940-1945). [Muy de-

---

249 Valiosas contribuciones sobre problemas especiales de pronunciación portuguesa suministró GONÇALVES VIANA en los años 1890-1908 del *Maître Phonétique;* cfr. también su *Vocabulario ortográfico e ortoépico da língua portuguesa* (Lisboa, 1909).

tallado análisis de la entonación, en las distintas formas del habla en portugués, con fina clasificación terminológica].

ARMANDO DE LACERDA, *Análise de expressãos sonoras da compreensão.* Coimbra, 1950. [Examen fonético-experimental de los aspectos de expresión. Los resultados obtenidos son vagos e inseguros].

GÖRAN HAMMARSTRÖM, *Études de phonétique auditive sur les parlers de l'Algarve.* Uppsala, 1953. [El trabajo trata de determinar, con ayuda de un método indirecto de transcripción, la relación que guardan los sonidos de Algarve respecto al portugués normal. La valoración fonética y fonológica del material presentado nos ofrece sólo modestos resultados].

F. NOBILING, *Die Nasalvokale im Portugiesischen,* NSpr., XI, 1903, págs. 129-153. [Investiga principalmente la pronunciación brasileña].

Un intento de interpretar el sistema fonético del portugués a la luz de los modernos principios estructurales y sobre la base de la pronunciación brasileña constituye el trabajo de J. MATTOSO CÂMARA, *Para o estudo da fonêmica portuguêsa* (Río de Janeiro, 1953). El segundo capítulo de este libro había sido publicado ya bajo el título *Os fonemas em português,* BFR, IX, págs. 1-30; cfr. sobre esto H. LÜDTKE en BF, XII, 1951, págs. 353-355.

Muchas otras referencias sobre trabajos relativos a la fonética del portugués trae la bibliografía de Manuppella (ver pág. 278), págs. 101-106.

La evolución de la fonética científica en Portugal ha sido tratada por FRANCIS MILLET ROGERS, *Gonçalves Viana and the study of Portuguese Phonetics,* BF, VII, 1944, págs. 17-29.

ORTOGRAFIA

Como sucedió en todos los idiomas neolatinos, también aquí se presentó ya en el Medioevo la dificultad de tener que expresar los nuevos sonidos con los signos de escritura tradicionales. Los textos medievales se caracterizan por su ortografía notablemente extravagante e inconsecuente. Sobre esto informa el trabajo de RUTH DOMINCOVICH, *Portuguese orthography to 1500* (tesis doct., Pensilvania, 1948). Aunque menos caprichosa, la ortografía siguió vacilando hasta la época moderna. Las diferencias políticas entre Portugal y el Brasil se reflejaron en la reglamentación de la escritura. La reforma ortográfica decretada en Portugal en 1911 no halló aceptación en el otro país. Entre los diccionarios publicados en Portugal, fue el de A. R. GONÇALVES VIANA, *Vocabulário ortográfico e remissivo da língua portuguesa* (París-Lisboa, 1912), el primero en aplicar estrictamente la nueva ortografía.

Sólo en el año de 1931 llegan Portugal y Brasil a un 'acôrdo ortográfico' que, junto con los convenios suplementarios de los años 1943 y 1945, allanó las últimas diferencias y condujo a una reforma ortográfica unitaria 'para a unidade, ilustração e difesa do idioma comum'. La importancia de esta convención ortográfica ha sido expuesta por REBELO GONÇALVES en su *Tratado de ortografia da língua portuguesa* (Coimbra, 1947), discutiendo también muchos problemas de carácter etimológico y morfológico [250]. La nueva ortografía oficial se halla puntualizada en el *Vocabulário ortográfico resumido da língua portuguesa* de la Academia das Ciências de Lisboa (Lisboa, 1947), que no es, sin embargo, absolutamente completo. Un carácter preceptivo análogo tiene en Brasil el *Pequeno vocabulário ortográfico da língua portuguesa* de la Academia Brasileira de Letras (Río de Janeiro, 1943); comp. MÁRIO M. MARTINS, *Ortografia: Comentários à margem do 'Pequeno vocabulário ortográfico da língua portuguesa'* (Río de Janeiro, 1944).

Una corta ojeada sobre la historia de la ortografía portuguesa da J. J. NUNES en su *Compêndio de gramática histórica portuguesa* (Lisboa, 1945), págs. 200-206.

Más indicaciones bibliográficas sobre la regularización de la ortografía se hallan en la mencionada (pág. 278) bibliografía de MANUPPELLA, págs. 99-101.

---

[250] Comp. también RIBEIRO COUTO, *Tratado de ortografia da língua portuguesa,* Coimbra, 1947. Este libro trae en apéndice el decreto oficial con todos los textos suplementarios.

MORFOLOGIA

Exposiciones sistemáticas de la morfología, sobre base histórica, se hallan en la contribución *Die portugiesische Sprache* de JULES CORNU, *Gr. Gr.*, I, 1888, págs. 788-803, 2ª ed., págs. 1.009-1.037, como también en los ya mencionados libros de NUNES, ENTWISTLE, HUBER y SAID ALI. Un cuidadoso análisis comparativo de la conjugación nos da F. ADOLPHO COELHO, *Theoria da conjugação em latim e portuguez* (Lisboa, 1871). Novedosas observaciones comunica J. M. PIEL, *A flexão verbal em português*, en *Biblos*, XX, 1944, págs. 359-404. Sobre la acción de la analogía trata el artículo de H. MEIER, *A evolução dos pretéritos fortes em português* (en: *Ensaios de filologia românica*, 1948, págs. 31-54). Numerosos documentos relativos a la flexión verbal en portugués antiguo encierran los glosarios del *Cancioneiro da Ajuda* (ed. Car. Michaëlis, ver pág. 300) y de la edición de la *Demanda do Santo Graal* por Augusto Magne (t. III, Río de Janeiro, 1944). En el *Dicionário de verbos portugueses conjugados* (Lisboa, 1945) por R. DE SÁ NOGUEIRA, se halla la flexión completa de cerca de 350 verbos.

La formación de palabras en portugués es rica en elementos originales. Señalemos el sufijo verbal *-iscar* (*choviscar, mordiscar, lambiscar*), los gentilicios en *-engo* (*mertolengo, çumarengo*), el aumentativo *-alhão* (*brandalhão*), el aumentativo *-arrão* (*macharrão*), el diminutivo *-ipo* (*folipo*), etc. Un buen compendio de los elementos de la formación de palabras en portugués trae

J. J. NUNES en su *Compêndio de gramática histórica portuguesa* (Lisboa, 1945), págs. 373-429. A los elementos usuales de la lengua culta se limita la exposición de la 'formação de palavras' en la *Grammatica historica* de M. SAID ALI (São Paulo, 1931). Problemas especiales importantes de la formación de palabras trata CAROLINA MICHAËLIS en sus *Lições de filologia portuguesa* (Lisboa, 1946), págs. 29-95. Interesantes materiales concernientes a la formación de los 'nomes étnicos' ofrece J. LEITE DE VASCONCELOS en la *Miscelânea de estudos em honra de D. Carolina Michaëlis de Vasconcelos* (Coimbra, 1933). Ejemplares desde el punto de vista metodológico son los sondeadores estudios sobre sufijos que debemos a la pluma de M. L. WAGNER, que se extienden a toda la Hispania (ver arriba pág. 153). El mismo autor nos da interesantes ejemplos del valor y del uso del sufijo afectivo *-inho* en *Orbis,* I, 1952, págs. 460-476. Sobre el sufijo prerromano *-ouco* (*cabouco, penouco*) trata, desde el punto de vista léxico-etimológico, J. HUBSCHMID en RPh, VIII, 1954, págs. 12-26. De JOSEPH H. D. ALLEN JR., *Portuguese word-formation with suffixes* (Baltimore, Linguistic Society of America, 1941), tenemos una seca colección de materiales, muy atrasada en relación con el estado de las investigaciones en su tiempo.

Muchos otros trabajos sobre problemas especiales de morfología y de la formación de palabras se hallan registrados en la bibliografía de MANUPPELLA (ver arriba pág. 278), págs. 106-111.

SINTAXIS

El campo de la sintaxis está extensamente representado en la gramática histórica de SAID ALI (ver pág. 313). En el *Altportugiesisches Elementarbuch* de JOSEPH HUBER (ver pág. 313) esta disciplina abarca las págs. 248-290. En tal obra padece la presentación de los problemas de un formalismo ahistórico, haciéndonos echar de menos los frutos producidos por la moderna investigación sintáctica. Importantes fuentes primarias para los estudios de sintaxis portuguesa antigua constituyen los glosarios del *Cancioneiro da Ajuda* (ed. Car. Michaëlis, ver pág. 300) y de la edición de la *Demanda do Santo Graal* hecha por Augusto Magne (t. III, Río de Janeiro, 1944). Valiosas contribuciones sobre la sintaxis del habla popular lusitana contienen los *Estudos da língua portuguêsa* (2 tomos, Lisboa, 1907 y 1913) por JÚLIO MOREIRA. Tienen profundidad histórica y aclaran los vínculos con el latín y con otros romances. Orientación más descriptiva que histórica posee la *Sintaxe histórica portuguesa* (Lisboa, 2ª ed. 1933) por A. E. DA SILVA DIAS. Es útil por su rico material de ejemplos, citados con exactitud y tomados principalmente de los siglos primitivos.

Los progresos metodológicos en el terreno de la investigación sintáctica habrán de buscarse en el tratamiento sistemático de cuestiones especiales. En qué grado se han refinado aquí, en los últimos 60 años, los medios de consideración histórica, lingüístico-comparativa, psicológica y crítico-estilística, es cosa que se reconoce en las diversas investigaciones que, a partir del artículo de CAROLINA MICHAËLIS (RF, VII, 1891, págs. 49-122) [251], se han ocupado del problema del infinitivo personal (o conjugado):

ERNST GAMILLSCHEG, *Studien zur Vorgeschichte einer romanischen Tempuslehre* (Comunicaciones de la Academia Vienesa de las Ciencias). Viena, 1913, págs. 261-280.

E. ZELLNER, *Über Gebrauch und Ursprung des konjugierten Infinitivs im älteren Gallego-Portugiesischen*. Pössneck, 1939.

HANS FLASCHE, *Der persönliche Infinitiv im klassischen Portugiesisch*, RF, LX, 1947, págs. 685-718.

H. MEIER, *A génese do infinito flexionado português*, BF, XI, 1950, págs. 115-132.

H. STEN, *L'"infinitivo impessoal' et l'"infinitivo pessoal' en portugais moderne*, BF, XII, 1952, págs. 83-142.

H. MEIER, *Infinitivo flexional portugués e infinitivo personal español*. En: *Homenaje Oroz*, 1954, págs. 267-291.

La opinión predominante relaciona la formación del infinitivo flexionado (*parece serem mais felizes*) con las repercusiones del imperfecto de subjuntivo latino. Esta concepción no ha sido demostrada con absoluta evidencia. No hay que pasar por alto que también en el napolitano del siglo XV se acuñó un infinitivo flexionado (*per posseremo contemplare*) que era completamente desconocido en los siglos anteriores. Tampoco es esencialmente diferente el uso popular francés, p. e. *je vais l'envoyer à nos*

251 Comp. la reseña al respecto de H. SCHUCHARDT, Lbl., 1892, págs. 197-206 y la propia toma de posición de la autora en KJb, IV, 1, págs. 334 sigs.

frères pour eux la voir, aunque aquí la relación personal se expresa de modo diferente[252].

Un interesante problema relativo a la teoría de los tiempos discute M. de Paiva Boléo, *O perfeito e o pretérito em português em confronto com as outras línguas românicas* (Coimbra, 1937), mostrando cómo en portugués, a diferencia de los demás romances, el antiguo perfecto simple ('pretérito') expresa o ha asumido de nuevo muchas funciones del perfecto compuesto ('perfeito'); cfr. H. Meier, RF, LIV, 1940, págs. 198-201. En otro trabajo muestra Paiva Boléo la facilidad con que se pueden mezclar las fronteras que guardan entre sí tiempos y modos: *Tempos e modos em português,* BF, III, 1934, págs. 15-36.

De las múltiples formas de cortesía y de respeto de que dispone el portugués, en particular de la forma de cortesía sustantivada, se ocupa el artículo de Harri Meier, *Die Syntax der Anrede im Portugiesischen,* RF, LXIII, 1951, págs. 95-124. El mismo autor, en el artículo *Meu pai — o meu pai,* BF, IX, 1950, págs. 175-190, investiga las sutiles diferencias que existen en el empleo del pronombre posesivo con nombres de parentesco, según que se use o no el artículo determinado. Compárese también, sobre esto, H. Meier, *Sobre expressões de possessividade e sua história,* BF, IX, 1948, págs. 55-77.

Muchas otras referencias se hallan en la bibliografía de Manuppella (ver arriba pág. 278), págs. 111-116. Véanse asimismo los trabajos nombrados en la pág. 159 de la sección española.

---

252 Comp. Kurt Lewent, *Archiv,* CXLVIII, 1924, págs. 221 sigs.

DIALECTOLOGIA Y GEOGRAFIA LINGUISTICA

Los dialectos portugueses abundan en fenómenos que ofrecen gran interés ya para el fonetista, ya para el historiador de la lengua, o bien para el estudio de los vínculos con los otros romances ibéricos. Nombraremos aquí los cambios *ū* > *ü* (Extremadura, Madeira, Azores, regiones aisladas en Algarve: *fümo, pülga, rüa*) y *oi* > *ö* en las Azores (*ķöru, nöte*), la diptongación *i* > *öi* en Madeira, la presencia de *i* y *u* en lugar de los diptongos españoles *ie* y *ue* en hablas del 'Mirandês central' (*firro, fista, sugra, ussos*) y el reemplazo de la *r* larga (*rr*) por un fonema fricativo sordo en el lisbonés vulgar (*na júa* = *na rua*).

Ya para los años alrededor de 1900 pudo ofrecer la dialectología portuguesa notables resultados. Etapas relevantes de estas investigaciones marcan los *Estudos de philologia mirandesa* (2 tomos, Lisboa, 1900-1901) y la *Esquisse d'une dialectologie portugaise* (París, 1901) por J. Leite de Vasconcelos, como también los *Dialectos algarvios* por J. J. Nunes, RL, VII, 1902, págs. 33 sigs., 104 sigs., 244 sigs. Muy ricos materiales provenientes de las hablas entre el Minho y el Duero fueron publicados por Leite de Vasconcelos[253] en el tomo IV de sus *Opúsculos* (Coimbra, 1929), págs. 593-822. Este volumen contiene también un *mapa dialectológico do continente português* (págs. 793 sigs.), que Leite había publicado ya antes

[253] Sobre la significación de Leite de Vasconcelos como dialectólogo véase S. Pop, *La dialectologie*, I (Lovaina, 1950), págs. 446-449.

(en forma algo divergente) en la *Chorographia de Portugal* (1897) de FERREIRA DEUSDADO.

Un nuevo auge ha tomado en Portugal la investigación dialectológica a partir del año 1942. Tal impulso está ligado al nombre de MANUEL DE PAIVA BOLÉO y resultó del 'Inquérito linguístico por correspondência'[254] realizado por él, que proporcionó muy extensas bases para un Atlas lingüístico lusitano. Los ricos materiales reunidos, que no han visto aún la luz pública, impulsaron notoriamente los estudios de geografía lingüística en los últimos años. En este sentido señalamos especialmente el trabajo onomasiológico de K. JABERG, *Géographie linguistique et expressivisme phonétique: Les noms de la balançoire en portugais,* RPF, I, 1947, págs. 1-43, el trabajo etnográfico-lingüístico de JOSÉ GONÇALO C. HERCULANO DE CARVALHO, *Coisas e palavras* (Coimbra, 1953), que se ocupa de las formas y nombres del 'látigo de trillar', y el de PAIVA BOLÉO, *Dialectologia e história da língua: Isoglossas portuguesas,* BF, XII, 1951, págs. 1-44, estudio de carácter fonético, que determina exactamente, por ejemplo, la demarcación entre la *č* norte-portuguesa y la *š* portuguesa común, y entre *v* y *b* (β), tomando como índices las voces *chuva* y *chave.*

Para la metodología de los estudios dialectales pueden ser útiles los siguientes trabajos:

KURT ROHNER, *Beschreibende Phonetik der Mundart von Cachopo* (Algarve orient.). Tesis doct., Zurich, 1938. [Muy detallada investigación de fonética experimental sobre fenómenos especiales en el fonetismo, como las tendencias diptongales].

---

254 Sobre organización y resultados de su 'Inquérito' informa PAIVA BOLÉO en RPF, II, 1948, págs. 474-507. Este 'inquérito' abarca la enorme cantidad de más de 1200 puntos.

FRITZ KRÜGER, *Notas etnográfico-lingüísticas da Póvoa de Varzim,* BF, IV, 1936, págs. 109-182. [Atiende particularmente a la presentación de las 'cosas', empleando el método comparativo].

J. A. CAPELA E SILVA, *Estudos alentejanos: A linguagem rústica no Concelho de Elvas.* Lisboa, 1947. [Ejemplo de la combinación de trabajo de recolección dialectal con fines etnográficos y folklóricos. Sobre las imperfecciones científicas del libro, cfr. M. L. WAGNER, VR, X, págs. 327 sigs.].

Muchos trabajos más antiguos, que contienen valiosos materiales, fueron publicados en los tomos de la RL (p. e. en los tomos XIX, XX, XXII, XXV, XXVII, XXVIII y XXXV).

Buenas observaciones sobre el portugués popular encierra la obra de JÚLIO MOREIRA, *Estudos da língua portuguesa* (2 tomos, Lisboa, 1907 y 1913). En combinación con otras muchas cuestiones, trata J. LEITE DE VASCONCELOS sobre habla popular y dialectos en los tomos I y IV de los *Opúsculos* (Coimbra, 1928-29).

La gran importancia de los dialectos para la historia lingüística general ha sido señalada por M. DE PAIVA BOLÉO, *O interêsse científico da linguagem popular,* RP, I, 1942, págs. 129-140; también en forma separada y aumentada: Lisboa, 1943.

Como trabajo previo para una futura bibliografía de la dialectología portuguesa han publicado M. DE PAIVA BOLÉO y A. GOMES FERREIRA sus *Amostras de uma bibliografia crítica dialectal portuguesa* en RPF, I, 1947, págs. 199-222. Sobre los últimos trabajos, a partir de 1930, informa la bibliografía de MANUPPELLA, págs. 122-131. Sobre el gallego, véase pág. 171.

EL PORTUGUES BRASILEÑO

La relación que existe entre el portugués brasileño y la lengua de la antigua metrópoli no es distinta a la vigente entre el habla argentina y el castellano, o entre el canadiense y el francés oficial. Frente al portugués europeo, parece haberse quedado detenido, en general, en una etapa anterior de la evolución lingüística. Así se explican las pronunciaciones *uś murus* frente a port. *už murusˇ*, *seis peras* frente a port. *seiš peraš, us cristãus,* frente a port. *uš crištãuš* y también la conservación de *e* y *o* en sílaba pretónica, p. e. *escuro, português* frente a port. *iškuru, purtugueš*. No obstante, el brasileño ofrece también fenómenos (especialmente en el habla de las clases inferiores) que, en comparación con el portugués, indican procesos evolutivos más recientes. A ellos pertenece la reducción de *lh* a *i* y la caída de la *r* final, p. e. *fôia* 'fôlha', *falá* 'falar', *muié* 'mulher'. En el brasileño vulgar se presentan los cambios *mb* > *m* y *nd* > *n,* p. e. *tamén, quano, tomano* = *tomando.*

Muchos otros elementos, que han sido considerados (en América) como típicamente brasileños, se presentan también en Portugal, con extensión regional o dialectal, si bien no pertenecen a la buena pronunciación. La comparación entre los dos tipos lingüísticos se dificulta también por el hecho de que tampoco en el Brasil es homogéneo el lenguaje. La *i* final en lugar de *e* (brasil. *gênti*) se puede señalar igualmente en dialectos portugueses (*mônti, nôiti*). Lo mismo vale para las reducciones de *ei* a *ê, ou* a *ô* (brasil. *pêxe*, *ôro*), *lh* a *i* (Azores: *fôia*), y para la desaparición de la *r* final. No de otra manera sucede con las presuntas diferencias entre el Brasil y Portugal en morfología y sintaxis.

En Brasil están (o estaban) muy divididas las opiniones sobre el carácter del brasileño. Tenemos, por una parte, los defensores de la 'língua brasileira', que, basándose en las divergencias existentes, prevén una mayor diferenciación respecto de la lengua-madre (p. e. Alfonso Celso, H. Parentes Fortes, Edgar Sanches). Por otra parte, existe la opinión de que el brasileño no es ni una lengua ni un dialecto, sino que es idéntico, en lo esencial, al lenguaje de la antigua metrópoli. Esta última tesis ha ganado la supremacía absoluta en los últimos tiempos, en lo cual ha jugado ciertamente un papel el hecho de que la lengua literaria ('lengua culta') usada en los dos países es prácticamente la misma. La unidad del lenguaje oficial, junto con la disminución de las diferencias políticas, han aplacado los vientos de la discordia lingüística. La convención luso-brasileña sobre la ortografía (ver pág. 322) contribuyó igualmente a la nivelación de las diferencias existentes.

Para una información más completa referimos al lector a los siguientes escritos:

M. DE PAIVA BOLÉO, *Português europeu e português do Brasil,* en *Biblos,* VIII, 1932, págs. 641-653.

M. DE PAIVA BOLÉO, *Brasileirismos. Problemas de método.* Coimbra, 1943. [Investiga la cuestión de si deba considerarse al brasileño como lengua o como dialecto. Muestra que muchas peculiaridades de la lengua del Brasil se pueden señalar igualmente en Portugal].

M. DE PAIVA BOLÉO, *Filologia e história: A emigração açoriana para o Brasil,* en *Biblos,* XX, 1945. [Muestra la fuerte participación de una emigración de las Azores en la colonización del Brasil].

C. Tagliavini, *Brevi cenni sulle principali differenze fra il portoghese del Brasil e quello del Portogallo.* En: C. Tagliavini y A. Menarini, *Il portoghese per l'italiano autodidatta* (Florencia, 1946).

S. da Silva Neto, *Introdução ao estudo da língua portuguêsa no Brasil.* Río de Janeiro, 1950. [Dibuja la historia de la filología lusitana en Brasil, da una caracterización de la lengua brasileña e indica las tareas futuras de la investigación lingüística brasileña].

Renato Mendonça, *O português do Brasil.* Río de Janeiro, 1936. [Defiende la autonomía del habla brasileña con una interpretación poco convincente del concepto 'lengua'].

Renato Mendonça, *A influência africana no português do Brasil.* Porto, 1948. [Expresa opiniones que no corresponden al nivel de los conocimientos científicos modernos].

J. Dunn, *A grammar of the portuguese language.* Londres, 1930. [Contiene un capítulo que ilustra claramente las diferencias en el habla de las dos naciones].

Silvio Elia, *O problema da língua brasileira.* Río de Janeiro, 1940. [Contra las corrientes nacionalistas que proclaman la autonomía lingüística del Brasil].

Gladstone Chaves de Melo, *A língua do Brasil.* Río de Janeiro, 1946. [Subraya la unidad de la lengua luso-brasileña. Contiene valiosas contribuciones sobre el habla popular en el Brasil, sobre influencias africanas y tupíes, etc.].

SÁTIRO NOGUEIRA, *Português, idioma do Brasil.* Teresina, 1948. [Da un resumen de las opiniones que prevalecen en el Brasil].

C. STAVROU, *Brazilian-portuguese pronunciation.* Nueva York, 1947.

Importantes instrumentos léxicos son:

H. DE LIMA y G. BARROSO, *Pequeno dicionário brasileiro da língua portuguesa,* 'revisto por A. Buarque de Hollanda Ferreira'. Río de Janeiro, 1951. [Contiene muchos *brasileirismos*].

F. A. PEREIRA DA COSTA, *Vocabulário pernambucano.* Recife, 1937. [Muy rico diccionario regional brasileño].

Sobre giros típicos de las lenguas popular y usual en el Brasil (y en Portugal) presenta A. NASCENTES un muy rico material en su *Tesouro da fraseologia brasileira* (Río de Janeiro, 1945).

Un cuadro multicolor del país, la gente, la historia y la economía brasileñas es el dibujado por W. HOFFMANN-HARNISCH, *Brasilien, Bildnis eines tropischen Grossreiches* (Hamburgo, 1938).

Una importante bibliografía con juicios críticos: S. SILVA NETO, *A filologia portuguesa no Brasil (1939-1948),* en el *Supl. bibliogr. da* RPF (Coimbra, 1950), págs. 340-368.

TOPONIMIA Y ONOMASTICA

Sobre la significación de la toponimia para la lingüística y la historia de la cultura léase el capítulo dedicado a estos estudios en la sección española (ver arriba pág. 188 sigs.).

Su auge en Portugal data de las bien documentadas y sólidas contribuciones a una *Toponímia portuguesa* que debemos a J. DA SILVEIRA, publicadas en RL, XVI, XVII, XXIV, XXXIII, XXXV y XXXVIII (1913-1943). Pero ya antes había tenido esta disciplina algunos precursores aislados. Así, el hecho de que una gran parte de los topónimos lusitanos es de origen germánico, fue reconocido ya, por primera vez, en los trabajos de P. A. DE AZEVEDO, *Nomes de pessoas e nomes de logares*, RL, VI, 1900, págs. 47-52, y de A. SAMPAIO, *As vilas do norte de Portugal* (Porto, 1903)[255]. El contingente árabe fue examinado por DAVID LOPES, *Toponímia árabe de Portugal*, RH, IX, 1902, págs. 35-74; una continuación de este trabajo apareció en la RL, XXIV, 1922, págs. 257-273.

También el Maestro de la filología lusitana, LEITE DE VASCONCELOS, reconoció desde temprano la importancia de los nombres de lugar. Una serie de artículos suyos, que tratan de cuestiones generales y problemas particulares referentes a la toponimia, se hallan reunidos en el tomo III de los *Opúsculos* (Coimbra, 1931), págs. 137-

---

255 Comp. también el mencionado (pág. 188) trabajo de J. JUNGFER (Berlín, 1902).

471: 'Nomes de pessoas tornados geográficos', 'A história de Portugal reflectada na toponímia' etc.

En los últimos 25 años ha logrado la toponimia portuguesa notables progresos, particularmente debido a los trabajos de J. M. PIEL, que se distinguen por su excelente fundamentación metodológica. No sólo un profundo análisis de los nombres germánicos debemos a este investigador, sino también otras valiosas contribuciones sobre el material de nombres latino y románico-primitivo. Señalamos ante todo los siguientes artículos: *Os nomes germânicos na toponímia portuguesa* en BF, II-VII (1933-1944) y como libro, en 2 tomos (Lisboa, 1937 y 1945); el opúsculo *O património visigodo da língua portuguesa* (Coimbra, 1942)[256]; *Lateinisches Namengut in portugiesischen und galizischen Ortsnamen,* VKR, X, 1937, págs. 42-64; *Nomes de 'possessores' latino-cristãos na toponímia asturo-galego-portuguesa,* en *Biblos,* XXIII, 1947, págs. 143-202, 283-407; *As águas na toponímia galego-portuguesa,* BF, VIII, 1948, págs. 305-342; *Nomes de lugar referentes ao relevo e ao aspecto geral do solo,* RPF, I, 1947, págs. 153-197; *Os nomes dos santos tradicionais hispânicos na toponímia peninsular* (Coimbra, 1950, también en *Biblos,* XXV y XXVI); *Nombres visigodos de propietarios en la toponimia gallega* (en el *Homenaje a Fritz Krüger,* t. II, 1954, págs. 247-268).

Una clara ojeada sobre la difusión de cada uno de los tipos toponímicos, acompañada de un corte transversal por los siglos pasados da H. LAUTENSACH en el estudio *Die portugiesischen Ortsnamen,* VKR, VI, 1933, págs. 136-165. Este artículo es el más apropiado para proporcionar una primera información sobre los principales pro-

[256] En traducción alemana (compendiada): *Westgotiches Spracherbe in Spanien und Portugal,* DKLV, XVIII, 1943, págs. 171-188.

blemas. Del mismo erudito tenemos una bibliografía toponímica portuguesa publicada en su *Bibliografia geográfica de Portugal* (Lisboa, 1948), págs. 153-157.

Como obras-fuentes para la investigación de los topónimos portugueses hay que señalar:

João Baptista da Silva Lopes, *Dicionário postal e corográfico do reino de Portugal*. 3 tomos. Lisboa, 1891-1894.

Américo Costa, *Dicionário corográfico de Portugal continental e insular*. 12 tomos. Porto, 1929-1949.

A. Sampaio de Andrade, *Dicionário corográfico de Portugal contemporâneo*. Porto, 1944. [Menos rico].

En cuanto a los nombres de persona, referimos al lector a las apuntaciones de carácter general consignadas en la sección española, pág. 194.

La obra fundamental sobre origen y fuentes de los nombres portugueses de persona la debemos a J. Leite de Vasconcelos: *Antroponímia portuguesa* (Lisboa, 1928). Este extenso trabajo examina —en una exposición quizá demasiado amplia, en la que no siempre resalta lo esencial— detenida e históricamente todas las categorías de los nombres: de pila, apellidos, nombres de niño, de niño expósito, de los esclavos, de los judíos, de los árabes, de los gitanos, formaciones cariñosas, apodos y muchas clases más [257].

Un análisis de nombres lusitanos antiguos, atestiguados en documentos de los años 850-1100, hace W. Meyer-Lübke en la monografía *Die altportugiesischen Perso-*

[257] Sobre el origen de los apellidos portugueses se expresa Leite también en el tomo III de los *Opúsculos* (Coimbra, 1931), págs. 1-135.

nennamen germanischen Ursprungs, publicada en los *Sitzungsberichte der Wiener Akademie (Phil. hist. Klasse),* CIL, 1905; cfr. también sobre esto J. J. NUNES, *O elemento germânico no onomástico português (Homenaje a Menéndez Pidal,* II, 1924, págs. 577 sigs.) y, del mismo autor, *Nomes de pessoas na toponímia portuguesa* en el *Bol. Acad. Sciencias,* Lisboa, XIII, 1918-1919, págs. 1.257-1.274. Una explicación de los nombres lusitanos de pila y de familia (junto con muchos otros nombres propios) contiene el tomo segundo, *Nomes proprios,* del *Dicionário etimológico* de A. NASCENTES (Río de Janeiro, 1952).

La evolución de nombres de persona a nombres genéricos (p. e. *guilherme* 'llave falsa' = alem. *Dietrich* 'ganzúa') ha sido tratada por MARIA DO CÉU NOVAIS FARIA, *Passagem de nomes de pessoas a nomes comuns em português* (Coimbra, 1943).

Un rico repertorio de nombres de lugar y de persona provenientes de documentos medievales y de textos antiguo-portugueses ofrece A. A. CORTESÃO, *Onomástico medieval português* (Lisboa, 1912); sin embargo, este libro no contiene sino una parte restringida del material hoy día accesible.

Una bibliografía que concierne a los trabajos sobre toponimia y onomástica publicados hasta el año 1950 nos da M. PAIVA BOLÉO, *Bibliographie onomastique du Portugal,* en *Onoma,* vol. VI, 1955, págs. 1-15. — Para los últimos años véanse las crónicas bibliográficas anuales en la misma revista.

HABLA POPULAR Y ARGOT

Valiosos materiales resultantes de la observación del portugués popular contienen los *Estudos da língua portuguêsa* de JÚLIO MOREIRA (Lisboa, 1907 y 1913). Sobre la creación lingüística basada en imágenes metafóricas, que juega un gran papel en la lengua diaria lusitana, trata M. DE PAIVA BOLÉO en el artículo *A metáfora na língua portuguesa corrente,* en *Biblos,* XI, 1935, págs. 187-225. El trabajo de DELMIRA MAÇÃS, *Os animais na linguagem portuguesa* (Lisboa, 1951) estudia la múltiple función de los nombres de animal en las fuentes populares de la denominación y en su empleo secundario dentro de la creación lingüística. Un ejemplo de la inmensa riqueza en sinónimos del portugués popular nos da HEINZ KRÖLL en su compilación de los términos que expresan los conceptos 'golpear' y 'golpe': *Ein Beitrag zur portugiesischen Wortgeschichte,* RF, LXII, 1950, págs. 32-66. Las formas de cortesía y de título usadas por el pueblo han sido estudiadas por CLAUDIO BASTO en RL, XXIX, 1931, págs. 183-202.

Una muy intuitiva y bien documentada descripción del habla usual en Portugal, que señala su mezcla con expresiones jergales[258], nos ha dado M. L. WAGNER en el artículo *Portugiesische Umgangssprache und calão,* VKR, X, 1937, págs. 3-41. Esta 'Umgangssprache' vale, más o menos, para todas las clases sociales.

---

[258] Damos algunos ejemplos: *gajo* 'individuo', *trouxa* 'tonto', *chatear* 'incomodar', *giro* 'bonito', *rôxo* 'vino'.

Como fuentes principales del argot portugués —llamado allí *gíria* o *calão*[259], y también *geringonça* en el Brasil— señalamos los siguientes libros:

ALBERTO BESSA, *A gíria portuguesa: Esboço de um dicionário de calão.* Lisboa, 1901. [El material reunido aquí es hoy día, en gran parte, anticuado o inusual. Faltan muchas expresiones nuevas surgidas desde entonces; cfr. al respecto M. L. WAGNER en VKR, X, 1937, págs. 8 sigs].

AMÍLCAR FERREIRA DE CASTRO, *A gíria dos estudantes de Coimbra.* Coimbra, 1947. [Buena compilación de un lenguaje especial; trae muchas cosas, sin embargo, que no pertenecen al habla estudiantil. Muy problemática en sus explicaciones etimológicas. Muchas adiciones sobre la materia, sacadas de una colección de GIL MORENO, da DELMIRA MAÇÃS en BF, IX, 1948, págs. 356-368].

J. LEITE DE VASCONCELOS, *Gíria portuguesa.* En los *Opúsculos,* IV, 1929, págs. 581-591.

J. M. QUEIRÓS VELOSO, *A gíria. Vocabulário, etimologia, história,* en *Revista de Portugal,* nov. 1890, págs. 153-183.

AFONSO DO PAÇO, *Gírias militares portuguesas.* Porto, 1926. [El autor da adiciones en RL, XXIX, 1931, págs. 159-169].

La participación gitana en el habla popular portuguesa investigan F. A. COELHO, *Os ciganos de Portugal com um estudo sobre o calão* (Lisboa, 1892), y M. L. WAGNER,

---

259 Cfr., sobre esta expresión, pág. 198. Sobre la demarcación algo artificial entre las denominaciones *gíria* y *calão,* véase M. L. WAGNER en VR, X, 1949, págs. 322 sigs.

O elemento cigano no calão e na linguagem popular portuguesa, BF, X, 1949, págs. 296-319.

Sobre la jerga y el habla popular de los brasileños ('cariocas') han escrito:

ANTENOR NASCENTES, *O linguajar carioca.* Río de Janeiro, 1922, 2ª ed. 1953.

RAÚL PEDERNEIRAS, *Geringonça carioca.* Río de Janeiro, 1922; 2ª ed., 1946.

E. PERDIGÃO, *Linguajar da malandragem.* Río de Janeiro, 1940.

M. VIOTTI, *Novo dicionário da gíria brasileira.* São Paulo, 1956. [Trae mucho material que no pertenece a la 'gíria' o que es 'gíria' general portuguesa].

Las tendencias fonéticas de la lengua popular en el Brasil (*mb* > *m, nd* > *n,* etc.), han sido investigadas por S. SILVA NETO en su *Introdução ao estudo da língua portuguesa no Brasil* (Río, 1950).

ETNOGRAFIA Y FOLKLORE [260]

Junto con todo el Noroeste de la Península Ibérica constituye Portugal, especialmente su mitad septentrional, un verdadero Dorado para estudios etnográficos y folklóricos. Todo visitante de este país conoce los típicos y ricamente adornados yugos. Hasta el río Vouga llega el carro de bueyes galo, de ruedas pequeñas y pesadas y con un cesto grande y ancho (*sebe*) que hace las veces de caja. Un marcado contraste ofrece Portugal frente a España (Centro y Sur) en la costumbre de llevar cántaros y canastos en la cabeza. Un etnólogo portugués ha comprobado la existencia en su país de tres tipos principales del antiguo arado de madera, de los cuales uno (en el interior de la mitad septentrional) es probablemente autóctono (o celta), mientras que los otros dos pueden ser considerados como de origen romano (en la mitad meridional) y germánico (en la región costera norteña), respectivamente [261].

El gran iniciador de todas las investigaciones etnográficas y folklóricas en Portugal fue J. LEITE DE VASCONCELOS (1858-1941). Entre sus obras debemos nombrar aquí, ante todo, los *Ensaios etnográficos* (4 tomos, 1900-1910), *De terra em terra: Excursões arqueologico-etnográficas* (2 tomos, Lisboa, 1927), la *Etnologia* (tomos V

260 Cfr. lo expuesto sobre etnografía y folklore en la sección española (págs. 201 sigs.).

261 JORGE DIAS, *Os arados portugueses e as suas prováveis origens* (Coimbra, 1948).

y VII de los *Opúsculos,* 1938) y la *Etnografia portuguesa* (3 tomos, Lisboa, 1933, 1936, 1942). Gracias al interés investigativo universal que era propio de Leite, y que abarcaba también la arqueología y la filología, pudo prosperar desde temprano en Portugal esa lingüística de orientación etnográfica que conocemos bajo el nombre de 'Palabras y cosas' [262].

En los últimos tiempos estos estudios han sido cultivados especialmente por FRITZ KRÜGER y sus discípulos de Hamburgo, cfr. FRITZ KRÜGER, *Notas etnográfico-lingüísticas da Póvoa de Varzim,* BF, IV, 1936, págs. 109-182, y H. MESSERSCHMIDT, *Haus und Wirtschaft in der Serra da Estrêla,* VKR, IV, 1931, págs. 72-163, 246-305. Análoga orientación tienen los trabajos de KÄTE BRÜDT, *Madeira: estudo lingüístico-etnográfico,* BF, V, 1937, págs. 59-91, 289-349, y de MARIA PALMIRA DA SILVA PEREIRA, *Fafe: contribuição para o estudo da linguagem, etnografia e folclore do concelho,* RPF, III (1950), págs. 196-219 y IV, 1951, págs. 20-169, 374-416.

Desligada de la lingüística, que ha dejado al cuidado del especialista, la etnografía portuguesa se esfuerza hoy por concentrarse en su campo de interés propio. Ejemplos de ello nos dan los estudios de JORGE DIAS, *Vilarinho da Furna, uma aldeia comunitária* (Porto, 1948); MARIA TERESA DE M. LINO NETTO, *A linguagem dos pescadores e lavradores do Concelho de Vila do Conde,* RPF, I, 1947, págs. 59-152 y II, págs. 122-187, y J. LOPES DIAS, *Etnografia da Beira* (8 tomos, Lisboa, 1926-1950). Obra maestra de presentación etnográfica es *Rio de Onor: Comunitarismo agro-pastoril* de JORGE DIAS (Porto, 1953). Es un

---

262 Comp. el artículo *Casa portuguesa* proveniente del círculo de discípulos de LEITE en la RL, XIX, 1916, págs. 134-161. Sobre la importancia de las investigaciones etnográficas de LEITE, véase el artículo de L. CHAVES en la revista *Ocidente,* XV, 1941, págs. 7-17.

estudio monográfico sobre una comunidad rural situada a ambos lados de una frontera política (al Sur de Sanabria), en un rincón de la Península que pertenece a las zonas más apartadas y de mayor interés desde el punto de vista de la cultura social.

Otras obras sirven a la etnografía portuguesa en el más amplio sentido de la palabra:

RODNEY GALLOP, *Portugal: A book of folk-ways*. Cambridge, 1936. [Describe muy intuitivamente, a base de propias observaciones, costumbres y usos de las comarcas portuguesas, fiestas, creencias y música populares].

AUGUSTO CÉSAR PIRES DE LIMA, *Estudos etnográficos, filológicos e históricos*. 6 tomos. Porto, 1947-51. [Obra de rico contenido: creencias, medicina y literatura populares, juegos de niños, oficios rurales, refranes, habla y arte populares].

SOPHIE WEILAND, *Portugiesisches Volkstum im Spiegel der portugiesischen Erzählungsliteratur*. Hamburgo, 1945.

Un interesante examen de diversos aspectos relativos a las creencias populares en Portugal nos da HERMANN URTEL, *Beiträge zur portugiesischen Volkskunde* (Hamburgo, 1928). Gracias a la obra *Cantares do Minho* (2 tomos, Porto, 1942) de FERNANDO DE CASTRO PIRES DE LIMA se nos hizo asequible una rica fuente de canciones populares. Para los acertijos populares indicamos el artículo de FERNANDO DE CASTRO PIRES DE LIMA, *Galinhas e ovos na adivinha popular*, RDTP, VII, 1951, págs. 652-684, como también la tesis doctoral aún inédita de DOROTHEE GROKENBERGER, *Studien zum Volksrätsel der Romanen mit besonderer Berücksichtigung der bildhaften*

Elemente (Munich, 1942), que examina mucho material lusitano. Sobre los gestos como transmisores de expresión disponemos de un bien documentado artículo de Claudio Basto, *A linguagem dos gestos em Portugal,* RL, XXXVI, 1938, págs. 5-72; para los cuentos populares referimos a Th. Braga, *Contos populares do povo portuguéz* (Lisboa, 1914).

Más de 16.000 refranes o giros análogos contiene el *Dicionário de máximas, adágios e provérbios* (Lisboa, 1936) de Jayme Rebelo Hespanha.

Para el Brasil ténganse en cuenta las importantes obras de Luís da Câmara Cascudo, *Antologia do folclore brasileiro* (São Paulo, 1945), *Contos tradicionais do Brasil* (Río de Janeiro, 1946), *Literatura oral* (Río de Janeiro, 1952) y el *Dicionário do folklore brasileiro* (Río de Janeiro, 1954).

Una bibliografía de los cuentos populares portugueses se halla en la obra de J. Bolte y G. Polívka, *Anmerkungen zu den Kinder- und Hausmärchen der Brüder Grimm,* V (Leipzig, 1932), págs. 86-87.

Una ojeada al estado de la investigación etnográfica (con valiosa bibliografía) da Fritz Krüger en el escrito *Der Beitrag Portugals zur europäischen Volkskunde* (en: *Congresso do Mundo Português,* XVIII, 1940, págs. 296-351), mostrando asimismo la significación que tiene este país para la investigación europea general.

Un informe crítico, con muy completa bibliografía, de los resultados logrados en todos los campos de la etnografía (en los años 1939-1951), con registro y caracterización de todas las colecciones y centros de trabajo correspondientes, debemos a A. Jorge Dias, *Bosquejo histórico da etnografia portuguesa* (Coimbra, 1952, también en el *Supl. bibl. da* RPF, II).

Una fuente extraordinariamente importante de material constituyen los tomos de la *Revista Lusitana* (1887-1943). Además de las publicaciones folkloristas indicadas en la pág. 208, merece también honrosa mención *Folclore* (Orgão da Comissão Paulista de Folclore), que aparece desde 1952 en São Paulo.

INDICE DE AUTORES

INDICE DE MATERIAS

INDICE DE PALABRAS

1. Latín

2. Español, catalán, portugués

3. Vascuence

4. Provenzal y gascón

5. Italiano y sardo

6. Germánico

7. Céltico

INDICE ONOMASTICO

1. Nombres geográficos

2. Nombres de persona

INDICE GENERAL

SE TERMINO LA IMPRESION DE ESTE LIBRO EL DIA TREINTA DE OCTUBRE DE MIL NOVECIENTOS CINCUENTA Y SIETE, EN LOS TALLERES EDITORIALES DE LA LIBRERIA VOLUNTAD LIMITADA,

BOGOTA — COLOMBIA

LAVS DEO

PUBLICACIONES DEL INSTITUTO CARO Y CUERVO

SERIES MINOR

I

F. Leo, *Literatura romana.* Traducción y notas por P. U. González de la Calle.

II

R. Torres Quintero, *Bibliografía de Rufino José Cuervo.*

III

L. Flórez, *Lengua española.*

IV

G. Mancini, *San Isidoro de Sevilla: aspectos literarios.* Anejo: *Textos.*

V

L. Flórez, *Temas de castellano.*

FILOLOGOS COLOMBIANOS

I

F. A. Martínez y R. Torres Quintero, *Rufino José Cuervo.* Estudio y bibliografía.

II

J. Ortega Torres, *Marco Fidel Suárez.* Bibliografía.

CLASICOS COLOMBIANOS

I y II

R. J. Cuervo, *Obras.*

R. J. Cuervo, *Diccionario de construcción y régimen de la lengua castellana.* Nueva edición. I (A-B); II (C-D).